Etthundra mil

JOJO MOYES
Etthundra mil

Översättning: Emö Malmberg

P*
PRINTZ
PUBLISHING

re utgivet av Jojo Moyes på Printz Publishing:

Livet efter dig, 2012
Sophies historia, 2013
Sista brevet från din älskade, 2014

Printz Publishing
info@printzpublishing.se
www.printzpublishing.se
Copyright © 2014 by Jojo´s Mojo Limited
Originalets titel: The One Plus One
Översättning: Emö Malmberg
Omslag: Sara R Acedo
Sättning: Anna Levahn
Originalförlag: Penguin
Utgiven efter överenskommelse med Curtis Brown Ltd
ISBN 978-91-87343-57-5
Tryckt hos Scandbook AB i Falun, 2015

Till Charles, som alltid

PROLOG

ED

Ed Nicholls drack kaffe med Ronan inne på utvecklings-
avdelningen när Sidney kom in i rummet. Bakom ho-
nom stod en man han bara vagt kände igen; det var en av
Kostymerna.

"Vi har letat efter dig", sa Sidney.

"Och nu har du hittat oss", svarade Ed.

"Inte Ronan. Dig."

Ed iakttog dem en liten stund, sedan kastade han upp
en röd skumgummiboll i luften och fångade den. Han
sneglade på Ronan. Det var ett och ett halvt år sedan
Investacorp hade köpt hälften av aktierna i bolaget, men
Ed och Ronan tänkte fortfarande på dem som Kostymerna.
Och det var en av de snällare sakerna de brukade kalla dem.

"Känner du en kvinna som heter Deanna Lewis?"

"Hurså?"

"Har du berättat för henne om lanseringen av det nya
programmet?"

"Va?"

"Det är en ganska enkel fråga."

Ed såg från den ena Kostymen till den andra. Stämning-
en i rummet var laddad. Hans mage kändes som en propp-
full hiss som långsamt började sin färd ner mot fötterna.
"Vi kanske pratade om jobbet. Men inga detaljer, vad jag
kan minnas."

"Deanna Lewis?" frågade Ronan.

"Du måste vara tydligare än så, Ed. Berättade du om lan-
seringen av SFAX?"

"Nej. Kanske. Vad är det frågan om?"

"Polisen är där nere och söker igenom ditt kontor tillsammans med två idioter från Finansinspektionen. Hennes bror är gripen, misstänkt för insiderbrott. På grund av information som du gav dem om lanseringen av mjukvaran."

"Deanna Lewis? *Vår* Deanna Lewis?" Ronan började putsa på sina glasögon, något han alltid gjorde när han var nervös.

"Broderns hedgefond gjorde en vinst på 2,6 miljoner dollar första dagen. Och hon kasserade in 190 000 enbart på sitt privata konto."

"Hennes brors hedgefond?"

"Jag förstår inte", sa Ronan.

"Då ska jag bokstavera det för dig. De har Deanna Lewis på band när hon berättar för sin bror om lanseringen av SFAX. Hon säger att Ed här talade om för henne att det skulle bli något riktigt stort. Och gissa vad? Två dagar senare är broderns hedgefond en av de största aktieköparna. Vad exakt var det som du berättade för henne?"

Ronan stirrade på honom. Ed kämpade med att samla ihop tankarna. När han svalde var det pinsamt ljudligt. De andra på utvecklingsavdelningen kikade nyfiket över väggarna till sina bås. "Jag berättade inget för henne." Han klippte med ögonen. "Jag vet inte. Jag kanske nämnde något. Det var ju inga statshemligheter direkt."

"Det *var* en jävla statshemlighet, Ed", sa Sidney. "Det kallas insiderhandel. Hon sa till honom att du hade gett henne datum och klockslag. Du hade sagt att företaget skulle tjäna en förmögenhet."

"I så fall ljuger hon! Jäkla sladdertacka. Vi bara … träffades."

"Du ville sätta på henne, så du lät munnen gå för att impa på henne."

"Så var det inte alls."

"Har du legat med Deanna Lewis?" Ed kände Ronans närsynta blick bränna.

Sidney höjde händerna i luften. "Du måste ringa din advokat."

"Hur kan jag vara i blåsväder?" undrade Ed. "Det är inte som om jag har tjänat något på det här. Jag visste inte ens att hennes bror hade en hedgefond."

Sidney kastade en blick över axeln. Plötsligt hittade alla något intressant på sina skrivbord. Han sänkte rösten. "Du måste gå nu. De vill förhöra dig på polisstationen."

"Va? Det här är inte klokt. Jag har ett möte om tjugo minuter. Jag tänker inte åka till polisstationen."

"Och du är naturligtvis avstängd tills vi har rett ut det här."

Ed skrattade till lite halvhjärtat. "Skämtar du? Du kan inte stänga av mig. Det är mitt företag." Han kastade upp skumgummibollen i luften och fångade den, vände sig halvt om, bort från dem. Ingen rörde sig. "Jag går ingenstans. Det här är vårt företag. Säg det till dem, Ronan."

Han såg på Ronan, men Ronan hade blicken fäst vid något på golvet. Ed såg på Sidney som skakade på huvudet. Sedan såg han upp på de två uniformsklädda männen som hade dykt upp bakom honom, på sin sekreterare som stod med ena handen över munnen, på kollegorna som skingrades och öppnade en väg för honom, och skumgummibollen föll ljudlöst ner på golvet mellan hans fötter.

KAPITEL ETT

JESS

Jess Thomas och Nathalie Benson halvlåg i varsitt säte i skåpbilen. De hade parkerat den tillräckligt långt från Nathalies hus för att ingen inifrån skulle kunna se dem.. Nathalie rökte. För sex veckor sedan hade hon slutat röka för fjärde gången.

"Åttio pund i veckan, fast uppdrag. Semesterlön." Nathalie skrek till. "Jävla helvete. Jag vill hitta den där slampan som tappade sitt örhänge och klappa till henne. Det är hennes fel att vi förlorar vårt bästa uppdrag."

"Hon kanske inte visste att han var gift."

"Klart hon gjorde." Innan Nathalie träffade Dean hade hon varit ihop med en man som, skulle det visa sig, inte bara hade en, utan två familjer på andra sidan Southampton. "Den ungkarl finns inte som har färgkoordinerade prydnadskuddar i sängen."

"Fast Neil Brewster har det", sa Jess.

"Neil Brewsters cd-samling består till sextiosju procent av Judy Garland och trettiotre procent av Pet Shop Boys."

De hade städat tillsammans varje vardag i fyra år nu, ända sedan den tiden då Beachfront Holiday Park till hälften var ett semesterparadis, till hälften en byggarbetsplats. På den tiden då byggbolaget försäkrade att folk i trakten skulle få tillgång till poolen, och de lovade att projekteringen och bygget av en exklusiv semesterby definitivt skulle gagna deras sömniga lilla kuststad, och inte alls suga den sista musten ur den. På långsidan av deras vita skåpbil syntes den bleknade loggan "Benson & Thomas Städ". Under den

hade Nathalie lagt till "Ring oss, vi hjälper dig med snus-
ket", ända tills Jess påpekade att hälften av alla samtal de
fick inte alls handlade om städning.

Nästan alla deras uppdrag låg i Beachfront. I stan var det
knappt någon som hade råd eller lust att anlita städhjälp,
undantaget läkarna, advokaten och någon enstaka kund
som mrs Humphrey, vars ledgångsreumatism hindrade
henne från att göra det själv. Å ena sidan var det ett bra
jobb. Man var sin egen chef, styrde själv över sin tid och
kunde oftast välja vilka uppdrag man ville ta. Baksidan var
konstigt nog inte de jobbiga kunderna (och man hade alltid
åtminstone en jobbig kund), eller att man kunde känna när
man skurade någon annans toalett att man på något sätt
hade hamnat längre ner på samhällsstegen än man hade
tänkt sig. Jess hade faktiskt inget emot att dra upp blöta
hårbollar ur folks avlopp, eller det faktum att folk som hyr-
de semesterhus tycktes känna sig tvungna att leva som svin
under en vecka.

Det hon inte tyckte om var att man alltid fick reda på
mer om folks liv än man egentligen ville.

Jess skulle kunna berätta om mrs Eldridges hemliga
shoppingmani, hur hon kastade kvitton på dyra märkesskor
i papperskorgen i badrummet och tryckte in påsar med
oanvända kläder, vars prislappar fortfarande satt kvar, i gar-
deroben. Hon hade kunnat tala om att Lena Thompson i
fyra års tid hade försökt att bli med barn och gjorde två gra-
viditetstest i månaden (ryktet gjorde gällande att hon alltid
behöll strumpbyxorna på). Hon hade kunnat tala om att mr
Mitchell i det stora huset bakom kyrkan tjänade sexsiffriga
belopp (han lät alltid lönespecifikationen ligga framme i
hallen och Nathalie brukade säga att hon kunde svära på
att han gjorde det med flit), och att hans dotter smygrökte
i badrummet.

Om hon hade varit lagd åt det hållet hade hon kun-
nat berätta om kvinnan som gick hemifrån och alltid såg
så oantastlig ut, med perfekt frisyr och välmanikurerade

naglar, omgiven av en dyr doft, men som utan problem kunde låta sina smutsiga trosor ligga kvar mitt på golvet. Eller tonårspojkarna, vars stela handdukar hon inte ens ville ta i med tång. Där fanns paren som sov i separata sovrum och där hustrun hurtigt påpekade att de hade haft så "förfärligt många nattgäster" när hon bad dem att byta lakan i gästrummet. För att inte tala om toaletterna som krävde gasmask och en varningsskylt på dörren.

Och så, någon gång ibland, dök det upp en trevlig kund som Lisa Ritter och man kvistar över dit för att dammsuga och råkar hitta ett diamantörhänge och får plötsligt veta en massa saker som man inte alls vill veta.

"Det är antagligen min dotters. Hon måste ha tappat det när hon var på besök sist", hade Lisa Ritter sagt med en röst som darrade en aning av ansträngning medan hon höll örhänget i sin hand. "Hon har ett par som ser ut precis så här."

"Naturligtvis", hade Jess svarat. "Någon råkade väl sparka in det i sovrummet, eller så fastnade det på någons sko. Vi förstod att det var något sådant. Jag beklagar, hade jag vetat att det inte var ert hade vi inte ens sagt något." Och hon hade förstått det i samma ögonblick som mrs Ritter vände sig om, att nu var det kört. Folk brukade inte tacka en när man kom med dåliga nyheter.

Vid andra änden av gatan såg de en liten påbyltad knatte tulta fram och plötsligt falla som en fura. Efter en kort tystnad började barnet tjuta. Modern stod med två tunga matkassar i händerna och såg uppgivet på den lille.

"Du hörde vad hon sa förra veckan – Lisa Ritter skulle hellre göra sig av med sin frisör än med oss."

Nathalie gjorde en min som sa att Jess antagligen skulle se en härdsmälta från den ljusa sidan. "Innan hon skulle göra sig av med 'städhjälpen'. Det är inte samma sak. För henne spelar det ingen roll om det är vi eller *Snabbrent* eller *Grabbar som svabbar* som är städhjälpen." Nathalie ruskade på huvudet. "Nej, i hennes ögon kommer vi alltid att vara städhjälpen som vet sanningen om hennes otrogne man.

Och för kvinnor som hon spelar det roll. För dem handlar det om att upprätthålla skenet, eller hur?"

Modern ställde ifrån sig kassarna och böjde sig ner mot barnet. Jess lade upp sina bara fötter på instrumentbrädan och gömde ansiktet i händerna. "Fan också. Hur ska vi få in de pengarna, Nat?"

"Hennes hus var alltid rent. Allt vi gjorde var att mer eller mindre svepa runt med dammvippan två gånger i veckan." Nathalie stirrade ut genom fönstret.

"Och hon betalade alltid i tid."

Jess såg fortfarande diamantörhänget framför sig. Varför hade de inte bara struntat i det? Det hade till och med varit bättre om en av dem hade snott det. "Okej, hon kommer att säga upp oss. Nu byter vi ämne, Nat. Jag kan inte komma rödgråten till mitt skift på puben."

"Ringde Marty den här veckan?"

"Jag menade inte att vi skulle byta samtalsämne och prata om det."

"Jamen gjorde han det?"

Jess suckade. "Ja."

"Sa han något om varför han inte ringde förra veckan?" Nathalie knuffade ner Jess fötter från instrumentbrädan.

"Nej." Jess kände hennes granskande blick. "Och nej, han har inte skickat några pengar."

"Kom *igen*. Du måste anmäla honom. Du kan inte fortsätta så här. Han måste betala för sina egna barn."

Det var en gammal diskussion. "Han är … han är inte frisk än", sa Jess. "Jag kan inte lägga sten på börda. Han har fortfarande inget jobb."

"Jaha, men du kommer att behöva de där pengarna nu. I alla fall tills vi hittar ett lika bra jobb som det hos Lisa Ritter. Hur är det med Nicky?"

"Jag gick hem till Jason Fisher för att prata med hans mamma."

"Skämtar du? Den kvinnan skrämmer livet ur mig. Sa hon att hon skulle säga till Jason att låta Nicky vara i fred?"

14

"Typ."

Nathalie släppte inte Jess med blicken och sänkte hakan två centimeter.

"Hon sa att om jag ringde på en gång till skulle hon banka skiten ur mig. Mig och mina ... hur var det hon uttryckte det? ... mig och mina missfoster till ungar." Jess fällde ner solskyddet på passagerarsidan och tittade sig i spegeln. Hon drog bak håret i en hästsvans. "Och sedan sa hon att Jason aldrig skulle göra en fluga förnär."

"Så klart."

"Det är okej. Jag hade med mig Norman. Och den raringen lade världens bajskorv bredvid deras Toyota och på något sätt råkade jag glömma bort att jag hade plastpåsar i fickan."

Jess lade upp fötterna igen.

Nathalie svepte ner dem ännu en gång och torkade av instrumentbrädan med en våtservett. "Ärligt talat, Jess. Hur länge sedan var det som Marty stack? Två år? Du är fortfarande ung. Du kan inte bara vänta på att han ska reda ut sitt liv. Du måste upp på hästen igen", sa Nathalie med en grimas.

"Upp på hästen igen. Trevligt."

"Liam Stubbs är svag för dig. Honom kan du ta en ridtur med."

"Vem som helst med en uppsättning x-kromosomer kan rida Liam Stubbs." Jess stängde fönstret. "Jag läser hellre en bok. Dessutom har ungarna haft tillräckligt med trassel utan att behöva träffa främmande karlar när de kommer ner i köket." Hon tittade upp och rynkade på näsan mot himlen. "Jag måste fixa middag och göra mig klar för puben. Sedan kan jag ringa runt till våra kunder innan jag går för att höra efter om det är någon som behöver något extrajobb gjort. Och man vet aldrig, hon kanske inte alls säger upp oss."

Huset på Seacove Avenue 14 var uppfyllt av ljudet av en

serie avlägsna explosioner. Tanzie hade räknat ut att Nicky, sedan han fyllt sexton, hade ägnat 88 procent av sin fritid inne i sitt sovrum. Jess förstod honom.

Hon ställde ifrån sig städkorgen på golvet i hallen, hängde upp jackan och gick uppför trappan. Den trådslitna mattan fyllde henne med en välbekant uppgivenhet och hon öppnade dörren till hans rum. Han hade på sig ett par hörlurar och höll som bäst på att skjuta någon; lukten av marijuana var så stark att hon nästan blev snurrig.

"Nicky", sa hon samtidigt som någon exploderade i en svärm av kulor på skärmen. "Nicky." Hon gick fram till honom och drog av honom hörlurarna så att han vände sig om. Han såg yrvaken ut, som om någon just väckt honom. "Du pluggar hårt, ser jag?"

"Jag tar en paus."

Hon plockade upp en askkopp och höll fram den. "Vad har jag sagt?"

"Den är från i går. Kunde inte somna."

"Inte inomhus, Nicky." Det var meningslöst att tala om för honom att hon inte ville att han skulle röka på överhuvudtaget. Alla häromkring rökte. Hon intalade sig att det var tur att han inte hade börjat förrän han var femton.

"Är Tanzie hemma?" Hon böjde sig ner och plockade upp strumpor och muggar från golvet.

"Nej. Förresten, det ringde någon från skolan efter lunch."

"Va?"

Han skrev något på skärmen innan han vände sig mot henne. "Jag vet inte. Det var något med skolan."

Hon lyfte undan en test av det svartfärgade håret, och där var det: ett nytt märke på kinden. Han vred bort huvudet. "Hur är det med dig?"

Han ryckte på axlarna och tittade bort.

"Har de varit på dig igen?"

"Det är ingen fara med mig."

"Varför ringde du inte?"

"Har inget kvar på kontantkortet." Han lutade sig tillbaka

och avfyrade en digital granat. Skärmen exploderade i ett eldklot. Han tog på sig hörlurarna igen och återvände till spelet.

Nicky hade flyttat in hos Jess åtta år tidigare. Han var Martys son med Della, en kvinna han hade dejtat en kort period i tonåren. Nicky hade dykt upp tystlåten och håglös, med långa, magra armar och ben och en glupande aptit. Hans mamma hade börjat hänga med ett nytt gäng och slutligen gett sig av till Midlands och bodde tillsammans med en karl som hette Big Al; han såg aldrig någon i ögonen och kramade alltid en burk Tennent's Extra i sin överdimensionerade näve. Nicky hade hittats sovande i skolans omklädningsrum och när socialassistenten hade ringt igen hade Jess sagt att pojken kunde bo hos dem. "Precis vad du behöver", hade Nathalie sagt. "En mun till att mätta."

"Han är min styvson."

"Du har träffat honom två gånger på fyra år. Och du är inte ens tjugo."

"Ja, men nu är det så familjer ser ut i dag."

Efteråt undrade hon ibland om inte det hade varit den sista droppen; det som slutligen hade fått Marty att abdikera från sitt föräldraansvar. Men bakom den korpsvarta luggen och sminket var Nicky en bra unge. Han var snäll mot Tanzie och när han hade en bra dag kunde han prata och skratta och tillåta att Jess kramade honom. Hon var glad att han var där, även om det ibland kändes som om hon i princip bara hade skaffat sig ytterligare en person att oroa sig för.

Hon gick ut i trädgården med telefonen och tog ett djupt andetag. "Eh … hallå? Det här är Jessica Thomas. Jag fick ett meddelande om att jag skulle ringa tillbaka."

En kort paus.

"Är det Tanzie …? Har det hänt något?"

"Nej, nej. Allt är bra. Förlåt, det skulle jag ha sagt med en gång. Det här är mr Tsvangarai, Tanzies lärare i matematik."

"Jaha." Hon såg honom framför sig: en lång karl i grå

kostym med ett ansikte som en begravningsentreprenör.

"Jag ville prata med er eftersom jag för några veckor sedan hade ett mycket intressant samtal med en före detta kollega som nu arbetar på St. Anne's."

"St. Anne's?" Jess rynkade pannan. "Privatskolan?"

"Ja. De har ett stipendium för barn med särskild begåvning inom matematik, och som ni vet har vi redan haft ögonen på Tanzie och hennes speciella begåvning."

"För att hon är bra på matte."

"Bättre än bra. Vi lät henne göra inträdesprovet förra veckan. Jag vet inte om hon har sagt något. Jag skickade med henne ett brev, men jag vet inte om ni har sett det."

Jess kisade upp mot en fiskmås på himlen. Några trädgårdar längre bort hade Terry Blackstone börjat sjunga med till radion. Han kunde framföra en hel Rod Stewart-platta när han trodde att ingen såg.

"Vi fick testresultatet i morse. Hon gjorde bra ifrån sig. Extremt bra. Om ni går med på det mrs Thomas, så skulle de vilja intervjua henne för en subventionerad plats."

Hon kom på sig själv med att upprepa det han sa som en papegoja. "Subventionerad plats?"

"Barn med särskild begåvning har möjlighet att få en plats på St. Anne's för en kraftigt reducerad terminsavgift. Det skulle innebära att Tanzie kunde få den absolut bästa utbildningen. Hon har en alldeles exceptionell numerisk begåvning, mrs Thomas. Jag tror att det här skulle vara en fantastisk möjlighet för henne."

"St. Anne's? Men ... det ligger på andra sidan stan. Och hon måste ha skoluniform. Hon ... skulle inte känna någon."

"Hon skulle skaffa sig nya vänner. Men allt det där är bara detaljer. Låt oss se vad skolan kommer med för förslag. Tanzie är en begåvad flicka." Han gjorde en paus. När hon inte svarade fortsatte han med låg röst: "Jag har undervisat i matematik i snart tjugotvå år, och jag har aldrig stött på en elev som kan uppfatta matematiska koncept lika bra som hon. Jag har snart inget mer att lära henne. Algoritmer, sannolikhetslära, primtal ..."

"Vänta, nu förstår jag inte vad vi pratar om längre."

Han skrockade. "Jag hör av mig."

Hon lade på luren och sjönk ner på en av de vita plaststolarna som var täckta av ett tunt lager grön mossa. Hon stirrade tomt framför sig – genom fönstret på gardinerna som Marty alltid hade tyckt var för skrikiga, på den röda trehjulingen i plast som hon inte kommit sig för att göra sig av med, på cigarettfimparna som grannarna hade sprätt som konfetti på stigen mellan deras hus, på de ruttna plankorna i staketet som hunden alltid skulle sticka huvudet genom. Och trots sin, som Nathalie sa, obotliga optimism, kände Jess hur ögonen fylldes med tårar.

När en far lämnar sin familj får det så många negativa konsekvenser: pengabekymmer, undertryckt ilska å barnens vägnar, det faktum att de flesta av ens vänner som lever i parförhållanden plötsligt betraktar en som en potentiell äktenskapssabotör. Men värre ändå, värre än den eviga jävla kampen om att få ekonomin att gå ihop, är att det är så fruktansvärt ensamt när man ställs inför svåra beslut.

KAPITEL TVÅ

TANZIE

Det stod tjugosex bilar på parkeringsplatsen utanför St. Anne's. Två rader med tretton skinande rena fyrhjulsdrivna bilar stod mittemot varandra; de gled smidigt in och ut ur luckorna med en genomsnittlig svängradie om 41 grader och lämnade plats för nästa bil som stod på tur.

Tanzie betraktade dem medan hon och mamma korsade gatan vid busshållplatsen, förarna pratade olagligt i sina mobiltelefoner eller formade munnarna i ljudlösa samtal med sina storögda, blonda barn i baksätet. Mamma lyfte lite på hakan och lekte med hemnycklarna som hon höll i sin lediga hand som om de egentligen var bilnycklar och hon bara hade parkerat sin bil ett litet stycke bort. Mamma såg sig ideligen om. Tanzie misstänkte att hon var orolig över att stöta på någon av sina städkunder som skulle undra vad hon gjorde där.

Tanzie hade aldrig varit inne på St. Anne's, trots att hon hade åkt förbi skolan minst tio gånger eftersom folktandvården låg på samma gata. Det enda som syntes utifrån var en häck som fortsatte i all oändlighet, klippt i exakt 90 graders vinkel (hon undrade om trädgårdsmästaren använde en vinkelmätare), och några stora träd med lågt hängande grenar, som om de böjde sig ner för att skydda de lekande barnen nedanför.

Barnen på St. Anne's slog inte varandra i huvudet med skolväskorna, de tryckte inte upp varandra mot väggen och snodde varandras lunchpengar. Man hörde inga trötta lärare som föste in tonåringarna i klassrummen. Flickorna hade inte vikt upp kjolarna sex varv i linningen. Inte en enda person rökte. Mamma kramade hennes hand. Tanzie önskade att hon inte hade sett så nervös ut. "Visst är det fint, mamma?"

Hon nickade. "Ja", pep hon.

"Mr Tsvangarai berättade att alla sjätteklassare här har A i matte. Visst är det bra?"

"Fantastiskt."

Tanzie drog i mammas hand så att de skulle komma fram snabbare. "Tror du att Norman kommer att sakna mig när jag är borta hela dagarna?"

"Hela dagarna?"

"De slutar inte förrän vid sex på St. Anne's. Och på tisdagar och torsdagar har de matteklubb och det vill jag absolut gå på."

Hennes mamma tittade på henne. Hon såg så trött ut. Hon såg alltid trött ut nuförtiden. Hon log ett sådant där leende som egentligen inte var ett leende och så gick de in.

"God dag, mrs Thomas. Hej, Costanza. Så trevligt att träffas. Slå er ner."

Rektorns rum hade högt i tak, där det med tjugo centimeters mellanrum satt gipsrosetter och exakt halvvägs mellan varje rosett satt några små rosenknoppar. Rummet var proppfullt med gamla möbler och genom burspråket kunde man se en man på en åkgräsklippare som långsamt åkte fram och tillbaka på en cricketplan. På ett litet sidobord hade någon dukat upp kaffe och småkakor. Det syntes att de var hemgjorda. Mamma brukade baka sådana innan pappa flyttade.

Tanzie satte sig ner på kanten av soffan och tittade storögt på de två farbröderna mittemot. Han med mustaschen log på samma sätt som skolsyster gjorde innan man fick en spruta. Mamma hade lagt sin handväska i knäet och Tanzie såg att hon höll väskan så att hon täckte över hörnet som Norman hade tuggat sönder. Hon satt med benen i kors och dinglade med ena foten.

"Det här är mr Cruikshank, han är huvudlärare i matematik. Och jag heter mr Daly. Jag har varit rektor här i två år."

Tanzie såg upp från sin kaka.

"Räknar ni korda här?"

"Det gör vi", sa mr Cruikshank.

"Och sannolikhetslära?"

"Det också."

Mr Cruikshank lutade sig fram. "Vi har tittat på ditt testresultat, Costanza, och vi tycker att du borde göra de nationella proven i matematik för niondeklassare redan nästa år. För jag tror att du skulle tycka om den svårare matematiken." Hon såg på honom. "Har ni de nationella proven?"

"Jag har några gamla på mitt rum. Skulle du vilja titta på dem?"

Hon kunde knappt tro att han frågade. Hon var nära att svara som Nicky skulle ha gjort: *Ehh ... hallå?* Men hon nöjde sig med att nicka.

Mr Daly räckte mamma en kopp kaffe. "Jag ska gå rakt på sak, mrs Thomas. Ni är naturligtvis medveten om vilken exceptionell matematikbegåvning er dotter är. Vi har bara sett liknande testresultat en gång tidigare, och den eleven fick sedermera ett stipendium till Trinity."

Han fortsatte att prata och prata och till slut tappade Tanzie koncentrationen. "... och vi har skapat ett stipendium för att öka jämlikheten när det gäller utbildning för synnerligen begåvade barn." *Bla bla bla.* "... barn som annars kanske inte skulle kunna nå sin fulla potential, kan därigenom få möjligheten att ..." *Bla bla bla.* "Vi är mycket nyfikna på hur långt Costanza kan nå inom matematiken, men vi vill samtidigt ge henne en stabil grund inom andra områden också. Vi har ett brett utbud av kurser inom sport och musik ..." *Bla bla bla.* "... och många barn läser även flera språk." *Bla bla bla.* "... liksom drama, som ofta är populärt bland flickor i hennes ålder."

"Det enda jag gillar är matematik", sa hon till honom. "Och hundar."

"Tja, vi har inte mycket att erbjuda när det gäller hundar, men vi har många möjligheter för dig att utveckla ditt matematiska kunnande. Men du kanske blir förvånad över att upptäcka annat du tycker om. Spelar du något instrument?"

Hon skakade på huvudet.

"Språk?"

Det blev tyst i rummet.

"Andra intressen?"

"Vi brukar simma på fredagar", sa mamma.

"Vi har inte varit i simhallen sedan pappa flyttade."

Mamma log, men det blev mest till en grimas. "Det har vi, Tanzie."

"En gång. Den trettonde maj. Men nu jobbar du på fredagar."

Mr Cruikshank lämnade rummet och kom strax tillbaka med sina papper. Hon stoppade den sista kakan i munnen, sedan reste hon sig upp och gick och satte sig bredvid honom. Han hade en hel hög med papper. Där fanns saker hon inte ens hade börjat med än!

Hon började gå igenom uppgifterna med honom, visade vad hon hade gjort och vad hon inte hade gjort och i bakgrunden hörde hon mamma och rektorn prata med varandra.

Det lät som om det gick bra. Tanzie kunde ägna sin uppmärksamhet åt det som stod på pappren. "Ja", sa mr Cruikshank med låg röst och pekade. "Men det märkliga med en tidskontinuerlig process är att om vi avvaktar en förutbestämd tid och sedan studerar hur stort det tidskontinuerliga intervallet som den innehåller är, skulle vi finna att det var större än ett genomsnittligt tidskontinuerligt intervall. Det här visste hon svaret på! "Så det skulle ta längre tid för aporna att skriva Macbeth?"

"Precis." Han log. "Jag visste inte om du hade studerat tidskontinuerliga processer än."

"Det har jag egentligen inte. Men mr Tsvangarai nämnde det för mig en gång och jag slog upp det på internet. Jag gillade det där med aporna." Hon bläddrade bland pappren.

Siffrorna sjöng för henne. Hon kände hur hjärnan började nynna med i melodin och hon visste att hon bara måste få gå i den här skolan. "Mamma", sa hon. Hon brukade inte avbryta vuxna i vanliga fall, men nu var hon så uppspelt att hon inte kunde hålla sig. "Tror du att vi kan skaffa några av de här talen?"

Mr Daly såg på henne. Han verkade inte ha tagit illa upp över att bli avbruten. "Har vi några prov som vi kan avvara, mr Cruikshank?"

"Du kan ta de här."

Och sedan gav han dem till henne! Bara så där! Där ute ringde en klocka och hon hörde barnen gå förbi på gruset utanför fönstret.

"Jaha … och vad händer nu?" frågade mamma.

"Vi vill gärna erbjuda Costanza … Tanzie … ett stipendium." Mr Daly tog upp en glansig folder från bordet. "Här har vi sammanställt all relevant dokumentation. Stipendiet täcker nittio procent av skolavgiften. Det är det mest omfattande stipendium skolan någonsin har erbjudit. Med tanke på det stora antalet ansökningar till skolan brukar femtio procent vara det vi maximalt kan erbjuda." Han höll fram kakfatet mot Tanzie. På något vis hade det fyllts på med nya kakor. Det här var verkligen den bästa skolan någonsin.

"Nittio procent", sa mamma. Hon lade ner sin kaka på fatet.

"Jag inser att det fortfarande rör sig om en betydande kostnad för er. Dessutom tillkommer kostnad för skoluniform, resor och andra aktiviteter som musik eller skolutflykter. Men jag vill ändå poängtera vilken fantastisk möjlighet det här är." Han lutade sig fram. "Vi skulle gärna se att du började hos oss, Tanzie. Din mattelärare säger att det är ett rent nöje att undervisa dig."

"Jag tycker om skolan", sa hon och sträckte sig efter ännu en kaka. "Många av mina kompisar tycker att skolan är tråkig, men jag tycker att det är bättre i skolan än hemma."

Alla skrattade lite generat.

"Fast det är inte på grund av dig, mamma", sa hon och tog en kaka till. "Men min mamma måste jobba väldigt mycket."

Alla blev tysta.

"Det gäller många av oss", sa mr Cruikshank.

"Jaha", sa mr Daly, "ni har säkert fått mycket att tänka på, och jag tror säkert att ni har en hel del frågor. Jag föreslår att vi avslutar kaffet och sedan ber jag en av våra studenter att visa er runt på skolan. Så kan ni prata sinsemellan."

Tanzie var ute i trädgården och kastade en boll till Norman. Hon var fast besluten att en dag få honom att fånga den och komma tillbaka med den. Hon hade läst någonstans att sannolikheten att ett djur skulle lära sig något var fyra gånger större om man repeterade. Fast hon var inte säker på att Norman kunde räkna.

De hade skaffat Norman från ett hundstall efter att pappa hade flyttat och mamma hade legat vaken elva nätter i rad och oroat sig för att tjuvar och mördare skulle bryta sig in när folk väl insåg att han var borta. På hundstallet hade de sagt att han var fantastisk med barn och en utmärkt vakthund. "Men han är så stor", sa mamma.

"Desto mer avskräckande", hade de svarat glatt. "Och sa vi att han är fantastisk med barn?"

Nu två år senare sa mamma att han i princip bara var en enda stor mat- och bajsmaskin. Han dreglade på kuddar och ylade i sömnen, han trampade runt i huset och hårade ner överallt och avfyrade stinkbomber. Mamma sa att hundstallet hade haft rätt: ingen skulle våga bryta sig in i huset av rädsla för att Norman skulle gasa ihjäl dem.

Hon hade gett upp försöken att hindra honom från att sova inne hos Tanzie. Varje morgon när Tanzie vaknade låg hunden utsträckt med sina håriga ben över lakanet och upptog tre fjärdedelar av sängen, medan hon låg och frös under ett hörn av duntäcket. Mamma brukade muttra något om hår och hygien, men det var inget som störde Tanzie.

Hon var två år när Nicky flyttade in hos dem. Tanzie gick och lade sig en kväll och när hon vaknade på morgonen var han där i gästrummet. Mamma sa att han skulle bo hos dem och att han var hennes bror. En gång hade Tanzie frågat honom vad han trodde att deras gemensamma genetiska arv var och han hade svarat "losergenen". Hon anade att han kanske hade skojat, men hon visste inte tillräckligt mycket om genetik för att veta säkert.

Hon höll som bäst på att tvätta händerna under utomhuskranen när hon hörde dem prata. Deras röster hördes ut i trädgården genom Nickys öppna fönster.

"Har du betalat vattenräkningen?" frågade Nicky.

"Nej. Jag har inte hunnit gå till posten."

"Det står här att det är sista påminnelsen."

"Jag vet att det är sista påminnelsen." Mamma svarade korthugget, som hon alltid gjorde när det handlade om pengar. Det blev tyst. Norman plockade upp bollen och släppte den vid hennes fötter. Den låg där, slemmig och äcklig.

"Ledsen Nicky. Jag … måste bara få det här samtalet ur världen. Jag ordnar det i morgon, jag lovar. Vill du prata med din pappa?"

Tanzie visste vad han skulle svara. Nicky ville aldrig prata med pappa längre.

"Hej."

Tanzie ställde sig precis under fönstret och stod alldeles stilla. Hon hörde pappas spända röst via Skype.

"Är allt bra med er?" Hon undrade om han trodde att det hade hänt något hemskt. Om han trodde att Tanzie hade leukemi kanske han skulle komma tillbaka. Hon hade sett en film en gång som handlade om en flicka vars föräldrar skilde sig, men sedan när flickan fick leukemi flyttade de ihop igen. Fast hon ville inte få leukemi eftersom hon svimmade av sprutor och eftersom hon hade ganska fint hår.

"Allt är bra", sa mamma. Hon sa inget om att Nicky hade fått stryk.

"Vad gör ni?"

Paus.

"Har din mamma renoverat?" frågade mamma.

"Va?"

"Nya tapeter."

"Åh. Jaså det."

Hade farmor skaffat nya tapeter? Det kändes konstigt. Pappa och farmor bodde i ett hus som hon kanske inte skulle känna igen längre. Hon hade inte träffat pappa på 348 dagar. Och farmor hade hon inte träffat på 433 dagar.

"Vi måste prata om Tanzies skolgång."

"Hurså? Vad har hon gjort?"

"Det är ingenting sådant, Marty. Hon har blivit erbjuden ett stipendium till St. Anne's."

"St. Anne's?"

"De säger att hon är ett mattegeni."

"St. Anne's." Han sa det som om han inte riktigt kunde tro på det. "Jag menar, jag visste att hon var smart, men ..."

Han lät väldigt nöjd. Hon pressade ryggen mot väggen och ställde sig på tå för att höra bättre. Han kanske skulle komma tillbaka om hon gick på St. Anne's.

"Vår lilla tjej på snobbskolan?" Hans röst pyste av stolthet. Tanzie kunde tänka sig att han funderade på hur han skulle berätta det för sina kompisar på puben. Fast han kunde ju inte gå ner till puben. Han sa alltid till mamma att han inte hade några pengar att roa sig för. "Och vad är problemet?"

"Ja ... det är ett stort stipendium, men det täcker inte allt."

"Vad betyder det?"

"Det betyder att vi måste skjuta till femhundra pund per termin. Plus skoluniform. Och en anmälningsavgift på femhundra."

Tystnaden som följde var så lång att Tanzie trodde att datorn hade kraschat.

"De sa att vi efter ett år kunde ansöka om en avgiftslättnad. Något slags fond för särskilt behövande elever. Men det första året kommer att kosta oss närmare tvåtusen pund."

Och sedan skrattade pappa. Han skrattade faktiskt. "Skämtar du?"

"Nej, jag skämtar inte."

"Var ska jag få tvåtusen ifrån, Jess?"

"Jag tänkte bara att …"

"Jag har inte ens ett riktigt jobb. Det finns inget här. Jag … jag försöker komma på fötter igen. Jag beklagar, men det finns inte en chans."

"Kan inte din mamma hjälpa till? Hon kanske har lite sparpengar. Får jag prata med henne?"

"Nej. Hon är … inte hemma. Och förresten vill jag inte att du pressar henne på pengar. Hon har tillräckligt mycket att oroa sig för."

"Jag pressar henne inte på pengar, Marty. Jag tänkte att hon kanske ville hjälpa sina enda barnbarn."

"De är inte hennes enda barnbarn längre. Elena har fått en liten pojke."

Tanzie stod blickstilla.

"Jag visste inte ens att Elena var gravid."

"Jag hade tänkt berätta det."

Tanzie hade en liten kusin. Och hon hade inte ens vetat om det. Norman sjönk ner vid hennes fötter. Han såg på henne med sina stora bruna ögon, sedan välte han över på sidan med ett grymtande. Som om det verkligen var ansträngande att bara ligga ner på marken.

"Men om vi … säljer Rollsen?"

"Jag kan inte sälja Rollsen. Jag behöver den när jag ska dra igång bröllopsverksamheten igen."

"Den har stått i garaget och samlat damm i snart två år."

"Jag vet. Och jag ska komma och hämta den, men just nu har jag ingenstans att förvara den här."

Deras röster hade fått den där skärpan nu. Det var så här deras samtal brukade sluta. Hon hörde hur mamma drog djupt efter andan. "Du kan väl tänka på saken, Marty? Hon vill verkligen gå på den här skolan. Hon vill det jättemycket. När mattläraren pratade med henne lyste hon upp på ett sätt som jag inte har sett sedan …"

"Sedan jag stack."

"Det var inte det jag menade."

"Du tycker att allt är mitt fel."

"Nej, allt är inte ditt fel. Men jag tänker inte sitta här och låtsas att livet är en dans på rosor för dem. Tanzie förstår inte varför hon aldrig får träffa dig längre."

"Jag har inte råd med resorna, Jess. Det vet du. Det hjälper inte att du är på mig. Jag har varit sjuk."

"Jag vet att du har varit sjuk."

"Hon kan komma och hälsa på när hon vill. Jag har ju sagt det. Skicka upp båda två vid mitterminslovet."

"Jag kan inte. De är för små för att resa så långt ensamma. Och jag har inte råd att betala resan för oss alla."

"Och jag antar att det också är mitt fel."

"Men herregud!"

Tanzie borrade ner naglarna i handflatan. Norman tittade på henne, väntade.

"Jag orkar inte bråka med dig, Marty", sa mamma med låg och försiktig röst, ungefär som när en lärare ska förklara något man egentligen borde känna till. "Jag vill bara att du funderar på om du överhuvudtaget kan komma på något sätt att hjälpa till. Det skulle förändra Tanzies liv. Hon skulle inte behöva kämpa på samma sätt … som vi."

"Så kan du inte säga."

"Vad menar du?"

"Tittar du aldrig på nyheterna? Det går ju en massa akademiker arbetslösa. Det spelar ingen roll hur mycket utbildning man skaffar sig, hon kommer ändå att få kämpa." Han tystnade. "Nej. Vi kan inte dra på oss skulder bara för det här. Det är klart att de där skolorna säger att de är speciella, att hon är speciell, att hennes liv kommer att bli så fantastiskt och så vidare och så vidare. Det är ju så de gör."

Mamma sa inget.

"Nej, om hon nu är så begåvad som de säger, så kommer

hon att klara sig ändå. Hon får gå på McArthur's som alla andra."

"Som de där skitungarna som ägnar all sin tid åt att komma på nya sätt att plåga Nicky. Som tjejerna med sjutton lager smink som vägrar att delta på gympan eftersom de är rädda att bryta av en nagel. Hon passar inte in där, Marty. Hon gör inte det."

"Nu låter du som en snobb."

"Nej, jag låter som någon som accepterar det faktum att hennes dotter är lite annorlunda. Och som inser att hon behöver en skola som kan hantera det."

"Jag är ledsen, Jess. Men det går inte." Han lät plötsligt distraherad, som om något hände i bakgrunden. "Du, jag måste sluta. Säg till henne att vi kan skypa på söndag."

Det blev tyst en lång stund.

Tanzie räknade ända till fjorton.

Hon hörde hur dörren öppnades och sedan Nickys röst: "Jaha, det där gick ju bra."

Tanzie lutade sig fram och klappade äntligen Norman på magen. Hon blundade så att hon slapp se den tår som droppade ner på Norman.

"Har vi spelat på lotto på sistone?"

"Nej."

Nu varade tystnaden i nio sekunder. Sedan hördes mammas röst i den stilla luften: "Då kanske vi ska ta och göra det."

KAPITEL TRE

ED

Deanna Lewis. Hon var kanske inte den snyggaste tjejen på universitetet, men hon var definitivt den som toppade Ed och Ronans lista på "Tjejer som man skulle ligga med utan att först behöva häva i sig fyra öl". Som om hon överhuvudtaget skulle lägga märke till någon av dem.

Hon hade knappt sett åt honom under deras tre år på universitetet, bara den där gången när det ösregnade och hon stod vid tågstationen och bad om skjuts till campus i hans lilla Mini. Han hade haft en sådan tunghäfta när hon satt bredvid honom i passagerarsätet att han knappt hade fått fram ett ord, förutom ett kraxande "ingen orsak" när han släppte av henne. Med de två orden lyckades han täcka in tre oktaver. Hon hade böjt sig fram för att pilla bort den tomma chipspåsen som hade fastnat under hennes skor, och släppte utstuderat tillbaka skräpet på bilgolvet innan hon stängde dörren.

Om Ed hade det jobbigt, hade Ronan det ännu värre. Hans förälskelse tyngde honom som ett granitblock. Han skrev dikter till henne, skickade blommor utan avsändare på Alla hjärtans dag, log mot henne i kafeterian och försökte att inte se helt förkrossad ut när hon inte ens lade märke till honom. Och efter att de tagit sin examen, startat företaget och slutat tänka på kvinnor och istället börjat tänka på programmering – tills programmering faktiskt blev det de föredrog att tänka på – började Deanna Lewis så småningom förvandlas till ett avlägset minne. "Åh ... Deanna Lewis", kunde de säga till varandra med frånvarande blickar, som om de kunde se henne sväva i slowmotion ovanför huvudena på de andra pubgästerna.

Men så, för ungefär tre månader sedan, ett halvår efter att Lara hade lämnat honom och tagit med sig lägenheten i Rom, hälften av hans aktieportfölj och det som fanns kvar av Eds lust att alls vara i ett förhållande, skickade Deanna Lewis en vänförfrågan till honom på Facebook. Hon hade varit stationerad i New York i några år, men nu var hon på väg hem och ville ta upp kontakten med sina gamla vänner från universitetet. Kom han ihåg Reena? Och Sam? Hade han alls lust att sammanstråla för en drink?

Efteråt skämdes han att han inte hade sagt något till Ronan. Men han intalade sig att Ronan hade fullt upp med uppgraderingen av den nya programvaran. Det hade tagit honom evigheter att komma över Deanna. Han hade precis börjat dejta tjejen som jobbade i det där soppköket. Men sanningen var den att Ed inte hade varit ute med någon tjej på evigheter och en del av honom ville att Deanna Lewis skulle få se hur långt han hade kommit sedan de hade sålt företaget för ett år sedan.

För med pengar, hade det visat sig, kunde man köpa någon som hjälpte en att få ordning på garderoben, frisyren, hyn, kroppen. Och Ed såg inte längre ut som nörden med tunghäfta i den lilla Minin. Han bar inga uppenbara attribut som antydde förmögenhet, men han visste att han bar framgången som en osynlig doft.

De träffades på en bar i Soho. Deanna bad om ursäkt – Reena hade lämnat återbud i sista minuten. Hon hade visst en baby. Hon lyfte aningen hånfullt på ögonbrynet när hon sa det. Efteråt insåg han att Sam inte heller hade dykt upp. Hon frågade inte efter Ronan.

Han kunde inte sluta stirra på henne. Hon såg precis ut som han mindes henne, fast ännu snyggare. Hon hade mörkt hår som böljade runt axlarna som i en schampo-reklam. Hon var trevligare än han mindes, mänskligare. Kanske även de mest uppburna flickorna plockades ner på jorden när de väl lämnade skolans trygga värld. Hon skrattade åt hans skämt. Han märkte att hon var förvånad över att han inte var sådan som hon mindes. Och det kändes skönt.

Efter några timmar skildes de åt. Han trodde inte att hon skulle höra av sig igen, men två dagar senare ringde hon. Den här gången gick de på nattklubb och dansade, och när hon lyfte armarna ovanför huvudet på dansgolvet måste han anstränga sig för att tvinga bort bilden av henne fastnaglad i en säng. Hon hade precis avslutat ett förhållande, berättade hon efter tredje eller fjärde drinken. Det hade slutat illa. Hon visste inte om hon var beredd att påbörja något nytt. Han hummade med på precis rätt ställen. Han berättade om sin ex-fru Lara, hur hon hade sagt att hennes arbete alltid skulle komma i första rummet och att hon måste lämna honom för att inte förlora förståndet.

"Lite melodramatiskt", sa Deanna.

"Hon är från Italien. Och skådespelerska. När det gäller henne är allt ett melodrama."

"Var", rättade hon honom. Hon höll fast hans blick när hon sa det. Hon tog inte ögonen från hans mun när han pratade, vilket kändes märkligt och förvirrande. Han berättade för henne om företaget: om de första versionerna av dataprogrammet som han och Ronan skapat i hans sovrum, om buggarna, om mötena med en mediemogul som hade låtit flyga dem i sitt privatplan till Texas och sedan blivit rosenrasande när de inte velat sälja till honom.

Han berättade om dagen då de blev börsintroducerade, hur han hade suttit på badkarskanten och följt aktiekursen på mobilen och sedan börjat skaka när han insåg vilken vändning livet var på väg att ta.

"Är du så rik?"

"Jag har så jag klarar mig." Han insåg att han var farligt nära att låta som ett svin. "Jag menar … det var bättre innan jag skilde mig, men … jag klarar mig. Ärligt talat är jag inte så intresserad av pengarna." Han ryckte på axlarna. "Jag gillar att hålla på med det här, jag gillar företaget. Jag gillar att ha idéer och att kunna omvandla dem till något som folk faktiskt har glädje av."

"Men ni sålde?"

"Det blev för stort, och de sa att om vi sålde skulle kostymnissarna ta hand om allt det finansiella. Jag har aldrig varit intresserad av ekonomi. Jag bara råkar ha en massa aktier." Han stirrade på henne. "Du har verkligen fint hår." Han hade ingen aning om varför han sa det.

I taxin hade hon kysst honom. Deanna Lewis hade tagit sin smala, perfekt manikurerade hand och långsamt vänt hans ansikte mot sitt och kysst honom. Trots att det var tolv år sedan de hade gått på universitetet – tolv år, under vilka Ed Nicholls under en tid varit gift med en modell/skådespelerska/eller vad hon nu var – hörde han en röst inne i huvudet som upprepade: Deanna Lewis kysser mig. Och hon inte bara kysste honom: hon drog upp kjolen och lät sitt ena långa, slanka ben glida över honom – till synes fullkomligt obesvärad av taxichauffören – tryckte sig intill honom och stack ena handen innanför hans skjorta tills han inte fick fram ett ljud eller kunde formulera en klar tanke. Och när de kom fram till hans lägenhet mumlade han något grötigt och obegåvat, och han struntade i växeln trots att han inte hade en aning om hur mycket sedelbunten han gav till chauffören egentligen innehöll.

Sexet var fantastiskt. Herregud, så bra det var. Hon rörde sig som en porrstjärna. De sista månaderna med Lara var det som om sex var en ynnest hon skänkte honom utifrån en uppsättning regler som bara hon tycktes förstå: beroende på om han hade gett henne tillräckligt mycket uppmärksamhet, eller spenderat tillräckligt mycket pengar när de gick ut, eller insett hur mycket han hade sårat hennes känslor.

När Deanna Lewis såg på honom naken var det som om hennes ögon glödde av begär. Åh gud. Deanna Lewis.

Hon kom tillbaka fredagen därpå. Hon hade sådana där trosor med sidenband i sidorna och när man drog i dem

34

gled de av henne som en krusning på en vattenyta. Efteråt rullade hon en joint åt dem, och han som inte rökte i vanliga fall kände huvudet snurra behagligt. Han vilade sina fingrar i hennes silkeslena hår och för första gången sedan Lara hade lämnat honom kändes det som om livet trots allt var ganska härligt.

Och sedan sa hon: "Jag har berättat om oss för mina föräldrar."

Han hade svårt att fokusera. "Dina föräldrar?"

"Gör det något? Det är bara det att det känns så bra att ... det känns skönt att höra hemma någonstans igen."

Ed kom på sig själv med att stirra på en punkt i taket. Det är okej, intalade han sig. Det finns många som berättar allt för sina föräldrar. Även efter bara två veckor.

"Jag har varit så deprimerad. Och nu känner jag mig... lycklig." Hon tittade saligt på honom. "Så där galet lycklig. Så där att jag vaknar och tänker på dig. Så där som att allting kommer att ordna sig."

Han blev märkligt torr i munnen. Han var inte säker på att det berodde på jointen. "Deprimerad?"

"Jag mår bra nu. Mina föräldrar har varit toppen. Efter min senaste episod tog de med mig till en doktor och såg till att jag fick rätt mediciner. En biverkning är tydligen att hämningar släpper, men hittills har ingen klagat. Hahaha!"

Han gav henne jointen.

"Jag känner allting intensivare, förstår du? Min psykiatriker säger att jag är exceptionellt känslig. Somliga studsar fram genom livet. Jag är helt enkelt inte sådan. Ibland händer det att jag läser om ett döende djur eller ett barn som har mördats i något annat land, och då kan jag bokstavligt talat gråta en hel dag. På riktigt. Jag var sådan på universitetet också, kommer du inte ihåg det?"

"Nej."

Hon vilade handen på hans kuk. Ed var säker på att den inte skulle vakna till liv nu.

Hon tittade upp mot honom. Håret hängde ner över

ansiktet och hon blåste undan några slingor. "Det är verkligen värdelöst att bli av med både jobbet och lägenheten. Du förstår inte hur det är att vara riktigt pank." Hon betraktade honom som om hon försökte avgöra hur mycket hon kunde avslöja. "Jag menar verkligen helt utblottad."

"Vad ... menar du?"

"Alltså ... jag är skyldig mitt ex jättemycket pengar, men jag har talat om för honom att jag inte kan betala. Jag har redan maxat krediten på kortet. Men han bara fortsätter att ringa och tjata. Det är otroligt stressande. Han förstår inte hur stressad jag blir."

"Hur mycket pengar handlar det om?"

Hon berättade. Han tappade hakan, men hon tillade snabbt: "Och försök inte ens att erbjuda mig ett lån. Jag skulle aldrig ta emot pengar av min pojkvän. Men det är som en mardröm."

Ed försökte låta bli att tänka på innebörden av ordet pojkvän.

Han sneglade ner på henne och såg hennes darrande underläpp. Han svalde. "Öh ... hur är det?"

Hennes leende kom lite för snabbt, var lite för brett. "Jag mår bra. Det är ingen fara med mig." Hon drog ett finger längs hans bröstkorg. "Hursomhelst. Det har varit helt underbart att gå ut och äta på trevliga restauranger utan att behöva oroa sig för vad notan kommer att landa på." Hon kysste hans ena bröstvårta.

Den natten sov hon med ena armen kastad över honom. Ed låg vaken och önskade att han kunde ringa Ronan.

Nästa fredag kom hon tillbaka igen, och sedan fredagen efter det. Hon tycktes inte uppfatta hans antydningar om att han hade andra saker han måste göra under helgen. Hennes far hade gett henne pengar så att de kunde gå ut och äta. "Han säger att det är så skönt att se mig glad igen."

Han var förkyld, sa han när hon kom skuttande från tunnelbanan. Bäst att inte kyssa honom.

"Det gör inget. Det som är ditt är mitt", sa hon och klistrade sig fast vid hans läppar i tjugo sekunder.

De åt på pizzerian runt hörnet. Åsynen av henne hade börjat väcka en vag reflexmässig panik hos honom. Hon hade "känslor" inför allt möjligt. En röd buss fick henne att känna sig glad, en vissen krukväxt i ett kaféfönster gjorde henne gråtmild. Hon var för mycket av allt. Ibland blev hon så uppslukad av det hon just pratade om att hon glömde bort sig och pratade med mat i munnen. Hon kissade med öppen dörr. Det lät som om han hade en häst på besök som lättade på trycket.

Han var inte redo för det här. Ed ville vara ensam hemma i sin egen lägenhet. Han ville ha det tyst, ville ha tillbaka sina vanliga rutiner. Han kunde inte förstå hur han någonsin hade kunnat känna sig ensam.

Den natten sa han att han inte ville ha sex. "Jag är verkligen trött."

"Jag kan säkert få dig pigg igen." Hon hade börjat borra sig ner under täcket. Sedan följde en dragkamp som under andra omständigheter hade varit komisk: hennes gapande mun, redo att omsluta hans genitalier, och han som desperat försökte ta tag i hennes armhålor och dra upp henne.

"Deanna, jag menar allvar. Inte … nu."

"Då kan vi gosa. Nu vet jag att du inte bara vill åt min kropp." Hon drog hans arm om sig och gav ifrån sig ett förnöjt litet grymtande, som ett litet djur.

Ed Nicholls låg med vidöppna ögon i mörkret. Han tog ett djupt andetag.

"Öh, nästa helg … måste jag bort på en affärsresa."

"Till något trevligt ställe?" Hennes pekfinger spelade lekfullt längs hans lår.

"Öh … Genève."

"Åh, så trevligt! Ska jag krypa ner i din resväska? Jag kan vänta på hotellrummet. Lindra dina bekymmer." Hon sträckte ut ett finger och strök hans panna. Han måste anstränga sig för att inte vrida bort huvudet.

"Jaså? Ja, det vore trevligt, men det är inte en sådan resa."

"Du har det bra, du. Jag älskar att resa. Om jag inte var helt pank skulle jag sätta mig på första bästa flyg och resa bort."

"Skulle du?"

"Resa är min passion. Jag älskar att vara fri, resa dit vinden för mig." Hon lutade sig fram, fiskade upp en cigarett ur paketet på nattduksbordet och tände den.

Han hade legat och funderat. "Har du aktier eller fonder?"

Hon rullade tillbaka och lutade sig mot kuddarna. "Börsen är ingen bra idé, Ed. Jag har inte så mycket pengar att jag vågar riskera något."

Han sa det innan han hann tänka efter. "Det är riskfritt."

"Vadå?"

"Vi har en produkt som vi ska lansera. Om ett par veckor. Det kommer att bli en stor grej."

"En produkt?"

"Jag kan inte säga så mycket mer, men det är något som vi har jobbat på ett tag. Våra aktier kommer att skjuta i höjden och våra ekonomikillar är helt till sig."

Hon var tyst.

"Jag vet att vi inte har pratat så mycket om jobbet tidigare, men det här kommer att generera stora pengar."

Hon lät inte helt övertygad. "Du vill att jag ska satsa mina sista pengar på något jag inte ens vet namnet på?"

"Du behöver inte veta namnet på det. Du behöver bara köpa aktier i mitt bolag." Han lade sig på sidan. "Om du bara kan skrapa ihop några tusen pund, så lovar jag att du, inom loppet av två veckor, kan betala tillbaka allt till din gamla pojkvän. Och sedan är du fri. Du kan göra vad du vill. Resa!"

Det blev tyst en lång stund.

"Är det så här du tjänar dina pengar, Ed Nicholls? Du förför kvinnor och sedan förmår du dem att satsa flera tusen pund i ditt företag?"

"Nej, det är ..."

Hon vände sig mot honom och han såg att hon skojade. Hon följde konturerna i hans ansikte med sitt finger. "Du är så snäll mot mig och tanken var god. Men jag har inte flera tusen som bara ligger och skräpar."

Orden lämnade hans mun innan han förstod vad han sa. "Du kan få låna av mig. Om du går med vinst betalar du tillbaka. Om du inte gör det, då får jag skylla mig själv som gav dig ett dåligt råd."

Hon började skratta men slutade när hon märkte att han menade allvar.

"Skulle du göra det för min skull?"

Ed ryckte på axlarna. "Ärligt talat, fem tusen mer eller mindre gör inte så vansinnigt stor skillnad." *Och jag skulle gladeligen betala det tiodubbla om det innebar att jag slapp dig.*

Hon spärrade upp ögonen. "Wow, det är det snällaste någon har gjort för mig."

"Äsch … det tvivlar jag på."

Innan hon gick morgonen därpå skrev han en check till henne. Hon stod i hallen och satte upp håret och gjorde miner till sig själv i spegeln. Hon doftade svagt av äpple. "Du kan låta namnraden stå tom", sa hon när hon insåg vad han höll på med. "Jag ska be min bror hjälpa mig med det där. Han kan aktier och sådant. Vad var det jag skulle köpa nu igen?"

"Menar du allvar?"

"Jag kan inte hjälpa det. När du är i närheten kan jag inte tänka klart." Hon lät ena handen glida innanför hans boxershorts. "Jag betalar tillbaka så fort jag kan. Jag lovar."

"Det ordnar sig. Men … säg inget till någon."

Hans falskt glättiga ton studsade mot väggarna och kvävde den varnande rösten i bakhuvudet.

Ed svarade på nästan alla hennes mejl efter det. Han sa att det var skönt att umgås med någon som förstod hur knepigt det var att precis ha avslutat ett långt förhållande, hur viktigt det var att vara ensam och få tid till sig själv.

Hennes svar var korta och neutrala i tonen. Konstigt nog nämnde hon aldrig lanseringen av dataprogrammet och det faktum att aktien hade skjutit i höjden. Hon borde ha tjänat drygt hundratusen pund. Hon hade kanske slarvat bort checken. Hon kanske luffade runt i Guadeloupe. Varje gång han tänkte på vad han hade berättat för henne knöt det sig i magen. Så han försökte att inte tänka på det.

Han bytte mobilnummer och intalade sig att han bara hade råkat glömma ge henne det nya numret. Så småningom blev det allt glesare mellan hennes mejl. Det gick två månader. Han och Ronan gick ut och beklagade sig över Kostymerna; Ed lyssnade när Ronan vägde soppkökstjejens för- och nackdelar mot varandra och han kände att han hade lärt sig en nyttig läxa. Eller sluppit undan med blotta förskräckelsen. Han var inte riktigt säker på vilket.

Och sedan, två veckor efter lanseringen av SFAX, hade han hängt inne på utvecklingsavdelningen och förstrött kastat en skumgummiboll i taket medan Ronan skissade på ett nytt förslag på hur man kunde lösa en bugg i mjukvarans betalningssystem, när ekonomidirektören Sidney klev in i rummet och Ed plötsligt insåg att man kunde ha mycket större problem än en klängig flickvän.

"Ed?"

"Vadå?"

En kort paus.

"Är det verkligen så du svarar i telefonen? Allvarligt talat, i vilken ålder ska du egentligen börja utveckla sociala färdigheter?"

"Hej Gemma." Ed suckade och slängde benen över sängkanten så att han hamnade i sittande ställning.

"Du sa att du skulle ringa. För en vecka sedan. Jag började bli orolig att du hade fastnat under ett skåp, eller något."

Han såg sig om i sovrummet. På kavajen som hängde över stolen. På klockan som visade kvart över sju. Han gned sig i nacken. "Jag vet, men det kom saker emellan."

"Jag ringde kontoret och de sa att du var hemma. Är du sjuk?"

"Nej, jag är inte sjuk … jag bara jobbar på en grej."

"Betyder det att du har tid att åka upp och hälsa på pappa?"

Han blundade. "Jag har ganska mycket att göra."

Hennes tystnad var kompakt. Han kunde se sin syster framför sig i andra änden av tråden, sammanbiten.

"Han frågar efter dig. Han frågar efter dig hela tiden."

"Jag kommer, Gem. Jag har bara … en del saker jag måste ordna först."

"Vi har alla saker som vi måste ordna. Ring honom. Även om du inte kan ta en av dina sjutton lyxbilar för att åka och hälsa på honom, så ring åtminstone. De har flyttat honom till Victoriaavdelningen. De kommer med telefonen till honom om man ringer."

"Två bilar. Men okej."

Han trodde att hon skulle lägga på luren, men det gjorde hon inte. Han hörde henne sucka.

"Jag är ganska trött, Ed. Mina chefer är inte så nöjda med att jag tar så mycket ledigt. Jag kan inte åka upp dit varje helg. Mamma lyckas nätt och jämnt hålla sig upprätt. Jag skulle verkligen, verkligen behöva lite avlastning."

Han kände ett styng av dåligt samvete. Hans syster var inte den som brukade beklaga sig. "Jag har sagt att jag ska försöka åka upp."

"Det sa du förra veckan också. Det tar dig inte mer än fyra timmar att köra dit."

"Jag är inte i London."

"Var är du då?"

Han såg ut genom fönstret på den mörknande himlen. "Sydkusten."

"Är du på semester?"

"Inte semester. Det är komplicerat."

"Så komplicerat kan det inte vara. Du har noll personer att ta hänsyn till."

"Tack för påminnelsen."

"Kom igen nu. Det är ditt företag, det är du som bestämmer. Eller hur? Ge dig själv två veckors semester."

En ny, lång tystnad.

"Du verkar så konstig."

Ed tog ett djupt andetag innan han svarade. "Jag ordnar det. Jag lovar."

"Och ring mamma."

"Det ska jag."

Det hördes ett klick och sedan var linjen bruten.

Ed stirrade på luren, sedan slog han numret till sin advokat. Samtalet kopplades direkt till telefonsvararen.

Polisen hade dragit ut varenda byrålåda i hela lägenheten. De hade inte kastat ut allt innehåll på golvet som man gjorde på film, men de hade haft handskar på sig och gått igenom precis allt, de hade tittat innanför vikningen på varje T-shirt, de hade granskat varenda fil. De hade beslagtagit hans båda bärbara datorer, alla minneskort och båda telefonerna. Han hade fått kvittera allt, som om de gjorde allt för hans skull. "Lämna stan", hade advokaten sagt. "Åk bort och försök att inte tänka för mycket på det. Jag ringer om du måste närvara."

De hade sökt igenom det här stället också, tydligen. Med tanke på hur lite saker som fanns här, kunde det inte ha tagit dem mer än en timme.

Ed såg sig omkring i semesterlägenhetens sovrum, på de nymanglade belgiska lakanen i linne som städerskorna hade bytt samma morgon, på byrålådorna som innehöll en reservuppsättning jeans, byxor, strumpor och T-shirtar.

Sidney hade också uppmanat honom att resa bort. "Om det här kommer ut, kan det på allvar påverka aktiekursen."

Ronan hade inte sagt ett ord till honom sedan den dagen då polisen hade dykt upp på kontoret.

Han stirrade på telefonen. Förutom Gemma hade han ingen han kunde prata med utan att behöva förklara vad som hade hänt. Alla han kände jobbade i samma bransch, och bortsett från Ronan var han inte säker på att någon av dem skulle kvalificera sig som vän. Han stirrade in i väggen. Han tänkte på att han under den senaste veckan hade kört till London fyra gånger eftersom han inte visste vad han skulle ta sig till när han inte hade arbetet att gå till. Han tänkte på föregående kväll när han hade varit så förbannad på Deanna Lewis, på Sidney, på all den jävla skit som drabbat hans liv, att han hade tagit en flaska vitt vin och slungat den i väggen. Han tänkte på sannolikheten att det skulle hända igen om han måste fortsätta att vara ensam.

Det fanns ingen annan råd. Han krängde på sig jackan, nappade åt sig nyckeln från det låsta skåpet vid köksdörren och gick ut till bilen.

KAPITEL FYRA

JESS

Tanzie hade alltid varit lite annorlunda. Vid ett års ålder brukade hon rada upp sina klossar eller lägga dem i mönster, sedan tog hon bort vissa klossar och skapade nya mönster. När hon fyllt två var hon helt besatt av siffror. Hon hade plöjt igenom bokhandelns alla räkneböcker för klass två, tre, fyra och fem innan hon ens hade börjat skolan. Hon talade om för Jess att multiplikation bara var ett annat sätt att addera. Vid sex års ålder kunde hon förklara innebörden av "tessellation".

Marty tyckte inte om det. Han tyckte att det var olustigt. Å andra sidan tyckte Marty att allt som inte var "normalt" var olustigt. Det var fortfarande det som Tanzie tyckte allra bäst om – att bara sitta i fred och räkna tal som ingen av dem förstod ett skvatt av. Vid de få tillfällen som Martys mor hälsade på brukade hon kalla Tanzie för en pluggis. Hon sa det som om det inte var något bra alls.

"Jaha, och vad tänker du göra?"

"Just nu kan jag inte göra något alls."

"Skulle det inte kännas konstigt om hon beblandade sig med alla de där privatskoleungarna?"

"Jag vet inte. Jo. Men det skulle ju vara vårt problem, inte hennes."

"Tänk om hon växer ifrån dig? Tänk om hon börjar umgås med några snobbar och börjar skämmas för sin bakgrund? Jag bara undrar. Jag tror att det kan göra henne förvirrad. Jag tror att hon kan glömma bort var hon kommer ifrån."

Jess såg på Nathalie som körde. "Hon kommer från Öfvre Slumgränd i Pisshåla, Nat. Jag skulle bli själaglad om hon kunde glömma det."

Stämningen hade förändrats efter att Jess berättat för Nat om intervjun. Det var som om hon hade tagit det personligt. Hela morgonen hade hon pratat om hur bra hennes egna barn trivdes i den kommunala skolan, hur skönt det var att de var "vanliga", hur svårt det var för barn att vara "udda".

Tanzie å sin sida var gladare än hon varit på flera månader. På testet hade hon fått 100 % rätt på uträkningarna och 99 % rätt på den icke-verbala problemlösningen. (Hon grämde sig lite över den missade procenten.) Mr Tsvangarai ringde och sa att det eventuellt fanns andra möjligheter till finansiering. Detaljer, sa han hela tiden. Jess kunde inte låta bli att tänka att folk som tyckte att pengar var "detaljer", var sådana som aldrig hade behövt bekymra sig för ekonomin.

"Och du vet väl att hon måste ha en sådan där fjantig skoluniform", sa Nathalie när de svängde in vid Beachfront.

"Hon kommer inte att ha någon fjantig skoluniform", svarade Jess irriterat.

"Då kommer de andra att reta henne för att hon inte är som de."

"Hon kommer inte att ha någon fjantig skoluniform eftersom hon inte kommer att gå där. Jag har inte råd, Nathalie. Okej?"

Jess klev ur bilen, smällde igen dörren och gick i förväg så att hon slapp höra svaret.

Det var bara lokalbefolkningen som kallade Beachfront för "semesterby"; mäklarna kallade det för det lite mer internationellt klingande *resort*. För det här var ingen semesterby som Sea Bright-campingen uppe på kullen med sitt gytter av sjaviga husvagnar med vindpinade förtält. Det här var ett perfekt arrangerat kluster av arkitektritade lägenheter och fristående hus, med perfekt anlagda promenadvägar mellan byggnaderna. Och med gemensamt gym, spa, tennisbanor, en enorm pool, en handfull exklusiva boutiquer och en liten mataffär, slapp de boende att överhuvudtaget lämna resorten och bege sig till den nedslitna staden.

Tisdagar, torsdagar och fredagar städade Benson & Thomas de två uthyrningslägenheterna med tre sovrum som vette mot klubbhuset, sedan fortsatte de med de nyaste husen: sex moderna villor med helglasade fasader som stod på kalkstensklippan ovanför havet.

På mr Nicholls garageuppfart stod hans glänsande Audi som de aldrig sett röra sig en millimeter. Hans syster hade varit här en gång med sina två små barn och sin grådaskige make. (De hade lämnat huset skinande rent efter sig.) Mr Nicholls själv kom ytterst sällan, och under det år som de hade städat hos honom hade han aldrig använt vare sig kök eller tvättstuga. Jess tjänade lite extra på att tvätta hans handdukar och sängkläder, hon tvättade och strök dem varje vecka i väntan på gäster som aldrig kom.

Det var ett ödsligt hus; stengolven ekade, enorma sjögräsmattor täckte golven i sov- och vardagsrum, i väggarna satt ett påkostat inbyggt ljudsystem. De enorma fönstren öppnade upp sig mot den blå horisonten. Men det fanns inga fotografier på väggarna eller andra tecken som tydde på mänskligt liv. Nathalie sa att även när han var där, var det som om han bara var på besök. Det måste ha funnits kvinnor, en gång hittade Nathalie ett läppstift i badrummet och i fjol hade de upptäckt ett par pyttesmå spetstrosor (La Perla) under sängen och en bikinitopp, men bortsett från det fanns det inget som sa något om honom.

"Han är här", muttrade Nathalie.

När de drog igen ytterdörren bakom sig hörde de en mansröst eka i korridoren, den lät hög och arg. Nathalie gjorde en grimas. "Städerskan", ropade hon. Han svarade inte.

Diskussionen på telefonen fortsatte under hela den tid det tog för dem att städa köket. Han hade använt en mugg och i papperskorgen låg två tomma hämtmatskartonger. I hörnet bredvid kylskåpet låg glassplitter på golvet, det var bara de små, gröna skärvorna kvar, som om någon hade plockat upp de stora bitarna men inte orkat städa upp resten. Och väggen var täckt av vin. Jess tvättade noggrant bort det. Hon och Nathalie arbetade tyst sida vid sida, de pratade med mumlande röster och försökte att inte låtsas om honom.

Jess fortsatte in i vardagsrummet, dammade av tavelramarna med en mjuk trasa och lät med flit den ena ramen hänga lite snett för att markera att de varit där. Ute på altanen stod en tom Jack Daniel's-flaska och ett glas; hon plockade upp dem och tog med sig in. Hon tänkte på Nicky som dagen innan hade kommit hem från skolan med ett jack i örat och smutsiga byxknän. Han vägrade prata om det. Nuförtiden föredrog han att umgås med folk på andra sidan datorskärmen – pojkar Jess aldrig hade träffat och heller aldrig skulle, folk som kallade sig SK8RBOI och TERM-N-ATOR och som sköt varandra i småbitar bara på skoj. Fast vem kunde klandra honom? Hans verklighet var minst lika mycket en krigsskådeplats.

Ända sedan intervjun hade Jess legat vaken på nätterna och räknat, adderat och subtraherat på ett sätt som skulle ha fått Tanzie att skratta. Hon tänkte att hon skulle sälja alla sina saker och gjorde listor på alla hon kunde försöka låna pengar av. Men de enda som kunde tänka sig att låna ut pengar till Jess var de två lånehajarna som strök omkring i kvarteret med sina fyrsiffriga räntesatser. Hon hade sett grannar som lånat pengar av trevliga representanter, vilka sedan förvandlades till lystna indrivare. Hela tiden återvände hon i tankarna till det Marty hade sagt. Var det verkligen så illa på McArthur's? Det fanns barn som klarade sig alldeles utmärkt. Det fanns inget som sa att inte Tanzie skulle bli en av dem om hon bara såg till att hålla sig borta från bråkstakarna.

Den bistra sanningen var att Jess skulle bli tvungen att tala om för sin dotter att hon inte hade råd. Jess Thomas, kvinnan som alltid kom på någon råd, som alltid sa till sina barn att "Det ordnar sig", kunde inte ordna det här.

Hon drog dammsugaren genom hallen och grinade illa när den slog emot hennes smalben, hon knackade på dörren till mr Nicholls arbetsrum för att höra efter om han ville ha städat där. Hon fick inget svar och när hon knackade igen hörde hon honom skrika: "Jag vet det, Sidney. Du har sagt det tusen gånger nu, men det betyder inte att …"

För sent, hon hade redan skjutit upp dörren halvvägs. Jess började haspla ur sig en ursäkt, men utan att ens lyfta blicken, utan att se på henne, lyfte mannen ena handen och höll upp handflatan som om hon var en hund. Sitt! Sedan lutade han sig fram och smällde igen dörren i ansiktet på henne så det ekade i hela huset.

Jess stod orörlig och chockad, det kröp i skinnet av förödmjukelsen.

"Vad var det jag sa", sa Nathalie medan hon frenetiskt skrubbade gästtoaletten en liten stund senare. "De lär sig inget hyfs på de där privatskolorna."

Fyrtio minuter senare tryckte Jess ner mr Nicholls lakan och handdukar i sin bag med lite större bestämdhet än nödvändigt. Hon gick ner och ställde bagen i hallen bredvid städkorgen. Nathalie putsade dörrhandtagen. Det var hennes grej, hon hatade fingeravtryck på dörrhandtag.

"Vi går nu, mr Nicholls."

Han stod i köket och stirrade ut genom fönstret med ena handen vilande på huvudet, som om han alldeles hade glömt att den låg där. Han hade mörkt hår och sådana där glasögon som skulle föreställa trendiga, men som bara fick en att se ut som om man hade klätt ut sig till Woody Allen. Han var smärt och vältränad, men bar kostymen som en tolvåring som tvingats följa med på ett dop.

"Mr Nicholls."

Han skakade långsamt på huvudet, sedan suckade han och gick bort i hallen. "Okej", sa han frånvarande. Han hade blicken fäst på mobilskärmen. "Tack."

De väntade.

"Öh … vi skulle gärna vilja ha våra pengar", sa Jess.

Nathalie slutade polera och började vika och vika om putsduken. Hon hatade allt prat om pengar.

"Jag trodde att förvaltaren tog hand om det."

"Vi har inte fått betalt på tre veckor och det är aldrig någon där på kontoret. Om vi ska fortsätta att komma måste vi reglera de gamla betalningarna först."

Han började gräva i fickorna och drog fram en plånbok. "Jaha, hur mycket är jag skyldig?"

"Trettio gånger tre veckor. Och tre veckors tvätt."

Han såg upp med frågande blick.

"Vi lämnade ett meddelande på telefonsvararen i förra veckan."

Han skakade på huvudet, som om det var för mycket för honom att komma ihåg. "Hur mycket?"

"Sammanlagt etthundratrettiofem."

Han bläddrade bland sedlarna. "Jag har inte så mycket kontanter på mig. Jag kan ge er sextio och be dem skicka en check på resten. Okej?"

I vanliga fall hade Jess accepterat. I vanliga fall hade hon inte gjort så stor sak av det. Det var ju inte så att han försökte lura dem på pengarna. Men plötsligt var hon så innerligt trött på rika människor som inte betalade i tid, som bara för att sjuttiofem pund inte betydde något i deras värld utgick ifrån att det inte betydde något i hennes heller. Hon var trött på kunder som tyckte att hon var så lite värd att de kunde smälla en dörr i ansiktet på henne utan att så mycket som be om ursäkt.

"Nej", sa hon med onaturligt klar röst. "Jag ska be att få pengarna nu, tack."

Han såg henne i ögonen för första gången. Bakom henne hade Nathalie börjat gnugga på ett dörrhandtag igen. "Jag har räkningar som jag måste betala. De som skickar räkningarna till mig går inte med på att jag skjuter upp betalningen vecka efter vecka."

Han tog av sig glasögonen och rynkade pannan åt henne,

49

som om det var hon som var besvärlig. Hon tyckte ännu mer illa om honom.

"Jag får gå och leta där uppe", sa han och försvann. De stod tysta i hallen och hörde lådor som drogs ut och in med kraft och galgar som skramlade i garderoben. Till slut återvände han med en handfull sedlar.

Han räknade upp några utan att titta på Jess och överräckte dem. Hon skulle just säga något – något om att han faktiskt inte behövde bete sig som en stropp, att livet vore så mycket enklare och smidigare om folk bara behandlade varandra lite trevligare, något som helt säkert skulle få Nathalie att gnugga bort halva handtaget. Men precis när hon öppnade munnen ringde hans telefon. Utan ett ord vände sig Mr Nicholls om och gick bort för att svara.

"Vad är det där i Normans korg?"

"Inget."

Jess höll på att packa upp matkassarna, hon plockade upp varorna och höll samtidigt ett öga på klockan. Hon hade ett tretimmarspass på Feathers och bara en dryg timme på sig att laga middag och byta om. Hon tryckte in två konservburkar längst in i skåpet bakom flingpaketen. Hon var dödstrött på butikernas lågprismärken.

Nicky böjde sig ner och drog i tygstycket så att hunden var tvungen att resa på sig. "Det är en vit handduk, Jess. Den ser dyr ut. Norman har hårat ner den. Och dreglat." Han höll upp den mellan två fingrar.

"Jag ska tvätta den sedan." Hon såg inte på honom.

"Är det pappas?"

"Nej, det är inte din pappas."

"Men …"

"Jag mår lite bättre av det där, okej? Kan du stoppa in maten i frysen?"

Han hängde över diskbänken. "Shona Bryant retade Tanzie vid busshållplatsen. För hennes kläder."

"Vad är det för fel på hennes kläder?" Jess vände sig

mot Nicky med en burk tomater i handen.

"Du syr dem. Paljetterna som du syr på dem."

"Tanzie gillar sådant som glittrar. Och hur vet hon att det är jag som syr dem?"

"Hon frågade Tanzie var de kom ifrån och Tanzie berättade det. Du vet hurdan hon är."

Han tog ett paket cornflakes ur Jess hand och ställde i skåpet. "Det var Shona Bryant som sa att vårt hus är konstigt eftersom vi har så många böcker."

"Shona Bryant är dum i huvudet."

Han böjde sig ner och klappade Norman. "Och det kom en påminnelse från elbolaget."

Jess suckade. "Hur mycket?"

Han gick bort till skänken och bläddrade igenom högen med papper. "Närmare tvåhundra."

Hon tog upp ett paket flingor. "Jag ordnar det."

Nicky öppnade kylskåpsdörren. "Du skulle kunna sälja bilen."

"Jag kan inte sälja den. Det är det enda din pappa äger." Ibland förstod Jess inte själv varför hon alltid försvarade sin man. "Han reder ut det där när han har kommit på fötter igen. Gå upp nu. Jag väntar besök." Hon såg henne närma sig köksingången.

"Ska vi handla av Aileen Trent?" Nicky såg hur hon öppnade grinden och stängde den försiktigt efter sig.

Jess kunde inte dölja rodnaden på sina kinder. "Bara den här gången."

Han stirrade på henne. "Du sa att vi inte hade några pengar kvar."

"Det är bara för att få Tanzie att tänka på annat när jag berättar för henne om skolan." Jess hade bestämt sig på vägen hem. Hela idén var så absurd. De kunde nätt och jämnt hålla sig flytande som det var. Det var ingen idé att ens leka med tanken.

Han fortsatte att stirra på henne. "Men Aileen Trent. Du sa att ..."

"Och du sa just att Tanzie blir retad på grund av sina kläder. Ibland …" Jess sträckte uppgivet händerna i luften.

"Ibland får ändamålet helga medlen."

Nickys blick dröjde sig kvar på henne obehagligt länge. Sedan gick han uppför trapporna.

"Jag har med mig ett trevligt litet urval av kläder till den kräsna, unga damen. Du vet att det bara är märkeskläder som gäller. Och jag tog mig dessutom friheten att lägga ner några plagg med paljetter. Jag vet ju att din Tanzie gillar sådant som glittrar."

Aileens "affärsröst" var formell och mycket artikulerad. Det kändes konstigt att höra den komma från en kvinna som hon flera gånger sett bli utkastad med våld från King's Arms. Hon satt i skräddarställning på golvet, sträckte sig efter sin svarta bag, drog ut en hög med kläder och bredde omsorgsfullt ut dem på golvet.

"Här har vi en topp från Hollister. Alla flickor älskar Hollister. Sjukt dyrt i butik. Jag har fler märkeskläder i min andra väska, men du sa ju att det inte var nödvändigt med de dyraste märkena. Och två bitar socker, om du ändå ska göra en kopp."

Aileen gjorde sin runda i kvarteret varje vecka. Jess hade alltid avböjt hennes tjänster vänligt men bestämt. Alla visste varifrån Aileens fynd, där prislapparna fortfarande satt kvar, kom ifrån.

Men det var då.

Hon lyfte upp topparna, den ena med glittriga ränder, den andra en ljusrosa. Hon kunde föreställa sig Tanzie i dem. "Hur mycket kostar de?"

"Tio för toppen, fem för T-shirten och tjugo för gymnastikskorna. Du ser på prislappen att de kostar åttiofem i butik. Det är en hyfsat bra rabatt."

"Det är för mycket."

"Tja, med tanke på att du är en ny kund kan jag ge dig ett välkomsterbjudande." Aileen tog fram sin anteckningsbok och studerade siffrorna. "Om du tar alla tre kan du få jeansen på köpet. För att visa min goda vilja." Hon log, hennes hy var vaxlik. "Trettiofem pund för en hel outfit, inklusive skor. Och den här månaden bjuder jag på ett litet armband. Sådana här priser finns inte ens på T. J. Maxx."

Jess stirrade på kläderna som låg utspridda på golvet. Hon ville så gärna göra Tanzie glad. Hon ville att flickan skulle känna att livet kunde bjuda på härliga överraskningar ibland. Hon ville ge henne något slags kompensation, något som gjorde henne glad när hon fick höra de dåliga nyheterna.

"Vänta."

Hon gick ut i köket och tog ner kakaoburken där hon hade stoppat undan pengarna till elräkningen. Hon räknade upp beloppet och lade mynten i Aileens klibbiga hand innan hon hann ångra sig.

"Angenämt att göra affärer ihop", sa Aileen och vek ihop resten av utbudet och lade försiktigt tillbaka det i bagen. "Jag kommer tillbaka om två veckor. Om du vill ha något innan dess vet du var jag finns."

"Jag tror att det här få räcka, tack."

Hon gav Jess en menande blick. *Så säger alla, vännen.*

Nicky tog inte blicken från skärmen när Jess klev in.

"Nathalie har lovat att köra hem Tanzie efter matteklubben. Klarar du dig ensam nu ett par timmar?"

"Visst."

"Ingen rökning."

"Mm."

"Ska du plugga?"

"Visst."

Ibland fantiserade Jess om hurdan hon skulle vara som mamma om hon inte var tvungen att arbeta hela tiden. Hon skulle baka, le oftare, övervaka dem när de gjorde sina läxor. Hon skulle göra saker som de ville göra istället för att alltid svara:

Ledsen hjärtat, jag måste fixa middagen först.

När jag har tvättat klart.

Jag måste gå, älskling. Berätta när jag kommer hem efter mitt pass.

Hon såg länge på honom, hans uttryckslösa ansikte, och hon hade onda aningar. "Glöm inte att gå ut med Norman. Men gå inte i närheten av spritbutiken."

"Klart jag inte gör."

"Och sitt inte framför datorn hela kvällen." Hon drog i hans jeans. "Och dra upp brallorna, annars kanske jag inte kan låta bli att ge dig värsta kalsongrycket."

Han vände sig om och hon uppfattade ett hastigt leende. Jess gick ut ur rummet och insåg att hon inte kunde minnas när hon senast hade sett det.

KAPITEL FEM

NICKY

Min pappa är ett jävla svin.

KAPITEL SEX

JESS

Puben Feathers låg mellan biblioteket (stängt sedan januari) och fish-and-chip-butiken Happy Plaice, och av interiören att döma kunde man tro att det fortfarande var 1989. Ingen hade någonsin sett innehavaren Des i annat än urblekta turné-T-shirtar och jeans, och när det var kallt drog han på sig en midjekort skinnjacka. Om det var en lugn kväll, kunde man - med lite otur - åka på att få höra hur han in i minsta detalj förklarade alla fördelarna med en Fender Stratocaster jämfört med en Rickenbacker 330, eller så kunde man få förmånen att avnjuta en poetisk och ordagrann recitation av "Money for Nothing".

Feathers var inte tjusig så där som baren på Beachfront var; man serverade inte dagsfärsk fisk eller nyfångade skaldjur med fina viner till, eller erbjöd barnmatsedel till bortskämda ungar. Istället serverade man olika slags döda djur med pommes frites till och fnyste åt ordet "sallad". Det mest spännande i underhållningsväg var Tom Petty på jukeboxen och en illa åtgången darttavla på väggen.

Men det var ett koncept som fungerade. Feathers var ovanliga i kuststaden: de hade fullt året om.

"Är Roxanne här?" Jess började plocka fram chipspåsarna och Des kom upp från källaren där han just hade kopplat in ett nytt ölfat.

"Nä. Det var något hon skulle göra med sin mamma." Han tänkte efter en stund. "Healing. Nej, spådam. Psykiatriker. Psykolog."

"Spiritist?"

"En sådan som talar om saker som man redan vet, men man ska ändå se imponerad ut."

"Medium."

"De betalar trettio pund per biljett för att sitta där med ett glas billigt vitt vin och skrika 'Ja!' när de frågar om någon i publiken har en anhörig vars namn börjar på J." Han böjde sig fram och drog igen källarluckan med en smäll. "Jag kan också förutspå ett och annat, Jess. Och jag tar inte trettio pund för det. Jag förutspår att den så kallade spiritisten sitter hemma och gnuggar händerna och tänker 'Vilka lättlurade pappskallar'."

Jess drog ut backen med de rena glasen ur diskmaskinen och började stapla dem på hyllan ovanför bardisken.

"Tror du på den där smörjan?"

"Nej."

"Det är klart att du inte gör. Du är en förnuftig flicka. Ibland vet jag inte vad jag ska säga till henne. Och hennes mamma är ännu värre. Hon tror att hon har en egen skydds-ängel. En ängel." Han härmade henne, såg på sin axel och klappade den. "Hon tror att den skyddar henne. Den skyddade henne inte från att spendera hela avgångsvederlaget på tv-shop. Man hade kunnat tro att ängeln skulle varna henne, eller? 'Vänta lite, Maureen. Behöver du verkligen ett lyxöver-drag till strykbrädan med en bild av en hund? Gör du verk-ligen det? Vore det inte bättre att spara lite till pensionen?'"

Jess kunde inte låta bli att skratta mitt i all bedrövelse.

"Du är tidig", sa Des och tittade menande på klockan.

"Skokris." Chelsea klämde in handväskan under bar-disken och rättade sedan till frisyren. "Jag började chatta med en av mina dejter", sa hon till Jess utan att ta någon som helst notis om Des. "Han är vansinnigt snygg."

Alla Chelseas dejter var vansinnigt snygga. Ända tills hon träffade dem.

"Han heter David. Han letar efter någon som gillar att laga mat, städa och stryka. Och göra en resa eller utflykt någon gång ibland."

"Till affären?" frågade Des.

Chelsea brydde sig inte om honom. Hon tog en handduk och började torka glasen. "Du borde verkligen lägga upp din profil på nätet, Jess. Komma ut lite istället för att hänga här med alla gamla stofiler."

"Gammal kan du vara själv", muttrade Des.

Det var fotboll i kväll, vilket betydde att Des bjöd på chips och ostkuber, och om han kände sig på ett särskilt givmilt humör kunde han även bjuda på små inbakta korvar. Jess brukade ta med sig de överblivna ostkuberna hem att göra makaronigratäng på, ända tills Nathalie hade gett henne statistiken över hur många män som inte tvättade händerna efter toalettbesök.

Baren fylldes, matchen började, kvällen avlöpte som vanligt; hon hällde upp öl i pauserna när kommentatorerna pratade, och tänkte – ännu en gång – på pengar. Slutet av juni, hade skolan sagt. Hon hade till slutet av juni på sig att registrera Tanzie på skolan. Hon var så försjunken i sina egna tankar att hon inte hörde Des förrän han ställde fram en stor skål med potatisbollar på bardisken bredvid henne. "Ja just det, det har jag glömt att säga. Vi har beställt en ny kassaapparat. Den kommer nästa vecka. Det är en sådan där man bara behöver peka på skärmen."

Hon vände sig mot honom. "En ny kassaapparat? Varför då?"

"För att den gamla är äldre än jag, och för att alla inte kan räkna i huvudet lika bra som du, Jess. Sist Chelsea var ensam i baren hade hon räknat fel på elva pund. Om man ber henne lägga ihop en dubbel gin, en pint Webster's och en påse jordnötter går ögonen i kors på henne. Vi måste hänga med i tiden." Han svepte med handen över en osynlig skärm. "Digital precision. Du kommer att älska den. Och du kommer aldrig mer att behöva använda huvudet. Precis som Chelsea."

"Kan jag inte få fortsätta att använda den här? Jag är värdelös på datorer."

"Vi ska ha kurs för personalen. En halv dag. Utan lön, dessvärre. Det kommer en kille."

"Utan lön?"

"Pek-pek-dra på skärmen. Det blir som i *Minority Report*. Minus de flintskalliga. Fast det förstås, vi har ju alltid Pete. *Pete!*"

Kvart över nio kom Liam Stubbs in. Jess stod med ryggen mot bardisken när han lutade sig över den och mumlade "Hallå där, snygging", i hennes öra.

Hon vände sig inte om. "Är du här igen?"

"Vilket varmt mottagande. En pint Stella, tack." Han kastade en blick runt baren. "Och om du har något annat att erbjuda."

"Vi har väldigt goda torrostade nötter."

"Nu hade jag tänkt mig något … fuktigare."

"Då kommer jag med ölen."

"Du spelar fortfarande svårflörtad, märker jag."

Hon hade känt Liam sedan skolan. Han var den typen av kille om krossade en flickas hjärta i småbitar om han bara fick chansen; blåögd och munvig kunde han ignorera en flicka genom halva högstadiet och sedan, så fort hon blivit av med tandställningen och låtit håret växa, charmade han sig innanför hennes trosor. Och vinkade bara ett sorglöst tack och hej efter sig. Han hade kastanjebrunt hår och markerade, solbrända kindben. På nätterna körde han taxi och på fredagarna sålde han blommor på torget, och varje gång hon gick förbi viskade han: "Du. Jag. Bakom dahliorna. Nu." Och han lät tillräckligt seriös för att hon skulle tappa konceptet för en bråkdel av en sekund. Hans fru hade lämnat honom i ungefär samma veva som Marty hade flyttat ut. ("Lite otrohet, bara. Somliga kvinnor är så himla känsliga.") Och för ett halvår sedan, en kväll när Des bjöd på sängfösare efter stängningsdags, hade de hamnat inne på damernas. Hans händer hade letat sig in under hennes tröja och hon hade gått runt med ett snett flin i flera dagar efteråt.

Hon höll på att kasta de tomma chipskartongerna i soptunnan på baksidan när Liam dök upp. Han närmade sig henne och hon tvingades backa tills hon stod med ryggen mot trädgårdsmuren. Hans fulla kroppslängd tornade upp sig bara ett par centimeter ifrån henne. "Jag kan inte sluta tänka på dig", sa han mjukt. Han höll handen med cigaretten på avstånd. Han var väldigt chevaleresk när det gällde sådana saker.

"Så säger du säkert till alla flickor."

"Jag gillar att titta på dig när du rör dig bakom bardisken. När jag inte tittar på fotbollen föreställer jag mig dig böjd över disken.

"Och vem sa att romantiken var död?"

Herregud, vad han doftade gott. Jess försökte krångla sig ur situationen innan hon gjorde något hon skulle få ångra. Närheten till Liam Stubbs sparkade liv i något inombords som hon nästan trott var borta.

"Låt mig bjuda på lite äkta romantik. Vi går ut, bara du och jag. På en riktig dejt. Kom igen, Jess. Vi kan väl försöka."

Jass backade. "Vad sa du?"

"Du hörde."

Hon stirrade på honom. "Vill du att vi ska vara ihop?"

"På dig låter det som om det var något snuskigt."

Hon gled ut under hans arm och sneglade bort mot dörren. "Jag måste gå tillbaka."

"Varför vill du inte gå ut med mig?" Han tog ett steg närmare. "Du vet att det skulle bli bra …" Hans röst sjönk till en viskning.

"Jag vet också att jag har två barn och två jobb och du ägnar all din tid i din bil. Det skulle inte ta mer än tre veckor, sedan skulle vi bråka om vems tur det var att gå ut med soporna." Hon log ljuvt mot honom. "Och sedan skulle romantiska möten som detta vara ett minne blott."

Han tog en slinga av hennes hår och lät den glida mellan fingrarna. Hans röst var mjuk och grötig. "Du är så cynisk.

Du är en hjärtekrossare, Jess Thomas."

"Och du kommer att få mig avskedad."

"Betyder det att det är uteslutet med en snabbis?"

Hon lösgjorde sig och började gå mot dörren medan hon försökte dämpa rodnaden på kinderna. Sedan stannade hon. "Du, Liam?"

Han höll på att fimpa cigaretten och tittade upp.

"Du har möjligen inte femhundra pund att låna ut?"

"Om jag hade det, skulle du få dem." Han gav henne en slängkyss och hon gick in.

Hennes kinder blossade fortfarande när hon gick runt bardisken och började plocka tomma glas från borden. Det var då hon upptäckte honom. Hon var tvungen att titta två gånger. Han satt ensam i hörnet och han hade tre tomma ölglas framför sig.

Han hade bytt om till Converse, jeans och T-shirt; han glodde på mobilen och bläddrade på skärmen och tittade bara upp när det blev mål och alla tjoade. Medan Jess iakttog honom lyfte han upp sitt glas och stjälpte i sig resten av innehållet i ett enda drag. Han kanske trodde att han smälte in med sina jeans, men han hade "utböling" skrivet i pannan. För mycket pengar. Han hade den där utstuderat lediga stilen som man bara kunde köpa sig till. När han lyfte blicken och såg sig om vände hon sig snabbt bort, och hennes humör sjönk.

"Jag går ner och hämtar lite mer snacks", sa hon till Chelsea och styrde stegen mot källaren. "Uff", muttrade hon. "Uff, uff, uff." När hon kom upp igen hade han en ny öl framför sig och var återigen försjunken i sin telefon.

Kvällen fortlöpte. Chelsea diskuterade olika internetabonnemang, mr Nicholls drack några pint till och Jess försvann varje gång han närmade sig baren – och hon försökte undvika Liams blick. Vid tio i elva var det bara en handfull eftersläntrare kvar – det vanliga packet, som Des sa. Chelsea tog på sig kappan.

"Vart ska du?"

Chelsea lutade sig fram för att se sig i spegeln bakom de upphängda flaskorna och bättrade på läppstiftet. "Des sa att jag kunde gå lite tidigare." Hon plutade med läpparna. "Jag har en dejt."

"En dejt? Vem går på dejt så här dags?"

"Jag ska hem till David. Det är ingen fara", tillade hon när hon såg Jess stirra på henne. "Min syster ska också med. Han tyckte att det skulle vara trevligt att träffa henne också."

"Chels, vet du vad ett 'booty call' är?"

"Va?"

Jess såg på henne. "Det var inget. Ha det så trevligt."

Hon höll på att fylla diskmaskinen när han dök upp vid baren. Hans ögon var halvt slutna och han svajade långsamt som om han skulle börja dansa.

"En öl, tack."

Hon ställde ner två glas till i diskkorgen. "Vi har slutat servera. Den är över elva."

Han såg upp på klockan och sluddrade på rösten. "En minut i."

"Du har fått tillräckligt."

Han blinkade långsamt och stirrade på henne. Hans korta hår stack upp lite på ena sidan. "Är det du som bestämmer när jag har fått tillräckligt?"

"Ja, för det är jag som serverar drickat. Det är så det fungerar." Jess höll kvar hans blick. "Känner du inte igen mig?"

"Borde jag det?"

Hon stirrade på honom en stund till. "Vänta." Hon gick runt baren och bort till svängdörrarna, och medan han roat såg på, öppnade hon dörren och lät den slå igen med full kraft i hennes ansikte, hon höjde ena handen samtidigt som hon öppnade munnen som för att säga något.

Hon öppnade dörren igen och ställde sig mittemot honom. "Känner du igen mig nu?"

Han blinkade. "Är du ... träffades vi i går?"

"Städerskan. Ja."

Han drog en hand genom håret. "Jaha. Det där med dörren. Jag hade … det var ett jobbigt samtal."

"'Inte nu, tack' brukar annars fungera ganska bra."

"Jag fattar." Han lutade sig mot baren. Jess måste hålla sig för skratt när hans armbåge gled över kanten.

"Skulle det vara en ursäkt?"

Han tittade på henne med simmig blick. "Förlåt. Förlåt så jätte-jätte-jättemycket. Förlåt, o dyra barservitris. Kan jag få min öl nu?"

"Nej, den är över elva."

"Bara för att du uppehöll mig."

"Jag har inte tid att vänta här medan du lapar i dig en öl till."

"Ge mig en shot, då. Kom igen nu. Jag behöver en drink till. Ge mig en vodkashot. Här, behåll växeln." Han drämde en tjugopundssedel på disken. Smällen fortplantade sig genom hans kropp som en pisksnärt. "Bara en. En dubbel. Jag sveper den på två sekunder. En sekund."

"Nej. Du har redan druckit tillräckligt."

Des röst avbröt dem inifrån köket. "Herregud, Jess. Ge honom en drink till."

Jess stod orörlig med sammanbitna käkar, sedan vände hon sig om och hällde upp en dubbel i ett glas. Hon slog in summan och lade tyst växeln på disken. Han svepte i sig vodkan, svalde ljudligt, och vände sig om på rangliga ben.

"Du glömde växeln."

"Behåll den."

"Jag vill inte ha den."

"Lägg den i insamlingsbössan då."

Hon plockade upp pengarna och stack i hans hand. "Des insamlingsbössa går till Des Harris semester i Memphis", sa hon. "Ta dina pengar."

Han såg på henne och tog två ostadiga steg åt sidan när hon öppnade dörren åt honom. Det var då hon upptäckte vad han just fiskat upp ur fickan. Och hans skinande Audi på parkeringen.

"Du kan inte köra hem."

"Det är lugnt." Han avfärdade hennes invändningar. "Det finns ändå inga bilar ute så här dags."

"Du kan inte köra."

"Vi är mitt ute i ingenstans, ifall du inte visste det." Han gestikulerade mot himlen. "Jag är hundra mil från allt, fast här ute, mitt i jävla ingenstans." Han lutade sig fram och hans andedräkt stank av alkohol. "Jag lovar att köra väldigt, väldigt långsamt."

Han var så full att det var löjligt enkelt att ta bilnycklarna ifrån honom. "Nej", sa hon och vände tillbaka in. "Jag vill inte ha din olycka på mitt samvete. Följ med in igen, så ringer jag efter en taxi."

"Ge mig nycklarna."

"Nej."

"Snor du mina nycklar?"

"Jag räddar dig från ett indraget körkort." Hon höll upp nycklarna och vände sig om mot baren.

"Men för fan", sa han. Han fick det att låta som om hon var den sista i en lång rad av irritationsmoment. Hon fick lust att sparka honom.

"Jag ringer efter en taxi. Om du bara ... sitter här. Du får tillbaka nycklarna när du sitter i taxin."

Hon sms:ade Liam inifrån hallen.

Törs man hoppas på ett litet nyp? svarade han.

Bara om du gillar håriga typer. Och män.

Hon gick tillbaka ut, men mr Nicholls var borta. Hans bil stod kvar. Hon ropade på honom och hon undrade om han kanske hade gått bakom några buskar för att lätta på trycket. Sedan tittade hon ner och det var då hon upptäckte honom sovande på bänken utanför dörren.

En sekund övervägde hon att lämna honom där. Men det var kyligt i luften, havsbrisen var oberäknelig och han skulle säkert vakna utan plånbok.

"Jag tar inte med mig den där", sa Liam genom fönstret på förarsidan när han körde in med sin taxi på parkeringen.

64

"Han är okej, han somnade bara. Jag vet vart han ska åka."

"Glöm det. Förra gången jag hade en kund som sov i bilen vaknade han och spydde ner mina nya sätesöverdrag. Sedan lyckades han piggna till så pass att han sprang ifrån notan."

"Han bor borta på Beachfront och han kommer knappast att smita från betalningen." Hon tittade på klockan. "Kom igen, Liam. Det är sent. Jag vill hem."

"Då får du lämna honom där han är. Sorry, Jess."

"Men om jag följer med i bilen, då? Om han spyr städar jag upp det. Sedan kan du släppa av mig hemma. Han betalar." Hon plockade upp växeln som mr Nicholls hade tappat på marken bredvid bänken. "Tretton pund räcker väl?"

Han gjorde en grimas. "Gör det inte så svårt för mig, Jess."

"Snälla Liam." Hon log mot honom och lade en hand på hans arm. "Snälla söta."

Han såg ut på vägen framför sig. "Okej då."

Hon lutade huvudet mot mr Nicholls sovande ansikte, sedan rätade hon på sig och nickade. "Han säger att det går bra."

Liam skakade på huvudet. Den flirtiga atmosfären som funnits mellan dem tidigare var som bortblåst.

"Kom igen nu, Liam. Hjälp mig att baxa in honom i bilen. Jag måste hem."

Mr Nicholls låg i baksätet med huvudet i hennes knä som ett sjukt barn. Hon visste inte vad hon skulle göra av sina händer. Hon sträckte ut ena armen längs baksätets ryggstöd och bad hela vägen till högre makter att han inte skulle kräkas. Varje gång han stönade eller rörde på sig, vevade hon ner rutan och granskade hans ansikte. Du skulle bara våga, tänkte hon tyst. Du skulle bara våga. De var bara två minuter från Beachfront när det plingade i hennes mobil. Hon fiskade upp telefonen och tittade på den upplysta skärmen. Det var från hennes granne Belinda: *De har varit på din Nicky igen. Fick tag i honom utanför*

fish-and-chips-kiosken. Nigel följde med honom till sjukhuset.
En iskall hand kramade hennes hjärta. *På väg,* skrev hon.
*Nigel stannar kvar med honom tills du kommer. Jag stannar
här med Tanzie.*

Tack Belinda. Jag kommer så fort jag kan.

Mr Nicholls vred på sig och utstötte en lång snarkning.
Hon såg på honom, på hans dyra klippning och hans all-
deles för blå jeans, och plötsligt blev hon ursinnig på ho-
nom. Om det inte vore för honom hade hon varit hemma
nu. Om det inte vore för honom skulle hon ha gått ut med
hunden istället, inte Nicky.

"Då var vi framme."

Jess visade vägen till mr Nicholls hus och med gemensam-
ma krafter släpade de honom mellan sig, han hängde med
armarna slängda över deras axlar och Jess knäade lite under
hans överraskande tyngd. Han vred sig oroligt när de stannade
framför hans dörr och Jess började gräva efter rätt nyckel ända
tills hon kom på att det var enklare att använda sin egen.

"Var ska vi lägga honom?" pustade Liam.

"Soffan. Jag vägrar att släpa honom uppför trapporna."

Hon vände honom i sidoläge. Tog av honom glasögonen,
hittade en jacka som hon drog över honom och lade nyck-
larna på det bord som hon polerat tidigare samma dag.

Och sedan kunde hon förmå sig att formulera orden:
"Liam, kan du släppa av mig vid sjukhuset? Nicky har råkat
ut för en olycka."

Bilen susade tyst fram på de tomma gatorna. Tankarna var
i ett enda virrvarr. Hon var rädd för vad hon skulle finna.
Hur illa skadad var han? Hade Tanzie sett något? Och se-
dan de banala frågorna som, hur lång tid kommer det att ta?
En taxi från sjukhuset kostade minst femton pund.

"Vill du att jag väntar?" frågade Liam när han stannade
utanför akuten.

Hon var på väg mot ingången innan han ens hunnit stanna
bilen.

Han låg i ett bås. När sköterskan visade in henne bakom draperiet reste sig Nigel från plaststolen. Hans plufsiga, vänliga ansikte var spänt av oro. Nicky låg bortvänd med ett förband på ena kinden och en begynnande blåtira började ta form runt ögat. Ett tillfälligt bandage låg virat runt hans huvud.

Hon började nästan gråta.

"De måste visst sy. Och sedan vill de att han stannar kvar för röntgen." Nigel såg besvärad ut. "Han ville inte att jag skulle ringa polisen." Han gjorde en gest mot utgången. "Om du klarar dig nu kanske jag kunde åka hem till Belinda. Det är ganska sent och …"

Jess viskade tack och gick bort till Nicky. Hon lade handen på täcket i höjd med hans axel.

"Tanzie är okej", viskade han utan att se på henne.

"Jag vet, älskling." Hon satte sig på plaststolen bredvid hans säng. "Vad var det som hände?"

Han försökte rycka på axlarna. Nicky ville aldrig prata om det. Vad spelade det för roll? Alla visste hur det låg till. Om man stack ut och såg konstig ut åkte man på stryk. Om man vägrade att rätta sig i ledet åkte man på mer stryk. Det var den sorgliga och orubbliga logik som härskade i varje småstad.

Och för en gångs skull visste hon inte vad hon skulle säga till honom. Hon kunde inte säga att det skulle ordna sig, för det skulle det inte. Hon kunde inte säga att polisen skulle sätta dit Fishers, för det skulle de aldrig göra. Hon kunde inte säga att saker skulle bli bättre längre fram, för när man är tonåring ser man inte längre än två veckor framåt, och båda visste att inget skulle bli bättre på bara två veckor. Om ens någonsin.

"Hur är det med honom?" frågade Liam när hon långsamt gick ut till bilen. Adrenalinet hade sjunkit och axlarna slokade av utmattning. Hon öppnade bakdörren för att ta sin jacka och handväska, hans blick i backspegeln tog in allt.

"Han överlever."

"De jävlarna. Jag pratade just med din granne. Man borde göra något." Han rättade till spegeln. "Jag skulle gärna ge dem en läxa själv, men jag måste vara försiktig så att jag inte förlorar tillståndet. De är uttråkade, det är vad jag tror. De vet inte vad de ska ta sig till, så de hackar på någon annan. Se till att få med dig allt nu, Jess."

Hon var tvungen att klättra in i bilen för att fiska upp sin jacka. Och när hon gjorde det kände hon plötsligt något under ena foten. Något halvhårt och cylinderformat. Hon flyttade på foten, sträckte ner handen mot golvet och plockade upp en fet rulle med sedlar. Hon stirrade på den i halvmörkret och sedan såg hon det som låg bredvid. Det var ett laminerat passerkort, ett sådant som användes på kontor. De måste ha trillat ur mr Nicholls ficka när han låg i baksätet. Innan hon hann tänka efter lade hon ner allt i handväskan.

"Här", sa hon och började gräva efter plånboken, men Liam höll upp en hand.

"Nej, den här bjuder huset på. Du har bekymmer så det räcker." Han blinkade åt henne. "Slå en signal när du vill bli hämtad. Det är okej med Dan."

"Men ..."

"Inga men. Gå nu, Jess. Ta hand om din grabb. Vi ses på puben."

Hon var nästan tårögd av tacksamhet. Hon stod på parkeringen med ena handen höjd till en hälsning när han körde runt henne och ropade genom den nedvevade rutan: "Fast du kunde ju tala om för honom att om han bara försökte se lite mer normal ut så skulle han kanske inte åka på stryk hela tiden."

KAPITEL SJU

JESS

Framåt småtimmarna dåsade hon till i sjukhusets plaststol, hon kunde inte hitta en bekväm ställning och vaknade till då och då av de avlägsna ljuden av olika tragedier som utspelades på andra sidan draperiet. Hon såg på Nicky som äntligen hade somnat, på hans stygn, och undrade hur hon skulle bära sig åt för att skydda honom. Hon undrade vad som rörde sig i hans huvud. Hon undrade, med en klump i magen som inte tycktes släppa, vad som skulle hända nu. Vid sjutiden stack en sköterska in huvudet och sa att hon hade kokat te och rostat en smörgås åt henne. Den lilla gesten av omtanke gjorde att hon generat måste blinka bort tårarna. Strax efter åtta kom läkaren förbi och sa att de ville behålla Nicky en natt till för att utesluta eventuella invärtes blödningar. Röntgenbilderna hade visat en skugga som de inte riktigt hade lyckats utreda orsaken till än. Och de ville vara på den säkra sidan innan de skrev ut honom. Det bästa Jess kunde göra nu var att åka hem och vila. Nathalie ringde och sa att hon hade tagit med sig Tanzie till skolan tillsammans med sina egna barn, och att allt var i sin ordning.

Allt var i sin ordning.

Hon klev av bussen två hållplatser tidigare och gick bort till Leanne Fisher, knackade på dörren och sa, så artigt hon bara kunde, att om Jason vågade närma sig Nicky en gång till skulle hon anmäla honom till polisen. Varpå Leanne svarade med att spotta och säga att om Jess inte drog åt helvete på en gång skulle hon kasta en tegelsten genom hennes jävla fönster. När Jess vände sig om hördes skratt inifrån deras hus.

Det var ungefär det svar hon hade väntat sig.

Hon öppnade dörren till sitt tomma hus. Hon betalade vattenräkningen med pengar som skulle gått till hyran. Hon betalade elräkningen med städpengarna. Hon duschade och gick till lunchpasset på puben, och hon var så upptagen av sina egna tankar att det dröjde hela tio sekunder innan hon märkte att Stewart Pringle hade placerat ena handen på hennes rumpa. Långsamt hällde hon det som fanns kvar av hans öl över hans skor.

"Varför gjorde du så?" hojtade Des när Stewart klagade.

"Om du tycker att det är okej, kan du ju låta honom tafsa på *din* rumpa", sa hon och fortsatte att torka glasen.

"Hon har en poäng", sa Des.

Hon dammsög hela huset innan Tanzie kom hem. Hon var så trött att hon egentligen borde ha legat utslagen, men sanningen var den att ilskan antagligen fick henne att arbeta dubbelt så snabbt. Hon kunde inte låta bli. Hon tvättade och vek och sorterade, för om hon inte gjorde det skulle hon ta ner Martys gamla slägga från krokarna i garaget och gå bort till Fishers hus och dra olycka över sig. Hon städade, för om hon inte gjorde det skulle hon ställa sig ute i sin lilla övervuxna trädgård med ansiktet vänt mot himlen och bara skrika och skrika och skrika utan att vara säker på att någonsin kunna sluta.

När hon hörde fotstegen utanför på gången låg lukten av möbelpolish och rengöringsmedel som en giftig dimma över huset. Hon tog några djupa andetag, hostade till, och tvingade sig att andas en gång till innan hon öppnade dörren med ett påklistrat leende som var fullt av falsk tillförsikt. Nathalie stod utanför dörren med händerna på Tanzies axlar. Tanzie tog ett steg fram och lade sina armar om Jess midja, blundade och kramade henne hårt.

"Det är ingen fara med honom, älskling", sa Jess och strök henne över håret. "Det ordnar sig, det vara bara ett dumt slagsmål."

Nathalie rörde lätt vid Jess arm och skakade på huvudet.

"Sköt om er", sa hon och gick.

Jess gjorde i ordning en smörgås till Tanzie och såg henne dra sig undan i en skuggig del av trädgården för att räkna på sina algoritmer. Hon skulle berätta om St. Anne's i morgon. Hon skulle definitivt berätta i morgon.

Sedan försvann hon in i badrummet och plockade fram sedelbunten hon hade hittat i mr Nicholls taxi. Fyrahundraåttio pund. Med dörren ordentligt låst lade hon upp sedlarna i prydliga högar.

Jess visste vad hon skulle göra. Naturligtvis. Det var ju inte hennes pengar. Det var något hon hade präntat in i barnens medvetande: *Man stjäl inte. Man tar inte det som inte tillhör en. Gör det rätta, och det kommer att löna sig i längden.*

Gör det rätta.

Men en ny röst hade börjat humma dovt i hennes öra. *Varför ska du lämna tillbaka dem? Han kommer inte att sakna dem. Han låg utslagen på parkeringen, i taxin, i huset. De kan ha ramlat ut var som helst. Det var rena slumpen att det var just du som hittade dem. Tänk om det hade varit någon annan? Tror du att någon annan skulle ha lämnat tillbaka dem?*

Enligt passerkortet hette hans företag Mayfly. Hans förnamn var Ed.

Hon skulle lämna tillbaka pengarna till mr Nicholls. Tankarna tumlade runt som trumman i en torktumlare.

Och ändå gjorde hon inte det.

Förr tänkte Jess aldrig på pengar. Marty arbetade fem dagar i veckan på ett taxibolag, han hade hand om ekonomin och de tjänade tillräckligt mycket för att han skulle kunna unna sig att gå ner till puben ett par kvällar i veckan och hon kunde gå ut någon kväll ibland med Nathalie. Ibland åkte de på semester. Vissa år var bättre än andra, men de klarade sig.

Och sedan nöjde sig Marty inte med att bara klara sig. De hade varit på tältsemester i Wales, det regnade åtta dagar i sträck och Marty blev mer och mer missnöjd, som om vädret var en personlig förolämpning mot honom. "Varför kan vi inte resa till Spanien eller något annat varmt ställe?" hade han muttrat medan han stirrade ut genom den blöta tältöppningen. "Det här är bara skit. Det här är fan ingen semester."

Han tröttnade på sitt arbete och hittade hela tiden nya saker att klaga på. De andra förarna gaddade ihop sig mot honom. Hans chef var på honom. Kunderna var snåla.

Och sedan började han med sina olika projekt. De billiga kopiorna av bandtröjor med rockband som åkte ur topplistorna lika snabbt som de dök upp. Pyramidspelet som de hoppade på två veckor för sent. Import och export var grejen, anförtrodde han Jess en kväll när han kom hem från puben. Han hade träffat en kille som kunde köpa billig elektronik från Indien, som de sedan kunde sälja vidare till någon han kände. Men det visade sig – vilken överraskning! – att denne någon som skulle sälja sakerna vidare trots allt inte var så pålitlig. De få personer som de lyckades sälja till klagade över att produkten slog ut alla säkringar i huset, så det slutade med att de hade ett lager av värdelösa vitvaror som rostade i garaget. Dessa lastades in i Martys bil, fjorton åt gången, och kördes till tippen.

Och sedan var det dags för Rolls-Roycen. Det var i alla fall något som Jess kunde förstå poängen med. Marty skulle lacka den grå och hyra ut bilen med sig själv som chaufför till bröllop och begravningar. Han köpte den på Ebay av en man i Midlands men han hann inte mer än halvvägs på M6:an innan den dog. Det var något med startmotorn, sa mekanikern som kikade under motorhuven. Men ju mer han tittade, desto fler fel hittade han. Den första vintern som den tillbringade på uppfarten fick de möss i stoppningen, så de måste börja med att skaffa pengar för att köpa nya baksäten innan de kunde hyra ut bilen. Och då visade det sig att begagnade baksäten till en Rolls-Royce var det enda som inte fanns på Ebay. Så nu stod den där i garaget som en ständig påminnelse om deras oförmåga att komma någonvart.

Hon hade tagit över ansvaret för ekonomin när Marty började tillbringa merparten av dagarna i sängen. Depression var en sjukdom, det sa alla. Fast med tanke på vad hans kompisar berättade verkade han inte lida nämnvärt de två kvällarna i veckan han fortfarande orkade masa sig till puben.

När Jess hade sammanställt alla kontoutdrag som banken skickade och tittat i bankböckerna som låg i hallbyrån, hade hon med egna ögon sett vilken ekonomisk knipa de befann sig i. Hon hade försökt att prata med honom några gånger, men han hade bara dragit täcket över huvudet och sagt att han inte orkade. Det var i den vevan han hade föreslagit att han skulle resa hem till sin mamma ett tag. Handen på hjärtat hade det faktiskt varit en lättnad att slippa ha honom i huset. Det var tillräckligt jobbigt med Nicky – som fortfarande var som en stum och mager vålnad – Tanzie och två arbeten.

"Åk du", hade hon sagt och strukit honom över håret. Hon mindes att hon hade tänkt att det var länge sedan hon hade rört vid honom. "Åk iväg ett par veckor. En paus kommer att göra dig gott." Han hade sett tyst på henne med rödkantade ögon och kramat hennes hand.

Det var två år sedan. Ingen av dem trodde på allvar att han skulle komma tillbaka.

Hon försökte få allt att verka som vanligt ända tills det var dags för Tanzie att sova. Hon frågade vad hon hade ätit hemma hos Nathalie, hon berättade vad Norman hade haft för sig. Hon kammade hennes hår och satte sig sedan på sängkanten och läste högt ur en gammal Harry Potter-bok, som om Tanzie var mycket yngre än hon var, och för en gångs skull sa Tanzie inget om att hon hellre ville lösa mattetal.

När Jess var säker på att Tanzie sov ringde hon sjukhuset. Sköterskan sa att Nicky mådde bra. Röntgenbilderna hade inte visat tecken på punkterad lunga. Den lilla frakturen på kindbenet skulle läka av sig själv.

Hon ringde Marty. Han lyssnade under tystnad, sedan frågade han: "Har han fortfarande allt det där i ansiktet?"

"Han använder lite mascara, ja, det gör han."

Det blev tyst en lång stund.

"Säg det inte, Marty. Du skulle bara våga säga det." Hon lade på luren innan han hann göra det.

Och kvart i tio ringde polisen och berättade att Jason Fisher hade förnekat all kännedom om händelsen.

"Det fanns fjorton vittnen", sa hon med tillkämpat lugn röst. "Inklusive han som driver fish-and-chips-kiosken. De överföll min son. De var fyra mot en."

"Ja, men vittnena är bara till glädje för oss om de kan identifiera förövarna. Och mr Brent kan inte med säkerhet peka ut vem det var som utdelade slagen." Han suckade som om hon borde förstå hur tonårspojkar kunde vara ibland. "Dessutom hävdar Fisher att det var er son som började."

"Att Nicky skulle mucka gräl är för fan lika sannolikt som att Dalai Lama skulle det. Vi pratar om en pojke som inte kan stoppa täcket i ett påslakan utan att oroa sig för att göra illa någon."

"Vi kan inte göra något utan bevis."

Familjen Fisher. Med det rykte som de hade kunde hon skatta sig lycklig om en enda människa "mindes" vad som hade hänt.

Jess gömde ansiktet i händerna. Det skulle aldrig ta slut. Och när Tanzie började mellanstadiet skulle hon stå på tur. Med sin kärlek till matematiken, sin udda uppenbarelse och totala brist på falskspel och konformitet var hon en given måltavla. Hon tänkte på Martys slägga i garaget och på hur skönt det skulle kännas att gå bort till Fishers hus och bara …

Telefonen ringde. Hon slet upp luren. "Vad är det nu då? Ska du tala om för mig att han misshandlade sig själv kanske? Va?"

"Mrs Thomas?"

Hon blinkade.

”Mrs Thomas? Det är mr Tsvangarai.”

”Åh, mr Tsvangarai. Förlåt, jag … det passar inte så bra just nu.” Hon höll fram en hand framför sig. Den skakade.

”Jag är ledsen att jag ringer så sent, men det här är ganska angeläget. Jag har hittat något intressant. Det heter Matteolympiaden.” Han talade försiktigt.

”Va?”

”Det är något nytt. I Skottland. En matematiktävling för barn med särskild begåvning. Det är inte för sent att anmäla Tanzie.”

”En mattetävling?” Jess blundade. ”Det låter väldigt trevligt, mr Tsvangarai, men det är ganska mycket här nu som …”

”Mrs Thomas, priserna är på femhundra pund, tusen pund och femtusen pund. Femtusen pund. Om hon vinner skulle ni ha pengar så att det täckte hela hennes första år på St. Anne's.”

”Ta om det där.”

Jess sjönk ner på stolen medan han förklarade detaljerna. ”Är det här på riktigt?”

”Det är på riktigt.”

”Och skulle hon verkligen klara av det?”

”Det finns en kategori för hennes åldersgrupp. Jag kan inte tänka mig annat än att hon skulle vinna.”

Femtusen pund, sjöng det i huvudet. *Det skulle till och med täcka två år på skolan.*

”Vad är haken?”

”Ingen hake. Ja, bortsett ifrån att man måste klara av avancerad matematik, så klart. Men det är inget problem för Tanzie.”

Hon ställde sig upp och satte sig ner igen.

”Ja, och så måste ni ta er till Skottland, förstås.”

”Detaljer, mr Tsvangarai, detaljer.” Hon kände sig alldeles vimmelkantig. ”Är det säkert att det är på riktigt? Det är inget skämt?”

”Jag är inte typen som skämtar, mrs Thomas.”

”Jävlar. Jävlar! Ni är en stjärna, mr Tsvangarai.”

Hon hörde hans generade skratt.

"Jaha ... vad gör vi nu?"

"De gjorde ett undantag efter att jag visade dem vad Tanzie har arbetat med, så hon slipper göra kvalificeringsproven. Jag misstänker att de är angelägna att ha med barn från mindre bemedlade områden och familjer. Och oss emellan är det förstås en enorm fördel att hon är flicka. Men vi måste bestämma oss snabbt. Tävlingen går av stapeln om bara fem dagar."

Fem dagar. Sista anmälningsdagen till St. Anne's var i morgon.

Hon stod mitt i rummet och funderade, sedan rusade hon uppför trapporna, tog fram mr Nicholls sedelrulle som låg gömd bland hennes strumpor, och innan hon hann fundera så mycket mer stoppade hon pengarna i ett kuvert, krafsade ner ett meddelande, adresserade det med prydliga bokstäver och skrev TILL HANDA på det. Hon skulle lämna in det i morgon på väg till arbetet.

Hon skulle betala tillbaka. Varenda penny.

Men just nu hade hon inte så mycket val.

Den kvällen satt Jess vaken vid köksbordet och skissade på en plan. Hon slog upp tågtidtabellen till Edinburgh, skrattade lite hysteriskt, undersökte sedan priserna. Tågbiljett i andra klass för dem tre (£187, inklusive de £13 det kostade att ta sig till stationen) och kostnaden för att ha Norman på kennel i en vecka (£94). Hon tryckte handflatorna mot ögonen. Och sedan grävde hon fram nyckeln till Rollsen och gick ut i garaget, hon borstade bort musspillningen från förarsätet och vred om nyckeln.

Den startade på tredje försöket.

Jess satt i garaget som alltid luktade fukt, hon var omgiven av gamla trädgårdsmöbler, bildelar och plasthinkar och hon lät motorn gå på tomgång en stund. Sedan lutade hon sig fram och pillade bort skattemärket. Det var två år gammalt. Och hon hade ingen försäkring.

Hon stängde av motorn och satt kvar i mörkret medan lukten av motorolja långsamt löstes upp, och för femtioelfte gången tänkte hon: *Gör det rätta nu.*

KAPITEL ÅTTA

ED

ed.nicholls@mayfly.com: Kom ihåg vad jag sa. Jag kan skicka detaljer om du har tappat bort kortet.
deanna.l@yahoo.com: Har inte glömt. Har hela kvällen etsad i mitt minne ;)

ed.nicholls@mayfly.com: Har du gjort som jag sa?
deanna. l@yahoo.com: Jag håller på.
ed.nicholls@mayfly.com: Berätta om det blir ett positivt resultat!
deanna. l@yahoo.com: Med tanke på dina tidigare prestationer kan jag inte tänka mig annat än att det kommer att gå bra ;o

deanna. l@yahoo.com: Det som du har gjort ... Ingen har någonsin gjort något liknande för mig.
ed.nicholls@mayfly.com: Äsch, det var inget.
deanna. l@yahoo.com: Ska vi ses nästa helg?
ed.nicholls@mayfly.com: Lite mycket nu. Jag hör av mig.
deanna. l@yahoo.com: Det här blev ju bra för oss båda ;)

Utredaren lät honom läsa klart de två sidorna med utskrifter, sedan sköt han över dem till Eds advokat Paul Wilkes.

"Har ni något att tillägga, mr Nicholls?"

Det var något ytterst genant med att se sina privata mejl överförda till ett officiellt dokument: hans angelägna och snabba svar, de illa dolda dubbeltydigheterna, smiley-symbolerna. (Var han fjorton år, eller?)

"Du behöver inte svara", sa Paul.

"Det där kan ju handla om vad som helst." Ed sköt ifrån sig pappren. "'Berätta om det blev ett positivt resultat.' Jag kan ju ha menat något sexuellt. Det här kan ju vara sexmejl."

"Kvart över elva på förmiddagen?"

"Och?"

"I ett kontorslandskap?"

"Jag är en ganska ohämmad person."

Utredaren tog av sig glasögonen och spände ögonen i honom. "Sexmejl? Menar ni allvar? Det var det ni höll på med?"

"Nej, inte i det fallet. Men det är inte det som är poängen."

"Jag skulle hävda att det är precis det som är poängen, mr Nicholls. Det finns en hel drös av samma sak. Ni säger att ni ska hålla kontakten." Han bläddrade bland sina papper. "...'om det är något annat jag kan göra.'"

"Men det är inte som det låter. Hon var deprimerad och hade det kämpigt med sitt ex. Jag ville bara ... hjälpa henne. Göra saker enklare för henne. Det är det jag har sagt hela tiden."

"Jag har bara ett par frågor till."

De hade massor med frågor. De ville veta hur många gånger han hade träffat Deanna. Vart de hade gått. Vad deras förhållande egentligen hade gått ut på. De trodde inte på Ed när han sa att han faktiskt inte visste så mycket om hennes liv och ingenting alls om hennes bror.

"Lägg av", protesterade Ed. "Som om ni aldrig har haft ett förhållande som bara bygger på sex."

"Enligt miss Lewis var det inte byggt på sex. Hon hävdar att ni hade ett 'seriöst och innerligt' förhållande, att ni har känt varandra sedan universitetsåren och att ni hade fått för er att hon absolut skulle satsa pengar i bolaget och övertalade henne till det. Hon hade ingen aning om att det var olagligt att följa ert råd."

"Men hon ... hon får det att låta som om vi hade ett

djupare förhållande än vad vi hade. Och jag tvingade henne definitivt inte till något."

"Så då erkänner ni att ni gav henne information?"

"Det sa jag inte! Jag sa att …"

"Det jag tror att min klient försöker säga är att han inte kan hållas ansvarig för miss Lewis eventuella missuppfattning vad gäller deras förhållande", avbröt Paul. "Eller vad gäller information som hon har vidarebefordrat till sin bror."

"Och vi har inget förhållande. Inte den sortens förhållande."

Utredaren ryckte på axlarna. "Jag bryr mig faktiskt inte om vad ni hade för slags förhållande. Jag bryr mig inte om ifall ni knullade som kaniner. Det jag bryr mig om, mr Nicholls, är att ni talade om för den här unga kvinnan att det den 28 februari skulle smälla till och ni skulle göra 'en duktig vinst'. Det har hon berättat för en vän. Och både hennes och hennes brors kontoutdrag visar tydliga tecken på 'en duktig vinst'."

En timme senare, efter att borgen betalats, satt Ed i Pauls kontor. Paul hällde upp varsin whisky åt dem. Ed började konstigt nog vänja sig vid smaken av alkohol mitt på dagen.

"Jag kan inte ta ansvar för vad hon berättar eller inte berättar för sin bror. Jag kan väl inte springa runt och undersöka om varenda samarbetspartner eventuellt har en bror som jobbar på finansmarknaden. Jag ville bara hjälpa henne."

"Och det lyckades du verkligen med. Polisen och ekobrottsmyndigheterna struntar i dina motiv, Ed. Hon och hennes brorsa tjänade storkovan med olagliga metoder tack vare upplysningar som du gav henne."

"Jag förstår inte vad du pratar om."

"Om jag säger så här: Tänk på varenda statlig myndighet som arbetar med att bekämpa ekonomisk brottslighet. Och annan kriminalitet. De utreder dig just nu."

"Du får det att låta som om jag faktiskt kunde bli åtalad."

Ed ställde ner whiskyn på bordet bredvid sig.

"Ja, jag tror att det är högst sannolikt. Och jag tror att rätte-gången kommer att bli av ganska omgående. De försöker förkorta tiderna när det gäller den här typen av brott."

Ed stirrade på honom. Sedan lade han huvudet i händer-na. "Det här är en mardröm. Jag vill bara ... försvinna. Bort härifrån."

"Det bästa vi för närvarande kan hoppas på är att lyckas övertyga dem om att du bara är en datanörd som tagit sig vatten över huvudet."

"Toppen."

"Har du något bättre förslag?"

Ed skakade på huvudet.

"Du gör bäst i att inte göra något alls."

"Men jag måste göra något, Paul. Jag måste tillbaka till jobbet. Jag vet inte vad jag ska göra om jag inte arbetar. Jag håller på att få spader där nere i byhålan."

"Om jag var som du skulle jag sitta still i båten. Om det här kommer ut, kan det verkligen ta hus i helvete. Då får du hela mediadrevet efter dig. Det bästa du kan göra är att ligga lågt där nere i en eller två veckor till." Paul skrev ner något på ett anteckningsblock.

Ed tittade på den uppochnedvända skriften. "Tror du verkligen att det här kan nå pressen?"

"Jag vet inte. Antagligen. Du kanske ska prata med din familj och förbereda dem på den dåliga publiciteten."

Ed vilade händerna i knäet. "Det kan jag inte."

"Vad kan du inte?"

"Jag kan inte berätta det för min pappa. Han är sjuk. Det här skulle ..." Han skakade på huvudet. När han äntligen såg upp hade Paul fixerat honom med blicken.

"Tja, det är ditt beslut. Men som sagt, jag tror att det bästa är att ligga lågt och hålla sig utom räckhåll om och när det hela kommer ut. Och Mayfly vill naturligtvis inte ha något med dig att göra förrän det hela har blåst över. Det ligger för mycket pengar investerade i SFAX. Du får inte ha kontakt med någon på företaget. Inga samtal. Inga mejl. Och om någon skulle råka nosa upp dig, säg då för guds skull inget. Till någon." Han knackade med pennan i bordet för att antyda att samtalet var över.

"Så jag ska gömma mig på vischan, knipa käft och rulla tummarna tills de skickar mig i finkan?"

Paul reste sig upp och slog igen mappen på bordet. "Vi sätter ihop ett team med våra bästa medarbetare. Och vi ska göra allt för att det inte ska gå så långt."

Ed klippte med ögonen där han stod på trappan till Pauls kontor, omgiven av smutsgrå husfasader, cykelbud som slet hjälmarna från sina svettiga huvuden, barbenta kvinnor som skrattande var på väg till parken för att äta sina medhavda lunchsmörgåsar och han drabbades av en våldsam längtan efter sitt gamla liv. Det som bestod av en Nespressomaskin på kontoret, en sekreterare som slank iväg för att hämta sushi och en lägenhet som låg mitt i smeten, och då det värsta som kunde hända var att han tvingades lyssna på en av Kostymernas ändlösa utläggningar om vinster och förluster medan han låg raklång på soffan inne på utvecklingsavdelningen. Han hade aldrig varit den som jämförde sitt liv med andras, men nu kände han en nästintill förlamande avundsjuka på människorna runtomkring honom, på deras vardagsbekymmer och deras frihet att ta tunnelbanan hem till sina familjer. Vad hade han? Han måste sitta i ett tomt hus utan någon att prata med i flera veckor, och det enda han hade att se fram emot var ett nära förestående åtal.

Han saknade sitt arbete mer än han någonsin hade saknat sin fru. Han saknade det likt en stadigvarande älskarinna; han saknade rutinerna. Han tänkte tillbaka på den senaste veckan, hur han hade vaknat på soffan i Beachfront utan att ha en aning om hur han hade hamnat där, med en mun som kändes som om den var packad med bomull och med glasögonen prydligt hopvikta på soffbordet. Det var tredje gången på lika många veckor som han hade blivit så full att han inte mindes hur han hade tagit sig hem, och första gången han vaknade med tomma fickor.

Han tittade i telefonen (ny, bara tre importerade kontakter). Han hade tre röstmeddelanden från Gemma. Ingen annan hade ringt. Ed suckade och tryckte på "radera", sedan började han gå längs den solvarma trottoaren mot parkeringen. Han var egentligen inte en sådan som drack. Lara hade alltid påpekat att man blev tjock av alkohol och att han snarkade om han drack mer än två öl. Men just nu var han mer sugen på en drink än på något annat.

Ed satt en stund i sin tomma lägenhet, han smet ner till pizzerian på hörnet, sedan satt han en stund till i lägenheten. Till sist satte han sig i bilen och körde tillbaka till kusten. Hela vägen ut genom London dansade Deanna Lewis framför ögonen på honom. Hur kunde han ha varit så korkad? Varför hade han inte tänkt på risken att hon skulle berätta det för någon annan? Eller handlade detta om något ännu mer beräknande? Hade hon och hennes bror planerat detta? Var det ett slags psykotisk hämndstrategi för att han dumpat henne?

För varje kilometer blev Ed allt argare. Han kunde lika gärna ha gett henne nycklarna till sin lägenhet, sina kontouppgifter – som till sin ex-fru – och låtit Deanna tillintetgöra honom. Det hade faktiskt varit bättre. Då hade han åtminstone fått behålla jobbet, sina vänner. Strax före avfarten till Godalming hade han jagat upp sig så till den milda grad att han var tvungen att stanna bilen och slå hennes nummer. Polisen hade beslagtagit hans gamla mobil med alla gamla kontakter som bevismaterial. Men han trodde att han kom ihåg hennes nummer ändå. Och han visste vad han skulle inleda med: Hur i helvete tänkte du?

Men numret hade ingen abonnent.

Ed satt i bilen på rastplatsen, med telefonen i handen,

och lät ilskan långsamt ebba ut. Han tvekade, sedan slog han numret till Ronan. Det var ett av de få nummer han kunde utantill.

Det gick fram många signaler innan han svarade.

"Ronan, jag …"

"Jag får inte prata med dig, Ed."

"Jag vet. Jag ville bara säga att …"

"Säga vad, Ed? Vad ville du bara säga?"

Den plötsliga ilskan i Ronans röst fick Ed att tveka.

"Vet du vad? Det är faktiskt inte insidergrejen som stör mig mest. Även om det kan bli en jävla katastrof för bolaget. Men du var min kompis. Min äldsta vän. Jag skulle aldrig göra så mot dig."

Klick, och telefonen dog.

Ed satt kvar och lät huvudet sjunka ner mot ratten. Han väntade tills suset i huvudet sjönk undan, sedan blinkade han ut och körde långsamt upp på motorvägen igen och fortsatte mot Beachfront.

"Vad vill du, Lara?"

"Hej älskling, hur mår du?"

"Öh … inte så bra."

"Åh nej. Vad är det som har hänt?"

Han visste inte om det var något typiskt italienskt, men hans ex-fru hade alltid en förmåga att få honom att må bättre. Hon brukade hålla om hans huvud, dra fingrarna genom håret, pjoska och oja sig moderligt. Mot slutet hade det börjat irritera honom, men nu, på den tomma vägen i natten, kunde han längta efter det.

"Det är … det har med jobbet att göra."

"Åh, jag förstår. Jobbet." Han hörde på rösten hur hon reste ragg.

"Hur är det med dig, Lara?"

"Mamma driver mig till vansinne. Och det är något fel på taket i lägenheten."

"Några jobb?"

Hon åstadkom ett ljud med läpparna mot tänderna. "Jag blev kallad till en audition för en show i West End men sedan sa de att jag såg för gammal ut. För gammal!"

"Du ser inte för gammal ut."

"Jag vet! Jag kan se ut som sexton! Älskling, jag måste prata med dig om taket i lägenheten."

"Lara, det är din lägenhet. Du fick den vid bouppteckningen."

"Men de säger att det kommer att bli dyrt. Jättedyrt. Och jag har inga pengar."

"Men vad har hänt med pengarna du fick när vi skildes?" Han höll rösten lugn.

"De är slut. Min bror behövde pengar när han skulle starta sin firma och du vet att Papi är sjuklig. Och sedan hade jag en kreditkortsräkning …"

"Är allt slut?"

"Jag har inte så det räcker till taket. Det kommer att läcka in i vinter. Eduardo …"

"Du kan ju alltid sälja det där trycket som du tog från min lägenhet i december." Hans advokat hade antytt att han fick skylla sig själv som inte hade bytt lås. Det var tydligen något som alla gjorde.

"Jag var ledsen, Eduardo. Jag saknar dig. Jag ville ha ett minne av dig."

"Visst. Ett minne av den man som du sa att du inte stod ut att ens titta på längre."

"Jag var arg när jag sa det." Hon uttalade det "arg-e". Mot slutet var hon alltid "arg-e". Han gnuggade sig i ögonen och blinkade för att indikera att han skulle svänga av vid nästa avfart.

"Jag ville bara ha ett minne från när vi var lyckliga."

"Nästa gång du vill ha ett minne av mig kanske du kunde ta ett foto istället. Inte ett screentryck av Mao Tse-tung i begränsad upplaga till ett värde av fjortontusen pund."

"Jag har ingen annan att vända mig till, spelar det ingen roll för dig?" Hennes röst sjönk till en viskning, till en nästan outhärdligt intim ton. Hans kuk reagerade reflexmässigt. Och hon visste om det.

Ed kastade ett öga i backspegeln. "Varför frågar du inte Jim Leonards?"

"Va?"

"Hans fru ringde mig. Hon var inte så glad, konstigt nog."

"Det var bara en gång! Vi var ute en gång. Och vem jag dejtar är min ensak." Ed såg henne framför sig - med en välmanikurerad hand i luften och fingrarna spretande i frustration över att behöva ha med "världens mest omöjliga man" att göra. "Du lämnade mig! Ska jag leva som en nunna resten av livet?"

"Det var du som lämnade mig, Lara. Den tjugosjunde maj, på väg hem från Paris. Kommer du ihåg?"

"Detaljer! Du ska alltid förvränga allt jag säger med dina detaljer! Det här är precis varför jag inte stod ut med dig!"

"Jag trodde att det var för att jag bara älskade mitt jobb och inte förstod mig på mänskliga känslor."

"Jag lämnade dig för att du har så liten snopp! En pyttepytteliten snopp. Som en kräka."

"Du menar räka."

"Räka. Kräfta. Vilken som nu är minst. *Pytteliten!*"

"Då menar du nog tångräka. Men med tanke på att du just har snott en mycket värdefull tavla av mig skulle man tycka att du kunde kallat mig för 'hummer' i alla fall, men ... okej, vilket som."

Han undrade fortfarande vad de där italienska svordomarna betydde. Han körde flera kilometer som han senare inte ens kunde minnas att han kört. Sedan suckade han, satte på radion och fixerade blicken på den svarta vägen framför sig.

Gemma ringde just som han svängde av mot kustvägen. Ed svarade innan han hann komma på ett skäl till varför han inte skulle det.

"Säg det inte. Du är upptagen."

"Jag sitter i bilen."

"Men du har en handsfree-grej. Mamma undrade om du kommer till bröllopsdagslunchen."

"Vilken bröllopsdagslunch?"

"Kom igen, Ed. Det där berättade jag för dig för flera månader sedan."

"Ledsen, jag har inte tillgång till min kalender just nu."

Gemma tog ett djupt andetag. "Mamma planerar en speciell lunch hemma. Pappa får permission från sjukhuset. Hon ville så gärna att vi skulle komma. Du sa att du kunde."

"Ja, just det."

"Just det? Just det, nu minns du? Eller just det, du kommer?"

Han trummade med fingrarna mot ratten. "Jag vet inte."

"Pappa frågade efter dig i går. Jag sa till honom att du var upptagen i ett nytt projekt, men han är så skör, Ed. Det här är viktigt för honom. För dem båda."

"Gemma, jag sa ju att …"

Hennes röst exploderade inuti bilen. "Ja, jag vet. Du har mycket att göra. Du sa det."

"Jag är upptagen! Du fattar inte!"

"Nej, det är klart att jag inte gör. Hur skulle jag det? Jag är ju bara en sketen socialarbetare som inte tjänar sexsiffriga belopp. Det är vår pappa, Ed. Han som offrade allt för att du skulle få den bästa jävla utbildningen. Han som tror att du är guds gåva. Och han har inte så lång tid kvar. Du får se till att åka dit och visa upp dig och säga sådant som söner förväntas säga till sina döende fäder. Fattar du?"

"Han är inte döende."

"Och hur i helvete vet du det? Du har inte hälsat på honom på två månader!"

"Jag ska, jag ska bara …"

"Skitsnack. Du är affärsman. Du ser till att saker händer. Se till att åka dit, annars ska jag …"

"Hallå? Gem? Nu är det något med mottagningen …" Han började göra sprakljud i mikrofonen.

"En lunch", sa hon med sin socialarbetarröst, lugn och försonande. "En enda liten lunch, Ed."

Han upptäckte en polisbil längre fram och kastade ett öga på hastighetsmätaren. En smutsig Rolls-Royce med en trasig lykta stod i vägrenen under den orangegula gatulampan. En flicka stod intill bilen med en enorm hund i ett koppel. Hon vred på huvudet och såg efter honom när han körde förbi.

"Och jag förstår visst att du är väldigt upptagen och att ditt arbete är viktigt. Det gör vi alla, ditt stroppiga datasnille. Men är en familjelunch för mycket begärt?"

"Vänta, Gem. Det är en bilolycka här."

Bredvid flickan stod en spöklik tonåring – pojke? flicka? – med kolsvart hår och slokande axlar. Och halvt bortvänd från polisen som just antecknade något i sitt block stod en annan flicka, nej, det var en liten kvinna, med håret uppsatt i en slarvig tofs. Hon lyfte händerna som i förtvivlan, en gest som påminde om Lara. *Du är så sjukt irriterande!*

Han hann hundra meter innan han insåg att han kände igen kvinnan. Han rådbråkade sitt minne: Puben? Beachfront? Han fick en minnesbild av henne när hon tog hans bilnycklar, han mindes glasögonen som hon tog av honom. Vad gjorde hon här ute med två barn så här dags? Han körde åt sidan och stannade bilen, tittade i backspegeln. Gruppen var nätt och jämnt urskiljbar. Den lilla flickan hade satt sig ner vid vägrenen och hunden tornade upp sig bredvid henne som en gigantisk svart hög.

"Ed? Vad är det som händer?" Gemmas röst bröt tystnaden.

Efteråt kunde han inte riktigt förklara varför han hade stannat. Kanske var det ett försök att fördröja ankomsten till det tysta och tomma huset. Kanske hade hans liv tagit en så märklig vändning att det inte längre kändes konstigt att beblanda sig i en sådan här situation. Kanske var det bara ett försök att, trots all fakta som talade emot honom, bevisa för sig själv att han inte var ett svin rakt igenom.

88

"Jag ringer tillbaka, Gem. Det är någon jag känner."

Han gjorde en u-sväng och körde långsamt tillbaka på den svagt upplysta vägen tills han nådde polisbilen. Han stannade på andra sidan vägen.

"Hej", sa Ed och tryckte ner rutan. "Kan jag hjälpa till?"

KAPITEL NIO

TANZIE

Tanzies goda humör försvann när hon såg Nickys uppsvullna ansikte. Det såg inte ens ut som han och hon var tvungen att hålla blicken stadigt fäst på hans ögon, fast den egentligen ville glida bort och till och med hellre titta på den där fula tavlan med de galopperande hästarna som inte ens såg ut som några hästar. Hon ville berätta för honom om matte-tävlingen och att de hade varit och registrerat sig på St. Anne's, men hon kunde inte – inte med sjukhusdoften i näsborrarna och Nickys öga som såg alldeles förvridet ut. *Fishers gjorde det där, Fishers gjorde det,* tänkte hon. Och hon blev lite rädd eftersom hon inte kunde förstå varför någon kunde göra något sådant helt utan anledning.

När Nicky klev upp och började gå genom korridoren stack hon försiktigt sin lilla näve i hans, och han som i van-liga fall skulle sagt något i stil med "Stick, lilla pyret" kra-made försiktigt hennes fingrar.

Mamma hade varit tvungen att dra samma gamla visa som hon alltid måste göra, att nej, hon var inte hans riktiga mamma, men så gott som. Och nej, han hade ingen social-assistent. Tanzie tyckte alltid att det kändes så konstigt, som om han inte var en del av deras familj på riktigt, trots att han visst var det.

Han lämnade rummet väldigt långsamt och kom ihåg att tacka sköterskan. "Trevlig pojke", sa hon till mamma. "Artig."

Mamma plockade ihop hans saker. "Det är det som är det värsta", sa hon. "Och det enda han vill är att bli lämnad i fred."

"Fast det fungerar inte riktigt så här omkring, eller hur?" Sköterskan log mot Tanzie. "Ta hand om din bror nu."

Medan de gick bort till huvudingången undrade Tanzie vad det egentligen sa om deras familj när alla samtal numera verkade sluta med ett "Ta hand om er".

Mamma lagade middag och gav Nicky en massa piller i olika färger och de satt i soffan och tittade på tv tillsammans. Det var *Wipeout* på tv:n, vilket i vanliga fall fick Nicky att nästan kissa på sig av skratt, men nu hade han knappt sagt ett ord sedan de kom hem och Tanzie trodde inte att det berodde på att han hade ont i käken. Mamma höll på med något en trappa upp. Hon hörde henne dra i byrålådor och gå fram och tillbaka mellan rummen. Hon var så upptagen att hon glömde bort att det var läggdags.

Tanzie petade Nicky i sidan. "Gör det ont?"

"Vilket då?"

"Ansiktet."

"Vad menar du?"

"Alltså ... det ser ju så konstigt ut."

"Det gör ditt med. Gör det ont?"

"Ha ha."

"Det är ingen fara med mig, pyret." Hon fortsatte att stirra på honom. "Jag menar allvar. Sluta nu."

Mamma kom ner och satte kopplet på Norman. Han låg under soffan och hade ingen lust att gå ut, och hon fick göra minst fyra försök innan han masade sig upp. Tanzie skulle just fråga henne om hon skulle gå ut med Norman istället, men precis då var det dags för Sveparen som slog ner de tävlande från sina pelare och Tanzie glömde bort det. Sedan kom mamma in igen.

"Okej ungar. Hämta era jackor."

"Jackor? Varför då?"

"Vi ska åka till Skottland." Hon fick det att låta som den mest självklara sak i världen.

Nicky såg inte upp från tv:n. "Ska vi åka till Skottland?"

"Japp. Och vi ska åka bil."

"Men vi har ju ingen bil."

"Vi tar Rollsen."

Nicky sneglade på Tanzie, sedan upp på mamma. "Men den är inte försäkrad."

"Jag har kört bil sedan jag var tolv år och jag har aldrig krockat. Vi håller oss till småvägarna och kör mest på nätterna. Så länge vi inte blir stoppade är det ingen fara."

De stirrade på henne båda två.

"Men du sa att …"

"Jag vet vad jag sa. Men ibland får ändamålet helga medlen."

"Vad betyder det?"

Mamma slog ut med händerna. "Nicky, det är en mattetävling i Skottland som kan vara livsavgörande för oss. Och just nu har vi inte råd med tågbiljetter. Det är den enkla sanningen. Jag vet att det inte är idealiskt att ta bilen och jag säger inte att det är rätt, men såvida ni två inte har ett bättre förslag så får ni hoppa in i bilen så att vi kommer iväg någon gång."

"Ska vi inte packa?"

"Det har jag redan gjort. Allt är i bilen."

Tanzie visste att Nicky tänkte på samma sak – nu hade mamma verkligen blivit galen. Men hon hade läst någonstans att galna människor var lite som sömngångare, och det bästa man kunde göra var att inte störa dem. Så hon nickade väldigt långsamt som om allt var alldeles normalt. Hon hämtade sin jacka och de tog köksvägen ut till garaget. Norman satt redan i baksätet och gav dem en blick som sa: "Jag ska också med." Det luktade lite unket i bilen och hon ville egentligen inte sätta ner händerna på baksätet eftersom hon hade hört att möss kissade överallt och hela tiden och man kunde få åttahundra olika sjukdomar av möss. "Får jag gå in och hämta mina vantar?" frågade hon. Mamma såg på henne som om hon tyckte att hon var tokig, men hon nickade och Tanzie sprang in och satte på sig dem och tyckte att det kändes lite bättre.

Nicky satte sig försiktigt i framsätet och torkade bort dammet på instrumentbrädan med fingrarna.

Mamma öppnade garageporten, startade motorn och backade försiktigt ut på uppfarten. Sedan klev hon ut, stängde och låste garaget. Hon satte sig ner och funderade en stund. "Tanze, har du papper och penna?"

Hon rotade i väskan och gav det till henne. Mamma ville inte att hon skulle se vad hon skrev, men Tanzie kikade mellan sätena.

FISHER, DITT LILLA KRÄK. JAG HAR SAGT TILL POLISEN ATT OM VI HAR INBROTT MEDAN VI ÄR BORTA SÅ ÄR DET DU OCH DE HÅLLER ÖGONEN PÅ DIG.

Hon klev ur bilen igen och satte fast lappen längst ner på dörren så att man inte kunde se den från gatan. Sedan satte hon sig på den halvvätna förarplatsen, och Rollsen rullade iväg i natten med ett lågt brummande.

Det tog dem tio minuter att inse att mamma hade glömt bort hur man körde bil. Sådant som till och med Tanzie visste – titta, blinka, svänga – gjorde hon i fel ordning, och hon satt framåtböjd och kramade ratten som gamla tanter gjorde när de körde omkring i tio kilometer i timmen runt centrum och skrapade bildörrarna mot stolparna på parkeringsplatsen.

De åkte förbi Rose and Crown, industriområdet med den manuella biltvätten och mattvaruhuset. Tanzie tryckte näsan mot fönstret. Nu var de verkligen på väg ut ur stan. Senast hon hade lämnat stan var på skolresa till Durdle Door när Melanie Abbott kräktes över hela sig i bussen och startade en kedjereaktion i 5C.

"Lugn och fin", mumlade mamma för sig själv. "Bara ta det lugnt."

"Du ser inte särskilt lugn ut", sa Nicky. Han spelade på

sitt Nintendo, tummarna rörde sig frenetiskt på ömse sidor om den lilla upplysta skärmen.

"Nicky, du måste hjälpa mig att läsa kartan. Spela inte Nintendo nu."

"Det är väl bara att åka norrut."

"Men vilket håll är norr? Jag har inte kört här på flera år. Du måste hjälpa mig att visa vart jag ska."

Han kikade upp mot en vägskylt. "Ska vi ta M3:an?"

"Jag vet inte. Jag frågar dig!"

"Får jag se." Tanzie lutade sig fram mellan sätena och tog kartan ur Nickys händer. "Hur ska man hålla den?"

De körde två varv i rondellen medan hon kämpade med kartan och sedan kom de ut på vägen. Tanzie mindes vägen vagt: de hade åkt här när mamma och pappa försökte sälja luftkonditioneringsapparater. "Kan du sätta på lampan här bak, mamma?" bad hon. "Jag kan inte läsa."

Mamma vred på sig. "Knappen ska finnas ovanför ditt huvud, någonstans."

Tanzie sträckte upp handen och tryckte på knappen. Hon kunde tagit av sig vanten, tänkte hon. Möss kan inte klättra uppochner. Inte som spindlar. "Den fungerar inte."

"Nicky, då får du läsa kartan." Hon såg irriterat på honom. "Nicky."

"Ja ja. Jag måste bara få de här guldstjärnorna först. De är värda femtusen poäng." Tanzie vek ihop kartan så gott hon kunde och sköt fram den mellan sätena. Nicky satt djupt nedböjd över spelet i total koncentration. Det var i ärlighetens namn inte helt enkelt att få de där guldstjärnorna.

"Lägg ifrån dig det där nu!"

Han suckade och stängde av spelet. De körde förbi en pub hon inte kände igen och sedan ett nybyggt hotell. Mamma sa att de skulle upp på M3:an, men hon hade inte sett några motorvägsskyltar på evigheter. Bredvid henne började Norman gny. Hon gissade att det skulle dröja trettioåtta sekunder innan mamma sa att det gick henne på nerverna.

Hon hann räkna till tjugosju.

"Tanzie, se till att hunden slutar. Jag kan inte koncentrera mig. Nicky, du måste verkligen hjälpa till att läsa kartan."

"Han dreglar överallt. Jag tror att han måste gå ut." Tanzie vred sig åt sidan.

Nicky kisade på skyltarna framför dem. "Om vi stannar på den här vägen tror jag att vi hamnar i Southampton."

"Men det är åt fel håll."

"Det var det jag sa."

Det luktade olja i bilen. Tanzie undrade om det läckte någonstans. Hon höll vanten för näsan.

"Jag tycker att vi åker tillbaka och börjar om", sa Nicky.

Mamma grymtade och svängde av vid första bästa avfart. Alla låtsades som om de inte hörde det gnisslande ljudet när hon styrde bilen åt höger och vände och körde tillbaka.

"Tanzie, gör något åt hunden. Snälla." Kopplingspedalen var så stum att hon nästan var tvungen att ställa sig på den när hon skulle växla. Hon såg upp och pekade på avtagsvägen mot stan. "Vad ska jag göra, Nicky? Ska vi av här?"

"Åh nej, han har pruttat. Mamma, jag kvävs."

"Nicky, titta på kartan."

Tanzie mindes nu hur mamma alltid hatade att köra bil. Hon hade svårt att processa all information tillräckligt snabbt. Hon brukade säga att det var något knas med hennes synapser. Och i ärlighetens namn var stanken som spred sig i bilen så hemsk att det var svårt att hålla tankarna i styr.

Tanzie började ulka. "Jag dör."

Norman vände sitt stora huvud mot henne och såg på henne med sina stora, sorgsna ögon som om hon hade sagt något elakt.

"Det finns två avfarter. Ska jag ta den här eller nästa?"

"Nästa. Nej, förlåt. Den här."

"Va?" Mamma vred häftigt ratten åt sidan och undvek med nöd och näppe gräskanten innan hon kom upp på avfarten. Bilen slog emot trottoarkanten och Tanzie måste släppa taget om näsan och gripa tag i Normans halsband.

"Men herregud, kan du inte …"

"Jag menade nästa. Det här blir en omväg på flera kilometer".

"Vi har redan kört en halvtimme och vi är längre bort än när vi startade. Herregud, Nicky, jag …"

Det var då Tanzie såg det blinkande blåljuset. Hon försökte att med ren tankekraft förmå polisbilen att åka förbi dem. Men istället kom den allt närmare tills det blåa ljuset fyllde hela kupén.

Nicky vred plågat på sig där han satt. "Öh, Jess. Jag tror att de vill att vi ska stanna."

"Fan. Fan, fan, fan. Det där hörde du inte, Tanzie." Mamma tog ett djupt andetag, flyttade nervöst händerna på ratten och saktade in.

Nicky sjönk ner djupare i sätet. "Du, Jess?"

"Inte nu, Nicky."

Polisen saktade också in. Tanzies handflator var alldeles svettiga. *Det kommer att ordna sig.*

"Det kanske är fel tillfälle att berätta att jag har mitt gräs med mig."

KAPITEL TIO

JESS

Så där stod hon på gräset i vägrenen klockan tjugo i tolv på
natten med två poliser som inte behandlade henne som en
kriminell – vilket var vad hon hade förväntat sig – utan vär-
re, som om hon helt enkelt var väldigt, väldigt korkad. De
hade en nedlåtande ton i allt de sa: Brukar ni köra omkring
med barnen så här dags? Med bara en fungerande lykta på
bilen? Visste ni inte att skattemärket är två år gammalt?
Det där med försäkringen hade de inte upptäckt än. Så det
var något hon hade att se fram emot.

Nicky svettades och väntade bara på att de skulle hitta hans
gömma. Tanzie var tyst som ett spöke, hennes jacka med pal-
jetter glittrade under gatlyktan och hon höll om Norman.

Jess hade bara sig själv att skylla. Det kunde knappast bli
värre än så här.

Och sedan dök mr Nicholls upp.

Hon kände hur återstoden av färg i ansiktet rann bort när
han vevade ner rutan. En miljon tankar for genom huvudet;
vem skulle ta hand om barnen när hon satt i fängelse? Om
det var Marty, skulle han komma ihåg att Tanzies fötter
växte och skulle han köpa nya skor i tid eller vänta tills
hennes tånaglar vek sig dubbla? Och vem skulle se efter
Norman? Och varför i helskotta hade hon inte gjort det
rätta på en gång och lämnat tillbaka Ed Nicholls pengar?
Och skulle Ed tala om för polisen att hon till råga på allt
också var en tjuv?

Men det gjorde han inte. Han frågade om han kunde
hjälpa till med något.

Polisman Nummer Ett vände sig långsamt mot Ed. Nummer Ett hade en bröstkorg som en tunna och stod rak i ryggen, den sortens man som tog sig själv på största allvar och blev stött när inte alla andra också gjorde det. "Och ni är …?"

"Edward Nicholls. Jag känner den här kvinnan. Vad är det som har hänt? Problem med bilen?" Han tittade klentroget på Rollsen som om han undrade vad den gjorde ute på vägarna.

"Det kan man säga", sa polisman Nummer Två.

"Skatten är obetald", muttrade Jess och försökte bortse från sitt bultande hjärta. "Jag skulle bara köra barnen någonstans. Nu antar jag att jag får köra hem dem igen."

"Ni ska inte köra någonstans", sa polisman Nummer Ett. "Den här bilen är beslagtagen. Bärgaren är på väg. Det råder körförbud på obeskattade fordon. Vid överträdelse gäller inte trafikförsäkringen."

"Jag har ändå ingen."

Båda vände sig mot henne.

"Bilen är inte försäkrad. Jag är oförsäkrad."

Hon såg hur mr Nicholls stirrade på henne. Än sedan då? Så fort de hade börjat undersöka saken närmare hade de ändå upptäckt att den inte var försäkrad. "Vi befinner oss i något av en knipa, och det var det enda sättet att få ungarna från A till B."

"Är ni medveten om att det är ett brott att framföra ett fordon utan giltig trafikförsäkring? Ett brott som kan leda till fängelsestraff."

"Och det är inte min bil heller." Jess sparkade på en sten. "Det är nästa sak ni kommer att upptäcka om ni slår i bilregistret."

"Har ni stulit bilen, frun?"

"Nej, jag har inte stulit bilen. Den har stått i mitt garage i två år."

"Det är inte svar på min fråga."

"Det är min ex-mans bil."

"Vet han om att ni har tagit den?"

"Han skulle inte veta om ifall jag bytte kön och började kalla mig Sid. Han har bott i Yorkshire ända sedan ..."

"Det kanske är bäst om du slutar prata nu." Mr Nicholls drog en hand genom håret.

"Vem är ni, hennes advokat?"

"Behöver hon en?"

"Att framföra ett obeskattat och oförsäkrat fordon är ett brott enligt paragraf ..."

"Ja ja, ni sa det. Du kanske ska prata med någon innan du säger så mycket mer ...?"

"Jess."

"Jess." Ed såg på poliserna. "Är det verkligen nödvändigt att hon följer med till polisstationen? Hon är uppenbarligen hemskt ledsen för det inträffade. Och med tanke på vad klockan är borde barnen komma hem."

"Hon kommer att åtalas för olovlig körning. Namn och adress, tack."

Jess gav sina uppgifter till polisman Nummer Ett.

"Bilen är registrerad på den adressen, men tillståndet är begränsat till ..."

"Den får inte köras på allmän väg. Jag vet."

"Synd bara att ni inte tänkte på det innan ni åkte hemifrån. Eller hur?" Han såg på henne med samma blick som lärare ger åttaåringar som ska tuktas och stukas. Och det var något i den där blicken som fick Jess att tippa över.

"Ärligt talat", sa hon. "Tror ni verkligen att jag ger mig ut på vägarna med mina barn så här dags om det inte var absolut nödvändigt? Tror ni verkligen att jag satt hemma i mitt lilla hus och tänkte: Jag tror att jag ska ta med ungarna och den förbannade hunden på en åktur och se till att hamna i klammeri med rättvisan?"

"Jag bryr mig inte om hur ni tänkte, frun. Det enda jag bryr mig om är att ni kör en obeskattad och oförsäkrad bil på allmän väg."

"Jag var desperat, okej? Och ni kommer inte att hitta

99

något på mig i er jävla databas för jag har aldrig gjort något olagligt i hela mitt liv."

"Eller så har ni aldrig åkt fast."

De två polismännen såg stint på henne. Norman dråsade ner på refugen med en ljudlig suck. Tanzie iakttog allt under tystnad, hennes ögon var som svarta hål. *Åh, gode gud,* tänkte Jess. Hon mumlade en ursäkt.

"Ni kommer att åtalas för olovlig körning, mrs Thomas", sa polisman Nummer Ett och räckte henne ett papper. "Ni kommer att kallas till rättegång och riskerar böter på upp till femtusen pund."

"Femtusen pund?" Jess skrattade till.

"Och ni måste lösa ut …" Polisen kunde knappt förmå sig att säga "bilen"."Förvaringen kostar femton pund om dagen."

"Toppen. Och hur ska jag få hem den från förvaringen om jag inte får köra den?"

"Jag föreslår att ni tömmer bilen på värdesaker innan bärgningsbilen kommer. När bilen har lämnat platsen tar polisen inte ansvar för lösa föremål i den."

"Naturligtvis inte. Det vore för mycket begärt att tro att bilen skulle vara i tryggt förvar hos polisen", muttrade hon.

"Men mamma, hur kommer vi hem?"

Det blev tyst en stund. Poliserna vände sig bort.

"Jag kan skjutsa er", sa mr Nicholls.

Jess tog ett steg bort från honom. "Åh nej, tack. Tack så mycket, men vi klarar oss. Vi går. Det är inte så långt."

Tanzie kisade mot henne som om hon försökte avgöra om hon menade allvar eller inte, sedan reste hon sig mödosamt på fötter. Jess mindes att Tanzie bara hade pyjamasen på sig under jackan. Mr Nicholls såg på barnen. "Jag ska åt det hållet." Han nickade med huvudet mot stan. "Ja, du vet ju var jag bor."

Tanzie och Nicky sa inte ett ord, men Jess såg Nicky halta bort mot bilen och börja tömma den på väskor. Hon kunde inte begära att han skulle släpa på allt till fots. Det var minst tre kilometer.

"Tack så mycket", sa hon stelt. "Det var vänligt." Hon kunde inte förmå sig att se honom i ögonen.

"Vad har hänt med pojken?" frågade polisman Nummer Två.

"Slå upp det i din databas", svarade hon kort och gick bort mot högen av väskor.

De körde därifrån under tystnad. Jess satt i passagerarsätet i mr Nicholls skinande rena bil och stirrade rakt framför sig. Hon kunde inte minnas att hon någonsin känt sig mer illa till mods. Även om hon inte kunde se dem så kände hon barnens förstummade reaktion på kvällens händelser. Hon hade svikit dem. Hon iakttog häckarna som långsamt byttes ut mot staket och tegelmurar, de svarta körbanorna lystes upp av gatlyktor. Det var obegripligt att de bara varit borta en och en halv timme. Det kändes som en evighet. Femtusen pund i böter. Säkert också indraget körkort. Rättegång. Marty skulle bli skogstokig. Och hon hade just sumpat Tanzies sista chans att få börja på St. Anne's.

Jess kände klumpen i halsen växa.

"Hur är det?"

"Bra." Hon såg inte på mr Nicholls. Han visste inte. Det är klart att han inte visste något. Ett kort, skräckfyllt ögonblick efter att hon gått med på att sätta sig i hans bil undrade hon om det bara var ett trick från hans sida. Han skulle bara vänta tills polisen var borta, sedan skulle han göra något hemskt.

Men det var värre än så. Han var bara hjälpsam.

"Hm, kan du svänga vänster här? Vi bor där borta. Längst bort, sedan tar man till vänster och sedan är det andra till höger."

De hade lämnat den pittoreska delen av stan bakom sig. Här i Danehall var träden skelettlika även mitt i sommaren och utbrunna bilar stod uppallade på tegelstenar, som urbana skulpturer på små piedestaler. Husen hade tre olika stilar, beroende på gata: radhus, grovputsad fasad eller små hus med tegeldetaljer och plastlister runt fönstren. Han svängde vänster på Seacole Avenue och saktade in när hon pekade på deras hus. Hon vände sig om och märkte att Tanzie hade somnat i baksätet under den korta resan hem. Hennes mun var halvöppen och hon lutade sig mot Norman som i sin tur lutade sig mot Nicky. Nicky tittade ointresserat ut genom fönstret.

"Vart var ni på väg?"

"Skottland." Hon kliade sig på näsan. "Det är en lång historia."

Han väntade.

Hennes ben hade börjat rycka ofrivilligt. "Jag måste se till att min dotter kommer med på en matteolympiad. Tågresan kostade för mycket. Fast inte lika mycket som det kostar att bli stoppad av Farbror Blå, verkar det som."

"En matteolympiad."

"Jag vet. Jag hade heller aldrig hört talas om det förrän för några dagar sedan. Som sagt, det är en lång historia."

"Vad ska ni göra nu då?"

Jess vred på sig och såg på Tanzie som snarkade lite lätt. Hon ryckte på axlarna. Hon förmådde inte uttala orden.

Plötsligt fick mr Nicholls syn på Nickys ansikte. Han stirrade på honom som om han just upptäckt det.

"Ja. Det är en annan historia."

"Du har många historier."

Jess blev inte klok på om han försvunnit bort i tankarna eller om han bara ville få ut henne ur bilen. "Tack för skjutsen. Det var snällt av dig."

"Tja, jag är skyldig dig en gentjänst. Jag är ganska säker på att det var du som hjälpte mig hem från puben häromkvällen. Jag vaknade på soffan med bilen i tryggt förvar på pubens parkeringsplats och århundradets värsta baksmälla."

Han gjorde en paus. "Dessutom har jag ett vagt minne av att jag betedde mig som ett svin. För andra gången, tycks det."

"Det är okej", sa hon och rodnade om örsnibbarna.

Nicky öppnade bilen och Tanzie rörde oroligt på sig. Hon gnuggade sig i ögonen och blinkade yrvaket mot Jess. Sedan såg hon sig långsamt runt i bilen och hennes ansikte återspeglade kvällens händelser när minnet kom tillbaka. "Betyder det här att vi inte ska åka?"

Jess plockade ihop påsarna och väskorna hon hade vid fötterna. Det här var inte ett ämne de skulle avhandla inför publik. "Nu går vi in, Tanzie. Det är sent."

"Betyder det här att vi inte ska åka till Skottland?"

Jess log besvärat mot mr Nicholls. "Tack än en gång." Hon hivade ut väskorna på trottoaren. Luften var förvånansvärt kall. Nicky stod vid grinden och väntade.

Tanzies röst bröts. "Betyder det här att jag inte kan börja på St. Anne's?"

Jess försökte uppbåda ett leende. "Vi pratar om det senare, älskling."

"Men vad ska vi göra då?" undrade Nicky.

"Inte nu, Nicky. Nu går vi in."

"Du är skyldig polisen femtusen. Hur ska vi ta oss till Skottland?"

"Snälla ni, kan vi inte gå in?"

Norman hävde sig upp med ett stön och ramlade ur bilen.

"Du sa inte att det kommer att ordna sig." Paniken var inte långt borta i Tanzies röst. "Du brukar alltid säga att saker ordnar sig."

"Ja, men det kommer att ordna sig", sa Jess och drog upp täckena ur bagageluckan.

"Det är inte den rösten du brukar använda när du säger att saker kommer att ordna sig." Tanzie började gråta.

Det var så oväntat att Jess först inte visste vad hon skulle göra och hon blev bara stående. "Ta de här." Hon lade täckena i Nickys famn, sedan böjde hon sig fram och försökte lirka ut Tanzie ur baksätet. "Tanzie … lilla hjärtat. Kom nu, det är sent. Vi pratar om det sedan."

"Pratar om att jag inte får gå på St. Anne's?"

Mr Nicholls stirrade på ratten som om det här blev

alldeles för mycket för honom. Jess började ursäkta sig. "Hon är trött", sa hon och försökte lägga en arm om sin dotter. Tanzie vred sig bort. "Jag är hemskt ledsen."

Det var då mr Nicholls telefon ringde.

"Gemma", sa han trött som om han hade väntat på samtalet. Jess hörde ett ilsket surrande, som om en geting hade fastnat i luren.

"Jag vet", sa han lågt.

"Allt jag vill är att gå på St. Anne's", grät Tanzie. Glasögonen hade halkat av – Jess hade inte haft tid att ta med henne till optikern och justera dem – och nu höll hon för ögonen med händerna. "Snälla, låt mig få gå där. Snälla, mamma. Jag lovar att vara snäll. Bara jag får gå där."

"Shh." Jess fick en klump i halsen. Tanzie bad aldrig om något. "Tanzie …" Nicky stod på trottoaren och vände sig bort som om han inte klarade av att se på.

Mr Nicholls sa något i telefonen som hon inte uppfattade. Tanzie hade börjat snyfta. Hon sjönk ihop.

"Kom nu, hjärtat", försökte Jess.

Tanzie tog spjärn mot dörren. "Snälla, mamma. Snälla. Snälla."

"Tanzie, du kan inte sitta kvar i bilen."

"Snälla."

"Kom nu, älskling."

"Jag kör er", sa mr Nicholls.

Jess slog huvudet i dörrkarmen. "Va?"

"Jag kör er till Skottland." Han hade lagt ifrån sig telefonen och höll ögonen fästa på ratten. "Jag måste ändå till Northumberland. Skottland ligger inte så mycket längre bort. Jag släpper av er där."

Alla blev tysta. I ena änden av gatan hördes skratt och en bildörr som slogs igen. Jess rättade till sin tofs som hade hamnat på sniskan. "Det är verkligen snällt av dig att erbjuda skjuts, men det kan vi inte acceptera."

"Jo", sa Nicky och lutade sig fram. "Jo, det kan vi visst, Jess." Han kastade en blick på Tanzie. "Det kan vi."

"Men vi känner dig inte ens. Jag kan inte begära att …"

Mr Nicholls såg inte på henne. "Det är bara skjuts. Det är inte så märkvärdigt."

Tanzie snörvlade och torkade sig om näsan. "Snälla, mamma?"

Jess såg på henne och på Nickys sönderslagna ansikte, sedan tillbaka på mr Nicholls. Hon ville bara springa därifrån. "Jag har ingenting att erbjuda", sa hon och rösten bröts en aning. "Inget alls."

Han lyfte på ögonbrynen och vände sig mot hunden. "Du kan inte ens tänka dig att dammsuga sätena efteråt?"

Sucken som undslapp henne lät antagligen mer lättad än vad som var helt diplomatiskt. "Ja, jo … okej, det kan jag göra."

"Då så", sa han. "Då föreslår jag att vi alla ser till att få några timmars sömn och sedan hämtar jag er i morgon bitti."

KAPITEL ELVA

ED

Det tog Ed femton minuter efter att han lämnat Danehall innan han började ifrågasätta vad i helvete han just hade gjort. Han hade erbjudit sig att köra sin vresiga städerska, hennes två konstiga ungar och deras enorma, stinkande hund hela vägen till Skottland. Vad sjutton hade han tänkt på? Han kunde höra Gemmas röst och skepsisen i den när hon upprepade: "Du ska alltså köra en liten flicka som du inte känner och hennes familj till Skottland, och det är en 'nödsituation'? Säkert." Han hade uppfattat undertonen. En kort paus. "Är hon snygg?"

"Va?"

"Mamman. Stora tuttar? Långa ögonfransar?"

"Nej, det … öh …" Han hade inte kunnat säga mer i telefonen när de satt i bilen.

"Jag tar det som ett ja." Hon suckade djupt. "Men för fan, Ed."

Han skulle åka förbi dem i morgon, beklaga, och förklara att något hade kommit emellan. Hon skulle förstå. Hon tyckte nog också att det kändes konstigt att åka med en vilt främmande person. Hon hade inte direkt hoppat jämfota när han kom med erbjudandet.

Han skulle bidra till flickans tågresa. Det var ju knappast hans fel att den här kvinnan – Jess? – hade valt att köra en obeskattad och oförsäkrad bil. Och allt – polisen, de konstiga ungarna, den nattliga bilturen – tydde på att hon innebar problem. Och mer problem var det sista Ed Nicholls behövde i sitt liv.

Nu när det var bestämt tvättade han sig, borstade tänderna och somnade och för första gången på flera veckor sov han gott.

Han körde upp utanför deras hus strax efter nio. Han hade tänkt komma tidigare men kunde inte komma ihåg vilken gata de bodde på, och eftersom det kommunala bostadsområdet bestod av mer eller mindre identiska gator, hade han irrat omkring i nästan en halvtimme innan han kände igen Seacole Avenue.

Det var en fuktig, stilla morgon. Gatan var tom, sånär som på en rödrandig katt som smög sig fram längsmed trottoaren med svansen som ett frågetecken. Danehall var inte fullt så ogästvänligt i dagsljus, men han dubbelkollade ändå att bilen var låst.

Han stirrade upp mot fönstren. Vita och rosa vimplar hängde i ett snöre i det ena fönstret på övervåningen och två amplar dinglade lojt på verandan. På uppfarten till grannhuset stod en bil parkerad under en presenning. Och sedan såg han hunden. Herregud, vilken bjässe. Ed såg framför sig hur hunden kvällen före hade legat i hans baksäte med hängande tunga. En svag hundlukt hade dröjt sig kvar i morse när han satte sig i bilen. Han öppnade försiktigt grinden, vaksam utifall att hunden skulle få för sig att rusa emot honom, men den vände ointresserat bort sitt enorma huvud, lufsade bort till ett spretigt träd och sjönk ner under det. Den lyfte lojt på ena benet i en vag förhoppning om att någon skulle komma och klia honom på magen.

"Jag tror att jag står över", sa Ed.

Han gick upp för trädgårdsgången och stannade utanför dörren. Han hade sitt tal förberett.

Hej, jag är verkligen ledsen, men det har dykt upp en sak på jobbet och jag kan dessvärre inte vara ledig de närmaste dagarna. Men jag skulle mer än gärna bidra till din dotters olympiad-fond. Jag tycker det är toppen att hon tar sina studier på sådant allvar. Det här hoppas jag räcker till hennes tågbiljett.

Det lät ihåligare i dag än i går kväll, men det kunde inte hjälpas. Han skulle precis knacka på dörren när han upptäckte lappen som satt fast med en knappnål på garageporten.

FISHER, DITT LILLA KRÄK. JAG HAR SAGT TILL POLISEN ATT

Han sträckte på sig och dörren flög upp. Det var den lilla flickan. "Vi är klara med packningen", sa hon och kisade mot honom med huvudet en aning på sned. "Mamma trodde inte att du skulle komma, men jag visste att du skulle det och jag sa till henne att hon inte fick packa upp väskorna förrän efter tio. Och du kom, med femtiotre minuters marginal. Det är till och med trettiotre minuter bättre än jag hade trott."

Han blinkade.

"Mamma!" Hon sköt upp dörren på vid gavel. Jess stod i hallen som om hon hade frusit fast mitt i ett steg. Hon hade avklippta jeans på sig och en skjorta med uppkavlade ärmar. Håret var uppsatt med klämma. Hon såg inte ut som någon som stod i beredskap att resa till andra änden av landet.

"Hej." Ed log besvärat.

"Åh. Okej." Jess skakade på huvudet. Och han insåg att barnet hade talat sanning – hon hade verkligen inte trott att han skulle komma. "Jag skulle gärna bjuda på en kopp kaffe, men jag slängde det sista av mjölken i går innan vi åkte."

Pojken hasade förbi och gned sig i ögonen. Han var fortfarande svullen i ansiktet och nu hade det börjat anta en impressionistisk färgskala i gult och lila. Han stirrade på alla väskor och påsar i hallen. "Vilka ska vi ta med oss?"

"Allihop", sa flickan. "Och jag har packat ner Normans filt."

Jess tittade vaksamt på Ed. Han försökte öppna munnen för att säga något, men inget hände. Hela hallväggen var täckt av tummade pocketböcker.

"Kan du ta den här väskan, mr Nicholls?" Flickan drog en

bag i hans riktning. "Jag försökte lyfta den förut för Nicky ska inte bära så mycket just nu, men den var för tung för mig."

"Visst." Han kom på sig med att böja sig ner, men stannade halvvägs. *Hur skulle han göra?*

"Hör här, mr Nicholls …" Jess stod framför honom. Hon såg lika besvärad ut som han. "Den här resan…"

Och sedan flög dörren upp. En kvinna i joggingbyxor och T-shirt stod i dörren med ett höjt basebollträ.

"Släpp dem!" vrålade hon.

Han frös till is.

"Upp med händerna!"

"Nat!" skrek Jess. "Slå honom inte!"

Han lyfte händerna och vände sig långsamt om.

"Vad i …" Kvinnan tittade förbi Ed. "Jess? Åh, herregud. Jag trodde att det var någon i ditt hus."

"Det är någon i mitt hus. Jag."

Kvinnan sänkte basebollträet och stirrade förskräckt på honom. "Åh herregud. Det är … herregud. Förlåt. Jag såg ytterdörren och jag trodde verkligen att det var en inbrottstjuv. Jag trodde …" Hon skrattade nervöst, sedan gjorde hon en grimas mot Jess som om han inte såg henne. "Du vet."

Ed andades ut. Kvinnan höll basebollträet bakom sig och försökte le. "Du vet hur det är här …"

Han backade ett steg och nickade. "Jaha … jag ska bara hämta telefonen i bilen."

Han trängde sig förbi henne i dörröppningen med uppsträckta händer och gick mot bilen. Han öppnade och stängde bildörren, sedan låste han den en gång till bara för att ha något att göra och försökte tänka klart trots att det ringde i öronen. *Bara åk,* hördes en inre röst. *Du behöver aldrig träffa henne igen. Det här är inte vad du behöver just nu.*

Ed gillade ordning och reda. Han tyckte om att veta vad som skulle hända. Allt som hade med den här kvinnan att göra var liksom … gränslöst … och det gjorde honom nervös.

Han var halvvägs tillbaka längs trädgårdsgången när han

hörde dem prata bakom den halvöppna dörren, deras röster hördes ut på den lilla tomten.

"Jag ska säga att det inte går."

"Det kan du inte, Jess." Pojkens röst. "Varför då?"

"För att det är för komplicerat. Jag jobbar för honom."

"Du städar hans hus. Det är inte samma sak."

"Vi känner honom inte. Hur kan jag säga till Tanzie att hon aldrig får följa med främmande människor och sedan göra samma sak själv?"

"Han har glasögon. Han är knappast en seriemördare."

"Säg det till Dennis Nielsens offer. Och Harold Shipmans."

"Du känner till alldeles för många seriemördare. Vi bussar Norman på honom om han försöker något." Pojkens röst igen.

"Toppen. För Norman har verkligen visat tecken på stark beskyddarinstinkt hittills."

"Men det vet inte mr Nicholls, eller hur?"

"Hör här, han är bara någon som råkade hamna mitt uppe i vårt lilla drama i går kväll. Det är uppenbart att han inte heller vill köra oss. Vi får … vi får berätta det för Tanzie så varsamt vi kan."

Tanzie. Ed såg henne springa runt på tomten med håret flygande bakom sig. Han såg på hunden som masade sig mot dörren, hälften hund, hälften jak, han lämnade ett klibbigt spår av saliv efter sig.

"Jag tröttar ut honom nu så att han ska sova i bilen." Hon dök upp andfådd och ställde sig framför honom.

"Jaha."

"Jag är väldigt duktig på matte. Vi ska till olympiaden så att jag kan vinna pengar och börja i en skola där man får göra avancerad matte. Vet du vad mitt namn blir som binär kod?"

Han såg på henne. "Är Tanzie ditt riktiga namn?"

"Nej. Men det är det jag använder."

Han blåste upp kinderna och släppte ut luften. "Då ska vi se … 01010100 01100001 01101110 01111010 01101001 01100101."

110

"Sa du 1010 på slutet? Eller 0101?"

"0101. Så klart." Han hade lekt den här leken med Ronan.

"Wow. Du stavade rätt." Hon gick förbi honom och sköt upp dörren. "Jag har aldrig varit i Skottland. Nicky påstår att haggis växer vilt där. Men det är väl inte sant?"

"Såvitt jag vet är all haggis numera odlad", svarade han.

Tanzie stirrade. Sedan strålade hon mot honom och frustade till.

Och Ed insåg att han nog var på väg till Skottland trots allt.

De två kvinnorna tystnade när han sköt upp dörren. Deras blickar föll på väskorna han just lyfte upp, en i varje hand.

"Jag måste plocka ihop lite saker innan vi åker", sa han och släppte dörren. "Och du glömde Gary Ridgeway. Green River-mördaren. Men ni behöver inte oroa er. De var alla närsynta. Jag är översynt."

Det tog en halvtimme att komma ut ur stan. Trafikljusen uppe på kullen var trasiga och det i kombination med den annalkande påskhelgen gjorde att trafiken kröp fram i ett frustrerande långsamt tempo. Jess satt bredvid honom i framsätet, tyst och olustig, med händerna pressade mellan knäna.

Han satte på luftkonditioneringen, men inte ens den kunde dölja hundstanken, så han stängde av den och sedan satt de med alla fönster öppna istället. Tanzie pratade oavbrutet.

"Har du varit i Skottland förut?"

"Var kommer du ifrån?"

"Har du ett hus där?"

"Varför bor du här då?"

Det hade med jobbet att göra, sa han. Det var enklare än att säga "Jag väntar på att bli åtalad och eventuellt dömas till sju års fängelse."

"Är du gift?"

"Inte längre."

"Var du otrogen?"

"Tanzie", sa Jess.

Han blinkade och tittade i backspegeln. "Nix."

"På *Jeremy Kyle* är det nästan alltid någon som är otrogen. Ibland har de en bebis och då måste de göra dna-test och om det stämmer brukar kvinnan se ut som om hon vill slå till någon. Men oftast börjar de bara gråta."

Tanzie kikade ut genom rutan.

"De är lite galna, de där kvinnorna. För deras män har alltid fått barn med någon annan. Eller så har de massor av flickvänner. Och statistiskt sett kommer de att vara otrogna igen. Men ingen av de där kvinnorna verkar bry sig om statistik."

"Jag brukar inte titta på *Jeremy Kyle*", sa han och kastade ett öga på gps:en.

"Inte jag heller. Bara när mamma jobbar och jag hälsar på hos Nathalie. Hon brukar spela in det när hon städar och sedan tittar hon på det på kvällen. Hon har fyrtiosju avsnitt på hårddisken."

"Tanzie", sa Jess. "Jag tror att mr Nicholls måste koncentrera sig på körningen."

"Det går bra."

Jess tvinnade en slinga av håret mellan sina fingrar. Hon hade fötterna på sätet. Ed hatade verkligen när folk satte upp fötterna på sätet. Även om de tog av sig skorna först.

"Varför lämnade din fru dig?"

"Tanzie."

"Jag försöker bara vara artig. Du brukar säga att det är trevligt att konversera."

"Förlåt", sa Jess.

"Det är helt okej." Han tittade på Tanzie i backspegeln. "Hon tyckte att jag jobbade för mycket."

"Det är inget de brukar klaga på i *Jeremy Kyle*."

Trafiken lättade och de körde mot motorvägen. Det var en vacker dag och han var frestad att ta kustvägen, men han ville inte riskera att fastna i trafiken igen. Hunden gnydde, pojken spelade Nintendo koncentrerat med nedböjt huvud och Tanzie blev allt tystare. Han satte på radion – en hit-kanal – och en kort sekund tänkte han att det här faktiskt kunde bli ganska trevligt. Det handlade bara om en dag i hans liv, om de inte fastnade i trafiken, och det var bättre än att vara fast i huset.

"Enligt gps:en borde vi vara framme på åtta timmar om vi inte fastnar i bilköer", sa han.

"På motorvägen?"

"Ja, naturligtvis." Han sneglade på henne. "Inte ens den bästa Audin har vingar." Han försökte le för att visa att han skämtade, men Jess rörde inte en min.

"Öh … vi har ett litet problem."

"Ett problem?"

"Tanzie blir åksjuk om vi kör för fort."

"Vad menar du med 'för fort'? Hundratjugo? Hundrafyrtio?"

"Snarare åttio. Eller sextio."

Ed tittade i backspegeln. Var det inbillning eller hade flickan blivit väldigt blek om nosen? Hon tittade fortfaran-de ut genom fönstret med ena handen på hundens huvud. "Sextio?" Han saktade in. "Du måste skämta? Menar du att vi måste köra hela vägen på småvägar?"

"Nej. Jo, kanske. Det är mycket möjligt att hon har vuxit ifrån det. Men det är så sällan hon åker bil och förr var det väldigt besvärligt. Jag vill inte … söla ner din fina bil."

Ed tittade i backspegeln en gång till. "Vi kan inte åka på småvägarna, det är absurt. Det skulle ta flera dagar att komma fram. Det här är en sprillans ny bil. Den har extraordinär fjädring och stötdämpning. Ingen blir åksjuk i en Audi."

Hon stirrade rakt fram. "Du har inga barn, va?"

"Varför undrar du?"

"Ingen särskild anledning."

Det tog tjugofem minuter att tvätta och desinficera bak-sätet, och trots det slog en pust av spya emot Ed varje gång han stack in huvudet i bilen. Jess lånade en hink på en ben-sinstation och använde schampot som hon hade packat ner i en av barnens väskor. Nicky satt i vägrenen och gömde sig bakom ett par överdimensionerade solglasögon, Tanzie satt bredvid hunden och tryckte en pappersnäsduk mot munnen som om hon var lungsjuk.

"Jag ber så hemskt mycket om ursäkt", upprepade Jess med uppkavlade ärmar och sammanbiten min.

"Det är okej. Det är ju du som får städa upp det."

"Jag betalar en rekonditionering åt dig sedan."

Han lyfte på ögonbrynen medan han lade ut plastsäckar på sätet så att barnen inte skulle bli blöta när de satte sig.

"Ja, okej, jag kommer att göra det själv. Den kommer i alla fall att lukta bättre."

En stund senare klev de in i bilen igen. Ingen kommenterade lukten. Han såg till att ha fönstret nere och började programmera om gps:en.

"Jaha. Skottland via småvägarna." Han tryckte på ange destination-knappen. "Glasgow eller Edinburgh?"

"Aberdeen."

"Aberdeen. Naturligtvis." Han vände sig om och försökte hålla förtvivlan borta ur rösten. "Alla nöjda? Vatten? Plastsäckar på sätet? Spypåsar till hands? Bra, då åker vi."

Ed kunde höra sin systers röst när han svängde ut på vägen. *Ha ha ha, Ed. Rätt åt dig.*

Strax efter Portsmouth började det regna. Ed körde på småvägarna och höll hela tiden sextio, han kände ett fint regn slå mot kinden genom glipan i fönstret som han inte förmådde stänga helt. Han måste verkligen anstränga sig för att inte trycka ner foten på gaspedalen. Det var oerhört frustrerande att hålla den låga hastigheten, det var som att ha en klåda som man inte kunde klia. Till slut ställde han in farthållaren.

Eftersom de körde så långsamt hade han möjlighet att betrakta Jess i smyg. Hon var fortfarande tyst och höll huvudet mestadels bortvänt, som om han hade gjort något för att förarga henne. Nu mindes han henne i hans hall när hon trotsigt hade krävt att få betalt. Hon hade stått med lyft haka (hon var ganska kort). Hon verkade fortfarande tycka att han var ett svin. Kom igen nu, tänkte han. Två, max tre dagar. Sedan behöver du aldrig mer träffa dem. Nu ska vi vara trevliga.

"Jaha … städar du många hus?"

Hon rynkade pannan. "Ja."

"Har du många stamkunder?"

"Det är en semesterby."

"Ville du … var det något som du ville göra?"

"Du menar om jag drömde om att bli städerska när jag var barn?" Hon höjde ögonbrynen som för att kolla om han verkligen menade allvar med sin fråga. "Öh … nej. Jag ville bli proffsdykare. Men jag hade Tanzie och kunde inte lista ut hur jag skulle få barnvagnen att flyta."

"Okej, det var en dum fråga."

Hon gnuggade sig på näsan. "Det är inget drömjobb, nej. Men det är okej. Jag kan anpassa tiderna efter barnen och jag gillar de flesta kunderna."

De flesta.

"Kan man leva på det?"

Hon vred på huvudet. "Vad menar du?"

"Precis det jag sa. Kan man leva på det? Är det lönsamt?"

Hon tittade bort. "Vi klarar oss."

"Nej, det gör vi inte", hördes Tanzie från baksätet.

"Tanze."

"Du säger alltid att vi inte har pengar så det räcker."

"Det är bara som man säger", sa Jess och rodnade.

"Vad jobbar du med, mr Nicholls?" frågade Tanzie.

"Jag jobbar på ett företag som gör dataprogram. Vet du vad det är?"

"Klart jag gör."

Nicky såg upp. Ed såg i backspegeln hur han tog ut sina hörsnäckor ur öronen. När han märkte att pojken iakttog honom vände han bort blicken.

"Designar du spel?"

"Nej, inte spel."

"Vad gör du då?"

115

"De fem senaste åren har vi jobbat med att ta fram en mjukvara som för oss närmare ett kontantlöst samhälle."

"Hur fungerar det?"

"Jo, varje gång man betalar gör man det med telefonen, med hjälp av ett slags streckkod, och varje betalning kostar pyttelite, typ noll komma noll ett pund."

"Man ska betala för att betala?" frågade Jess. "Det kommer ingen att gå med på."

"Fast det är där du har fel. Bankerna älskar det. Handeln gillar det eftersom det innebär ett enhetligt system, istället för som i dag när folk betalar kontant eller med check eller med kort. Och det kostar mindre än att betala med kreditkort, så alla vinner på det."

"Somliga av oss använder inte kreditkort annat än i nödfall."

"Då skulle det bara vara knutet till ditt bankkonto. Du behöver inte göra något alls."

"Så om alla banker och affärer nappar på det här, då har vi ingen valmöjlighet?"

"Det är väldigt långt dit."

Det blev tyst en stund. Jess drog upp knäna under hakan och slog armarna om benen. "De rika blir rikare – bankerna och handeln – och de fattiga blir fattigare."

"Tja, kanske i teorin. Men det är det som är det fina i kråksången. Summan är så liten att den inte är kännbar. Och det vore väldigt praktiskt."

Jess muttrade något han inte uppfattade.

"Hur mycket sa du att det skulle kosta?" frågade Tanzie.

"Noll komma noll ett per transaktion. Mindre än en penny."

"Hur många transaktioner gör man per dag?"

"Tjugo? Femtio? Det beror ju på."

"Det blir femtio pence om dagen."

"Precis. Ingenting."

"Tre och femtio i veckan", sa Jess.

"Etthundraåttiotvå pund om året", sa Tanzie. "Beroende på hur nära en penny avgiften ligger. Och om det är ett skottår eller inte."

Ed lyfte ena handen från ratten. "Som mest. Inte ens du kan tycka att det är mycket."

Jess vände sig om i sätet. "Vad får vi för etthundraåttiotvå pund, Tanze?"

"Två par skolbyxor från stormarknaden, fyra skoltröjor och ett par skor. En uppsättning gympakläder och ett fempack sportstrumpor. Om man handlar på stormarknaden. Det blir åttiofem och nittiosju. Hundra pund räcker till mat för nio komma två dagar, beroende på om vi har besök och om mamma köper en flaska vin. Av stormarknadens eget märke." Tanzie gjorde en paus. "Eller en månads kommunal fastighetsskatt för kategori D-fastigheter. Visst bor vi i kategori D, mamma?"

"Ja. Såvida de inte tänker byta klassificering."

"Eller tre dagar under lågsäsong på det där hotellet i Kent. Etthundrasjuttiofem pund, inklusive moms." Hon lutade sig fram. "Det var där vi var förra året. De bjöd på en natt extra eftersom mamma hjälpte en farbror att laga några gardiner. Och de hade en rutschkana."

Det blev tyst.

Ed skulle just säga något när Tanzie dök upp mellan sätena. "Eller en hel månads städning för mamma av ett hus med fyra sovrum, inklusive tvätt av handdukar och lakan. Enligt gällande taxa." Hon lutade sig tillbaka, nöjd med sig själv.

De körde fem kilometer, svängde höger vid en T-korsning, vänster in på en smal gata. Ed ville säga något, men han hade tillfälligt tappat talförmågan. I baksätet hade Nicky petat in hörsnäckorna igen. Solen hade gömt sig bakom ett moln.

"Men ändå", sa Jess och satte upp fötterna på instrumentbrädan och lutade sig fram för att höja volymen. "Hoppas det går jättebra med ditt nya program."

KAPITEL TOLV

JESS

Jess mormor brukade säga att hemligheten bakom ett lyckligt liv var ett dåligt minne. Det var visserligen innan hon drabbades av demens och inte ens mindes var hon bodde, men Jess fattade poängen. Hon fick inte tänka på pengarna. Hon skulle aldrig klara av att sitta här i bilen med mr Nicholls om hon tänkte för mycket på vad hon hade gjort. Marty brukade säga att hon hade världens sämsta pokerfejs; hennes ansikte återspeglade hennes känslor lika klart som en spegelblank vattenyta. Hon skulle erkänna allt inom bara ett par timmar. Eller så skulle hon börja pilla sönder stoppningen med naglarna i ren nervositet.

Så hon satt i bilen och lyssnade på Tanzies pladder och lovade sig själv att hon skulle betala tillbaka pengarna innan han hann upptäcka vad hon hade gjort. Hon skulle ta av Tanzies vinstpengar. Hon skulle komma på ett sätt. Hon sa till sig själv att han bara var någon som hade erbjudit dem skjuts, och som hon skulle konversera artigt med några timmar om dagen.

Emellanåt tittade hon på de två barnen i baksätet och tänkte: *Vad skulle jag annars ha gjort?*

Det borde inte ha varit så svårt att bara luta sig tillbaka och njuta av resan. Landsvägarna var kantade med vilda blommor och när regnmolnen skingrades syntes en azurblå himmel som förde tankarna till ett vykort från femtiotalet. Tanzie var inte åksjuk längre och för varje mil de lade bakom sig märkte hon hur hennes axlar slappnade av. Hon insåg nu att det var flera månader sedan hon hade känt sig ens tillnärmelsevis lugn. Hennes vardag kantades av en konstant oro: Vad skulle Fishers hitta på nu? Vilka funderingar pågick inne i Nickys huvud? Vad skulle hon göra med Tanzie? Och i bakgrunden ljöd den obevekliga bastrumman: Pengar. Pengar. Pengar.

"Allt okej?" frågade mr Nicholls.

Hon slets från sina tankar. "Det är bra. Tack", muttrade Jess. De nickade besvärat åt varandra. Han hade inte slappnat av. Det framgick tydligt av hans spända käkar och sättet på vilket hans händer kramade ratten tills knogarna vitnade. Jess förstod inte vad det var som hade fått honom att erbjuda sig att köra dem, men hon var ganska säker på att han ångrade sig.

"Öh … skulle du kunna tänka dig att sluta trumma?"

"Trumma?"

"Dina fötter. Du trummar med fötterna mot instrumentbrädan."

Hon tittade på sina fötter.

"Det är väldigt irriterande."

"Du vill att jag slutar trumma med fötterna?"

Han stirrade rakt framför sig. "Ja. Tack."

Hon lät fötterna glida ner på golvet men det var obekvämt, så efter en stund drog hon upp dem under sig på sätet. Hon vilade huvudet mot fönstret.

"Din hand."

"Va?"

"Din hand. Nu trummar du med handen mot knäet."

Trummandet var något hon gjorde helt omedvetet. "Du vill att jag ska sitta alldeles stilla medan du kör."

"Det har jag inte sagt. Men det där trummandet gör det svårt att koncentrera sig."

"Du kan inte köra om jag rör på någon del av kroppen?"

"Det var inte det jag menade."

"Vad menar du då?"

"Det är det där trummandet. Det är bara … det är irriterande."

Jess tog ett djupt andetag. "Okej ungar, ingen rör sig. Vi vill inte irritera mr Nicholls."

"Barnen gör det inte", sa han lugnt. "Det är bara du."

"Du håller faktiskt på och skruvar på dig en hel del, mamma."

"Tack ska du ha, Tanze." Jess knäppte händerna framför sig. Hon satt med sammanbitna käkar och koncentrerade sig på att sitta helt still. Hon blundade och rensade huvudet på allt som rörde pengar, Martys förbaskade bil, oron för barnen. Hon lät tankarna skölja bort. Och när den ljumma fläkten från det öppna fönstret svepte över ansiktet och musiken fyllde hennes öron, då kände hon sig ett ögonblick som en kvinna i ett helt annat liv.

De stannade för att äta vid en pub någonstans i utkanten av Oxford, de vecklade ut sig och suckade när de sträckte ut sina stela leder. Mr Nicholls försvann in på puben och hon satte sig vid ett picknickbord och plockade fram de medhavda smörgåsarna som hon i all hast hade gjort i ordning när det visade sig att de skulle komma iväg trots allt.

"Marmite", sa Nicky när han drog isär de två brödskivorna.

"Jag hade bråttom."

"Har vi något annat?"

"Sylt."

Han suckade och stack ner handen i påsen. Tanzie satt vid ena änden av bordet, redan försjunken i sina mattetal. Hon kunde inte läsa i bilen eftersom hon mådde illa då, och nu ville hon utnyttja varje tillfälle att arbeta. Jess såg henne skriva sina ekvationer i räknehäftet, djupt försjunken i koncentration, och hon undrade för tusende gången varifrån hon hade fått det.

"Här", sa mr Nicholls och dök upp med en bricka. "Jag tänkte att alla behövde något att dricka." Han sköt fram två flaskor Coca-Cola mot barnen. "Jag visste inte vad du ville ha så jag tog lite av allt." Han hade köpt en flaska italiensk öl, ett litet glas cider, ett litet glas vitt vin, en till cola, en lemonad och en flaska apelsinjuice. Själv hade han tagit en flaska mineralvatten. Mitt på brickan tronade en hög med chips i olika smaker.

"Köpte du allt det där?"

"Det var kö. Jag orkade inte gå ut och fråga vad ni ville ha."

"Jag ... jag har inte så mycket kontanter."

"Det är lite dricka. Det är inte som om jag hade köpt ett hus åt dig."

Sedan ringde det i hans telefon. Han tog upp den och började gå bort mot parkeringen med ena handen pressad mot nacken, han hade börjat prata så fort han vänt sig om.

"Ska jag fråga om han vill ha en smörgås?" sa Tanzie.

Jess följde honom med blicken ända tills han försvann utom synhåll. "Inte nu", svarade hon.

Nicky sa ingenting. När hon frågade var det gjorde mest ont muttrade han bara att han var okej.

"Det blir bättre", sa Jess och sträckte ut en hand. "Jag lovar. Nu har vi ledigt några dagar, ser till att det löser sig för Tanzie och sedan tar vi itu med det. Ibland är det bra att komma bort för att få perspektiv på saker."

"Jag tror inte att det är mitt perspektiv som det är fel på."

Hon gav honom hans värktabletter och såg honom skölja ner dem med cola.

Nicky tog med sig hunden på en liten sväng, han kutade med ryggen och släpade fötterna efter sig. Hon undrade om han hade cigaretter. Han var ur slag eftersom batteriet i hans Nintendo hade dött femtio kilometer tidigare. Jess trodde inte att han visste vad han skulle göra av sig själv när han inte satt fysiskt fastklistrad vid en spelkonsol.

De såg honom försvinna under tystnad.

Jess tänkte på hur hans sällsynta leenden hade blivit ännu mer sällsynta, på hans vaksamhet, på hur han såg ut som en fisk på torra land, blek och sårbar, de få timmarna han lämnade sitt rum. Hon tänkte på hans uppgivna och uttryckslösa ansikte på sjukhuset. Vem var det som sa att man aldrig var lyckligare än sitt olyckligaste barn?

Tanzie satt böjd över sina papper. "Jag tror att jag ska bo någon annanstans när jag blir tonåring."

Jess såg på henne. "Va?"

"Jag tror att jag ska bo på ett universitet. Jag vill inte bo i närheten av Fishers." Hon skrev ner några siffror i sitt häfte, sedan suddade hon ut en siffra och skrev dit en fyra istället. "De skrämmer mig", sa hon lågt.

"Fishers?"

"Jag hade en mardröm om dem."

Jess svalde. "Du behöver inte vara rädd för dem", sa hon. "De är bara dumma pojkar. Det de gjorde var fegt. De är ingenting."

"De känns inte som ingenting."

"Tanze, jag ska tänka ut något och vi ska ordna det. Förstår du? Du ska inte ha mardrömmar. Jag kommer att ordna det."

De satt tysta. Vägen var tyst, sånär som på en traktor i fjärran. Högt uppe i skyn syntes fåglar. Mr Nicholls var på väg tillbaka med långsamma steg. Han gick rakare i ryggen, som om han hade lyckats lösa något, och han höll telefonen i ena handen. Jess gnuggade sig i ögonen.

"Jag tror att jag har löst de här andragradsekvationerna. Vill du titta?"

Tanzie höll upp en sida med siffror. Jess såg på sin dotters ljuvliga, öppna ansikte. Hon sträckte fram en hand och rättade till glasögonen på Tanzies näsa. "Ja", sa hon med ett leende. "Jag vill hemskt gärna titta på dina andragradsekvationer."

Nästa etapp tog två och en halv timme. Under den tiden tog Mr Nicholls emot två samtal. Ett från kvinnan som hette Gemma, vars samtal han avfärdade (hans ex-fru?) och ett som tydligen hade med jobbet att göra. En kvinna med italiensk brytning ringde strax efter att de svängt in på en bensinmack och när hennes "Eduardo, älskling" hördes i kupén ryckte mr Nicholls ut telefonen ur handsfree-hållaren och gick ut och ställde sig vid pumpen. "Nej, Lara", sa han och vände sig bort. "Vi har pratat om det … Då har din advokat fel ... Nej, det gör ingen skillnad om du kallar mig hummer."

Nicky sov i en timme, hans blåsvarta kalufs hängde ner över de svullna kindbenen och i sömnen slätades hans oroliga ansikte ut. Tanzie sjöng för sig själv och klappade hunden. Norman sov, fes ljudligt flera gånger och impregnerade långsamt bilen med sin odör. Ingen klagade. Det maskerade den kvardröjande lukten av spya.

"Behöver barnen något att äta?" frågade mr Nicholls när de var i utkanten av en större stad. Enorma, skinande kontorshus dök upp med jämna mellanrum, fasaderna hade skyltar med namn på teknologiföretag hon aldrig hade hört talas om: Accsys, Technologica och Avanta. Gatorna kantades av ändlösa parkeringsplatser. Ingen promenerade.

"Vi kanske hittar en McDonald's. Det borde finnas flera stycken här."

"Vi äter inte på McDonald's", sa hon.

"Ni äter inte på McDonald's."

"Nej. Jag kan upprepa det en gång till, om du vill. Vi äter inte på McDonald's."

"Vegetarianer?"

"Nej. Kan vi inte leta rätt på en vanlig mataffär. Jag gör smörgåsar."

"Det är antagligen billigare på McDonald's om det handlar om pengar."

"Det handlar inte om pengar."

Jess kunde inte förklara för honom att det fanns saker som hon som ensamstående förälder helt enkelt inte kunde göra. Och det var precis de sakerna som alla utgick ifrån att ensamstående gjorde: gick på bidrag, rökte, bodde i kommunala bostäder, matade ungarna med McDonald's. Vissa saker kunde hon inte hjälpa, medan hon kunde rå över andra.

Han suckade lite och såg rakt fram. "Jaha, vi kanske ska leta upp ett ställe där vi kan sova och se om det finns en restaurang i anslutning."

"Jag hade tänkt att vi skulle sova i bilen."

Mr Nicholls stannade vid vägkanten och vände sig mot henne. "Sova i bilen?"

Förlägenheten gav rösten en vass ton. "Vi har Norman. De tar inte emot honom på hotellen. Det är inga problem för oss att sova i bilen."

Han tog fram telefonen igen och började knappa på skärmen. "Jag ska hitta ett ställe som tar emot hunden. Det måste finnas något, även om vi måste åka lite längre."

Jess kände färgen stiga på kinderna. "Jag skulle föredra om du inte gjorde det."

Han fortsatte att knappa på skärmen.

"Jag menar allvar. Vi … har inte råd att bo på hotell."

Mr Nicholls slutade knappa. "Men det är inte klokt. Ni kan inte sova i min bil."

"Det gäller bara ett par nätter. Vi klarar oss. Vi skulle ha sovit i Rollsen; det var därför jag tog med mig täckena."

Tanzie iakttog dem från baksätet.

"Jag har en dagsbudget. Och jag vill gärna hålla mig till den. Om det går bra." Tolv pund om dagen till mat. Max.

Han såg på henne som om hon var helt galen.

"Jag vill inte hindra dig från att ta in på hotell", tillade hon. Hon sa inte att hon i själva verket skulle föredra om han gjorde det.

De körde de följande kilometrarna under tystnad. Mr Nicholls pyste av undertryckt ilska. På något konstigt vis föredrog Jess det. Och om Tanzie klarade sig lika bra på olympiaden som alla tycktes tro, kunde de använda en del av vinsten till tågbiljetter hem. Tanken på att lämna mr Nicholls fick henne på så pass mycket bättre humör att hon inte sa något när han körde in vid Travel Inn.

"Jag kommer strax tillbaka", sa han och stegade iväg över parkeringen. Han tog nycklarna med sig och dinglade otåligt med dem i handen.

"Ska vi bo här?" undrade Tanzie och gnuggade sig i ögonen medan hon såg sig omkring.

"Mr Nicholls ska det. Vi ska sova i bilen. Det blir ett äventyr!" sa Jess.

Det var tyst en liten stund.

"Tjoho", sa Nicky.

Jess visste att han hade ont. Men vad skulle hon göra? "Du kan sova i baksätet och Tanzie och jag kan sova här fram. Det kommer att gå bra."

Mr Nicholls kom gående tillbaka och skuggade ögonen med ena handen i den tidiga kvällssolen. Hon insåg att han hade samma kläder på sig som han hade haft på puben häromkvällen.

"De hade bara ett rum kvar. Dubbelrum. Ni kan ta det. Jag letar rätt på något i närheten."

"Åh nej", sa hon. "Jag kan inte ta emot mer."

"Jag gör det inte för dig. Det är för barnen."

"Nej", sa hon och försökte låta lite mer diplomatisk. "Det är verkligen snällt, men vi klarar oss bra här."

Han drog handen genom håret. "Vet du vad, jag kan verkligen inte sova i ett hotellrum och veta att det sover en pojke som just har kommit ut från sjukhuset i baksätet på en bil tio meter bort. Nicky kan ta ena sängen."

"Nej", sa hon instinktivt.

"Varför inte?"

Hon kunde inte säga det.

Han mörknade. "Jag är inte pervers."

"Det sa jag inte heller."

"Varför låter du inte din son dela rum med mig då? Han är ju för sjutton lika lång som jag."

Jess rodnade. "Han har haft det tufft på sistone. Jag vill hålla ett öga på honom."

"Vad är pervers?" frågade Tanzie.

"Jag skulle kunna ladda mitt Nintendo", hördes Nicky från baksätet.

"Fast vet du, den här diskussionen är löjlig. Jag är hungrig, jag måste äta." Mr Nicholls stack in huvudet i bilen. "Nicky, vill du sova i bilen eller i ett hotellrum?"

Nicky sneglade på Jess. "Hotellrum. Och jag är inte heller pervers."

"Är jag pervers?" sa Tanzie.

"Okej", sa mr Nicholls. "Så här gör vi. Nicky och Tanzie sover i hotellrummet. Du kan sova med dem på golvet."

"Men jag kan inte låta dig betala ett hotellrum åt oss och sedan låta dig sova i bilen. Förresten kommer hunden att yla hela natten. Han känner inte dig."

Mr Nicholls himlade med ögonen. Han höll på att tappa tålamodet. "Okej, då sover ungarna i rummet. Du och jag sover i bilen med hunden. Alla nöjda." Han såg inte nöjd ut.

"Jag har aldrig bott på hotell. Har jag bott på hotell, mamma?"

Det blev tyst och Jess kände att hon förlorade kontrollen över situationen.

"Jag kan se efter Tanzie", sa Nicky. Han såg hoppfull ut. Hans ansikte, de delar som inte var blåslagna, var vaxblekt. "Det skulle vara skönt med ett bad."

"Läser du en saga för mig?"

"Bara om den innehåller zombier." Jess såg Nicky le svagt mot Tanzie.

"Okej", sa hon. Och hon försökte behärska den våg av illamående som sköljde över henne när hon insåg vad hon just hade gått med på.

Snabbköpet låg i skuggan av en stor livsmedelsgrossist, fönstren var fulla med bjärta skyltar med erbjudanden om extrapris på fiskpinnar och läsk. Jess köpte frallor och ost, chips och löjligt dyra äpplen och hon dukade upp en pick-nickmiddag till sig och barnen på gräsmattan invid parkeringsplatsen. På andra sidan dundrade trafiken förbi söderut. Hon erbjöd mr Nicholls att dela måltiden med dem, men han kikade ner i hennes matkasse och sa tack, men han föredrog att äta på restaurang.

När han var utom synhåll kunde Jess slappna av. Hon installerade barnen i rummet och önskade att hon hade kunnat stanna där med dem. Rummet låg på bottenvåningen och vette mot parkeringen. Hon hade bett mr Nicholls att parkera bilen så nära deras fönster som möjligt, och Tanzie hade tvingat henne att gå ut tre gånger bara så att hon kunde vinka till Jess genom fönstret och trycka näsan mot rutan.

Nicky försvann in i badrummet i en timme med vattnet rinnande ur kranarna. Han kom ut, satte på tv:n och lade sig på sängen, han såg utmattad och lättad ut.

Jess tog fram hans mediciner, såg till att Tanzie badade och satte på henne pyjamas, och sa åt dem att inte sitta uppe för länge. "Och ingen rökning", varnade hon Nicky. "Jag menar allvar."

"Hur skulle jag det?" sa han. "Du har ju mitt röka."

Tanzie låg på sidan och jobbade med sina mattetal. Jess matade hunden och gick ut med honom. Hon satte sig i passagerarsätet med dörren öppen och åt en ostfralla och väntade på att mr Nicholls skulle avsluta sin middag.

Klockan var kvart över nio och hon försökte läsa tidningen i det skumma ljuset när han kom tillbaka. Han höll telefonen i ena handen som om han just hade avslutat ett samtal, och han verkade ungefär lika glad över att se henne som hon honom. Han öppnade dörren, satte sig och stängde dörren.

"Jag bad dem ringa om det blev ett rum ledigt." Han stirrade ut genom vindrutan. "Jag sa naturligtvis inget om att jag skulle sitta i bilen och vänta."

Norman låg på asfalten, han såg ut som om någon hade släppt ner honom från en hög höjd. Hon undrade om hon skulle ta in honom i bilen. Utan barnen i baksätet och med det annalkande mörkret, kändes det ännu konstigare att sitta i bilen bredvid mr Nicholls.

"Hur är det med barnen?"

"De är jättenöjda. Tack så mycket."

"Din pojke ser ganska blåslagen ut."

"Han klarar sig."

Det var tyst en lång stund. Han såg på henne. Sedan placerade han båda händerna på ratten och lutade sig tillbaka.

Han gnuggade sig i ögonen med nedre delen av handflatorna och vände sig sedan mot henne. "Okej … har jag gjort något för att göra dig så arg?"

"Va?"

"Hela dagen har du behandlat mig som om jag hade gjort dig något. Jag har bett om ursäkt för det som hände på puben häromkvällen. Jag har gjort vad jag har kunnat för att hjälpa dig. Och ändå får jag känslan av att du tycker att jag har gjort något fel."

"Du … har inte gjort något fel", stammade hon.

Han iakttog henne en liten stund. "Är det här en kvinnas 'Nej, det är inget som är fel', vilket egentligen betyder att något är jävligt fel men jag ska försöka gissa vad det är och du blir förbannad om jag inte lyckas?"

"Nej."

"Och nu vet jag verkligen inte vad du menar. För det svaret kan mycket väl ingå i 'Nej, det är inget som är fel'."

"Jag pratar inte i koder. Det är inget som är fel."

"Kan vi inte lätta upp stämningen lite i så fall? Du får mig verkligen att känna mig olustig."

"Får jag dig att känna dig olustig?"

Han vred långsamt på huvudet och såg på henne.

"Du har sett ut som om du ångrade att du erbjöd oss skjuts från allra första början. Innan vi ens klev in i bilen." *Håll käften, Jess*, varnade hon sig själv. *Håll käft. Håll käft. Håll käft.* "Jag förstår inte varför du gjorde det?"

"Gjorde vad?"

"Inget", sa hon och vände sig bort. "Glöm det."

Han stirrade ut genom vindrutan. Han såg plötsligt väldigt, väldigt trött ut.

"Du kan släppa av oss vid en tågstation i morgon, så slipper du oss. Vi ska inte besvära dig mer."

"Är det det du vill?" frågade han.

Hon drog upp knäna under hakan. "Det kanske blir bäst så."

Himlen mörknade utanför. Två gånger öppnade Jess munnen för att säga något, men det ville inte komma ut något. Mr Nicholls stirrade ut genom vindrutan på hotell-rummets fördragna gardiner, han verkade försjunken i sina egna tankar.

Hon tänkte på Nicky och Tanzie som sov där inne och hon önskade igen att hon var tillsammans med dem. Hon mådde illa. Varför hade hon inte spelat med? Varför hade hon inte varit lite trevligare? Hon var en idiot. Nu hade hon förstört allt igen.

Det hade blivit kyligt. Till slut plockade hon fram Nickys täcke från baksätet och gav till honom. "Här", sa hon.

"Åh." Han tittade på den enorma bilden av Super Mario. "Tack."

Hon kallade in hunden, fällde sätet så långt det gick men så att hunden ändå fick plats och sedan drog hon Tanzies täcke över sig. "God natt." Hon stirrade in i den plyschklädda dörrpanelen bara ett par centimeter från ansiktet, hon andades in nybilsdoften och tankarna jagade runt i huvudet. Hur långt bort var stationen? Hur mycket skulle biljetterna kosta? De skulle behöva betala för minst en övernattning till. Och vad skulle hon göra med hunden? Hon hörde Norman snarka i baksätet och tänkte att mr Nicholls kunde glömma att hon skulle dammsuga baksätet nu.

"Klockan är halv tio." Mr Nicholls röst bröt tystnaden.

Jess låg blickstilla.

"Halv. Tio." Han suckade. "Jag trodde aldrig att jag skulle säga det, men det här är värre än att vara gift."

"Hurså, andas jag för högt?"

Han öppnade häftigt dörren. "Herregud!" sa han och började gå över parkeringsplatsen.

Jess satte sig upprätt. Hon såg honom småspringa över gatan mot snabbköpet och försvinna in i det fluorescerande ljuset. Ett par minuter senare dök han upp med en flaska vin i ena handen och en förpackning med plastmuggar.

"Det smakar säkert räv", sa han medan han klättrade in bakom ratten. "Men just nu spelar det ingen som helst roll."

Hon stirrade på flaskan.

"Ska vi sluta fred, Jessica Thomas? Det har varit en lång dag. Och en jävligt jobbig vecka. Och även om det här är en rymlig bil så är den inte tillräckligt rymlig för två personer som vägrar att prata med varandra."

Han såg på henne. Hans ögon var trötta och hans kinder började skuggas av en begynnande skäggstubb. Det fick honom att se märkligt sårbar ut.

Hon tog en mugg. "Förlåt. Jag är inte van vid att folk är hjälpsamma. Jag blir nog …"

"Misstänksam? Vresig?"

"Jag skulle säga att jag blir nog tvungen att komma ut och träffa folk lite oftare."

Han andades ut. "Okej." Han såg på flaskan. "Då tycker jag att vi … Men vad fan!"

"Vad är det?"

"Jag trodde det var skruvkork på den här." Han glodde på vinflaskan som om den jävlades med honom med flit. "Toppen. Jag misstänker att du inte har en korkskruv på dig?"

"Nej."

"Tror du att jag kan byta?"

"Tog du kvittot?"

Han suckade men hon avbröt honom. "Behövs inte", sa hon och tog flaskan från honom. Hon öppnade dörren och klev ut. Normans huvud flög upp.

"Jag hoppas att du inte tänker slå den mot vindrutan."

"Nix." Hon skalade bort metallfolien. "Ta av dig ena skon."

"Va?"

"Ge mig din ena sko. Det funkar inte med flip-flops."

"Bara du inte använder den som glas. Mitt ex gjorde det en gång med stilettpumps och det var verkligen svårt att låtsas som om det var erotiskt att dricka champagne som luktade fotsvett."

Hon höll fram ena handen. Till slut tog han av sig skon och gav den till henne. Han iakttog henne medan hon

130

placerade botten på flaskan inuti skons häl, sedan tog hon ett stadigt grepp om bakkappan, ställde sig vid husväggen och slog klacken hårt mot väggen.

"Det är ingen idé att jag frågar vad du håller på med, va?"

"Vänta lite", sa hon sammanbitet och fortsatte att dunka skon i väggen.

Mr Nicholls skakade långsamt på huvudet.

Hon blängde på honom. "Du får gärna försöka suga upp korken om du vill."

Han höll upp en hand. "Nej, nej. Fortsätt du. Glassplitter i skorna är precis vad jag önskar mig just nu."

Jess undersökte korken och dunkade skon i väggen en gång till. Och nu – korken sköt upp en centimeter ovanför flaskhalsen. Dunk. En centimeter till. Hon höll den försiktigt och dunkade en gång till och där kom den. Hon drog upp resten av korken med fingrarna och gav honom.

Han stirrade på den och sedan på henne. Hon gav tillbaka skon.

"Du är sannerligen en användbar kvinna att ha till hands."

"Och jag kan sätta upp hyllor, byta ut ruttna golvplankor och göra en fläktrem av en hopknuten nylonstrumpa."

"Är det sant?"

"Inte det där med fläktremmen." Hon klev in i bilen igen och tog emot en plastmugg med vin. "Jag försökte det en gång. Den gick sönder efter trettio meter. Fullständigt slöseri på hudfärgade från Marks & Spencer." Hon tog en klunk. "Och bilen stank bränd nylon i flera veckor."

Bakom dem gnydde Norman i sömnen.

"Fred", sa mr Nicholls och höll upp sin mugg.

"Fred. Du hade inte tänkt köra sedan, va?" sa hon och höll upp sin mugg.

"Om du lovar att inte göra det heller."

"Jättekul."

Och plötsligt blev kvällen så mycket lättare.

KAPITEL TRETTON

ED

Det var det här Ed fick veta om Jessica Thomas efter att hon fått i sig ett glas eller två (eller snarare fyra eller fem) och slutade vara så snarstucken:

Ett: Pojken var egentligen inte hennes. Han var son till hennes ex och dennes ex, och när båda föräldrarna mer eller mindre hade övergett honom var hon den enda han hade kvar. "Det var fint av dig", sa han.

"Inte alls", sa hon. "Nicky känns som min. Han har bott med oss sedan han var åtta. Han tar hand om Tanzie. Och förresten ser alla familjer så olika ut numera." Hennes defensiva ton antydde att hon hade fått kommentaren förr.

Två: Den lilla flickan var tio. Han gjorde ett snabbt överslag i huvudet, men hon avbröt honom innan han hann säga något.

"Sjutton."

"Det var … tidigt."

"Jag var ganska vild av mig. Jag visste allt, fast egentligen visste jag förstås ingenting. Jag träffade Marty, hoppade av skolan och blev med barn. Min dröm var inte att bli städerska. Min mamma var faktiskt lärare." Hon sneglade bort mot honom som om hon visste att han skulle bli förvånad.

"Okej."

"Nu är hon pensionerad och bor i Cornwall. Vi kommer inte så bra överens. Hon har svårt för vissa av mina livsval. Jag har aldrig kunnat förklara för henne att om man får barn när man är sjutton, då har man inte så mycket till val längre."

"Inte ens i dag?"

"Nej." Hon tvinnade en hårtest mellan fingrarna. "Man kommer liksom aldrig ikapp. När ens vänner går på college är man hemma med en bebis. Man har inte ens hunnit fundera över vad man skulle vilja göra. När ens vänner påbörjar sina karriärer är man på bostadsförmedlingen och försöker tjata sig till en bostad. När ens vänner köper sina första bilar och hus, försöker man hitta ett jobb som man kan anpassa efter barnens tider. Och alla jobb som går att anpassa efter barn är pissigt betalda. Jag ångrar inte att jag fick Tanzie, inte en sekund. Och jag ångrar inte att jag tog emot Nicky. Men om jag fick göra om saker skulle jag vänta med att skaffa barn tills jag hade gjort något med mitt liv. Det hade varit trevligt att kunna erbjuda dem … något bättre."

Hon hade inte orkat fälla upp sätet när hon pratade. Hon låg vänd mot honom under täcket, stödd på ena armbågen, och hennes bara fötter vilade på instrumentbrädan. Ed upptäckte att det inte störde honom lika mycket längre.

"Du kan fortfarande göra karriär", sa han. "Du är ung. Jag menar … kan du inte skaffa barnvakt på eftermiddagarna, eller något?"

Hon skrattade. Det var som ett sälskall. "Ha!" Det var stort, högt och plötsligt, det rimmade illa med hennes nätta figur. Hon satte sig upp och tog en djup klunk av vinet. "Visst. Säkert. Det skulle jag verkligen kunna."

Tre: Hon tyckte om att laga saker. Ibland undrade hon om hon kanske kunde leva på det. Hon gjorde småjobb i det kommunala bostadsområdet, allt från att dra ledningar till att kakla badrum. "Jag har gjort allt hemma i huset. Jag är bra på allt praktiskt. Jag kan till och med göra tapettryck."

"Gör du egna tapeter?"

"Titta inte på mig så där. Jag gjorde dem till Tanzies rum. Fram tills nyligen sydde jag hennes kläder."

"Är du en kvarleva från andra världskriget? Sparar du på syltburkar och snörstumpar också?"

"Vad ville du bli?"

"Det jag blev", sa han. Sedan insåg han att han inte ville prata om det och bytte samtalsämne.

Fyra: Hon hade sjukt små fötter. Så små att hon köpte sina skor på barnavdelningen. (Det var tydligen billigare.) När hon hade berättat det måste han anstränga sig för att inte stirra på hennes fötter som om han var pervers.

Fem: Innan hon fick barnen kunde hon svepa fyra dubbla vodkashots och ändå gå spikrakt. "Japp, jag tålde rätt mycket. Men jag kom ändå inte ihåg att använda kondom."

Hon drack nästan aldrig. "Om någon erbjuder mig en drink när jag jobbar på puben brukar jag ta pengarna istället. Och när jag är hemma är jag alltid orolig för att det ska hända ungarna något och då måste jag hålla mig nykter." Hon stirrade ut genom rutan. "När jag tänker efter, är det här det närmaste jag har kommit en utekväll på … fem månader."

"Två flaskor rävgift på en parkeringsplats med en karl som smäller igen dörrar i ansiktet på dig."

"Jag klagar inte."

Hon gick inte närmare in på vad det var hon oroade sig så mycket för när det gällde barnen. Han tänkte på Nickys sönderslagna ansikte och bestämde sig för att inte fråga.

Sex: Hon hade ett ärr under hakan som hon fått när hon ramlat omkull på cykeln och ett gruskorn hade suttit fast under huden i två veckor. Hon försökte visa honom, men ljuset var för svagt. Hon hade också en svanktatuering. Vulgärt, enligt Marty. Han vägrade prata med mig i två dagar efter att jag hade gjort den." Hon gjorde en paus. "Det var nog därför jag skaffade den."

Sju: Hon hette Rae i mellannamn. Hon var tvungen att bokstavera det varje gång någon frågade.

Åtta: Hon hade inget emot att städa, men hon hatade verkligen när folk behandlade henne som "bara" städerskan. (Här hade han den goda smaken att rodna lite.)

Nio: Hon hade inte haft en dejt på två år, inte sedan hennes ex drog.

"Har du inte haft sex på två och ett halvt år?"

"Jag sa att han stack för två år sedan."

"Jag drog bara en rimlig slutsats."

Hon satte sig upprätt och sneglade på honom. "Tre och ett halvt, om vi ska vara noga. Bortsett från en, öh, episod i fjol. Och du behöver inte se så chockad ut."

"Jag är inte chockad", sa han och försökte neutralisera anletsdragen. Han ryckte på axlarna. "Tre och ett halvt år. Jag menar, det är bara en fjärdedel av ditt vuxna liv. Ingen tid alls."

"Tack för den." Sedan var han inte riktigt säker på vad det var som hände, men stämningen ändrades. Hon mumlade något som han inte uppfattade, drog håret i en tofs – han hade lagt märke till att hon satte upp håret i tofs varje gång hon kände sig nervös, som om hon måste sysselsätta sig med något – och sa att det kanske var dags att faktiskt försöka sova en stund.

Ed tänkte att han antagligen skulle ligga vaken i evigheter. Det var något med att ligga i en mörk bil på en armslängds avstånd från en attraktiv kvinna efter att ha druckit två flaskor vin. Även om hon låg hopkurad under ett Svampbob Fyrkant-täcke. Han såg upp mot stjärnorna genom soltaket, lyssnade på lastbilarna som dundrade förbi på väg till London och tänkte att hans riktiga liv – det som innehöll företag, arbete och en brutal Deanna Lewis-baksmälla – var ljusår bort.

"Är du vaken?"

Han vred på huvudet och undrade om hon hade iakttagit honom. "Nej."

"Okej", hördes ett mumlande från passagerarsätet. "Sanning eller konsekvens. Fast utan konsekvens."

Han tittade upp i taket. "Okej."

"Du får börja."

Han kom inte på något.

"Det måste väl finnas något du vill fråga."

"Okej, varför har du flip-flops på dig?"

"Är det din fråga?"

"Det är svinkallt ute. Det har varit den kallaste och regnigaste våren i mannaminne. Och du har flip-flops på dig."

"Stör det dig så mycket?"

"Jag förstår det bara inte. Du måste ju frysa."

Hon sträckte på tårna. "Det är vår."

"Och?"

"Och, det är vår. Därför kommer det att bli varmare."

"Du har alltså flip-flops som ett uttryck för hopp?"

"Så kan man uttrycka det."

Han visste inte vad han skulle svara på det.

"Då är det min tur."

Han väntade.

"Hade du tänkt sticka och lämna oss i morse?"

"Nej."

"Du ljuger."

"Okej, kanske lite. Din granne ville slå in skallen på mig med ett baseboliträ och din hund luktar verkligen illa."

"Pfft. Dålig ursäkt."

Han hörde henne ändra ställning. Fötterna försvann under täcket. Hennes hår doftade kokos.

"Varför gjorde du inte det då?"

Han tänkte efter en stund innan han svarade. Kanske var det eftersom han inte kunde se hennes ansikte. Kanske var det vinet och den sena timmen som fick honom att sänka garden, för i vanliga fall hade han inte svarat som han gjorde. "För att jag har gjort en del riktigt jävla dumma saker på sistone. Och jag antar att jag ville göra något som kändes bra."

Ed trodde att hon skulle säga något. Han hoppades att hon skulle det. Men det gjorde hon inte.

Han låg där ett par minuter och stirrade ut på gatubelysningen och lyssnade på Jessica Rae Thomas andhämtning, och han tänkte på hur mycket han saknade att sova intill någon. De flesta dagar kände han sig som den ensammaste människan på jorden. Han tänkte på de pyttesmå fötterna med de lackade tånaglarna och insåg att han antagligen hade druckit för mycket. *Var inte dum, Nicholls*, sa han till sig själv och vände ryggen mot henne.

Och sedan måste han ha slumrat till, för plötsligt var det kallt och ute var det ljusgrått, hans arm hade somnat och han var så omtöcknad att det tog honom två hela minuter att förstå att det som knackade på fönstret var en säkerhetsvakt som talade om för dem att de inte fick sova där.

KAPITEL FJORTON

TANZIE

De hade fyra olika sorters wienerbröd på frukostbuffén och tre olika juicer, och de hade sådana där småförpackningar med flingor som mamma sa var oekonomiska och därför aldrig köpte. Hon hade knackat på deras fönster vid kvart över åtta och sagt åt dem att ta på sig jackorna när de gick till frukosten och fylla fickorna med så mycket de bara kunde. Hennes hår var platt på ena sidan och hon hade inget smink på sig. Tanzie misstänkte att det kanske inte hade varit ett så kul äventyr att sova i bilen, trots allt.

"Ta inte smör och sylt. Och inget som kräver bestick. Frallor och bullar, sådana saker. Och se till att inte åka fast." Hon kastade ett öga på mr Nicholls som stod en bit bort och diskuterade med säkerhetsvakten. "Och äpplen. Äpple är nyttigt. Och kanske några skivor skinka till Norman."

"Hur ska jag få med mig skinka?"

"Eller korv. Vira det i en servett."

"Är inte det stöld?"

"Nej."

"Men …"

"Ni tar bara lite mer än ni skulle äta precis just då. Ni är … Tänk dig att du är en gäst med en hormonrubbning som gör dig väldigt hungrig."

"Men jag har ingen hormonrubbning."

"Men du skulle kunna ha det. Det är det som är poängen. Du är den där hungriga och sjuka personen, Tanze. Du har betalat för frukosten, men du behöver mycket mat. Mer än vad du behöver i vanliga fall."

Tanzie lade armarna i kors. "Du säger alltid att man inte får stjäla."

"Men det här är inte stöld. Det här är att få valuta för pengarna."

"Men vi har inte betalat för något. Det var mr Nicholls som betalade."

"Gör bara som jag säger, Tanzie. Snälla. Mr Nicholls och jag måste lämna parkeringen i en halvtimme, eller så. Gör det bara och se till att vara klara att åka klockan nio." Jess lutade sig in genom fönstret och gav Tanzie en puss, sedan gick hon tillbaka till bilen och drog jackan om sig. Hon stannade och vände sig om. "Glöm inte att borsta tänderna. Och lämna inte kvar dina matteböcker."

Nicky kom ut från badrummet i sina smala svarta jeans och en T-shirt med texten VEMBRYRSEJ tryckt på bröstet.

"Du kommer aldrig att lyckas gömma någon korv i de där", sa Tanzie och stirrade på hans jeans.

"Jag slår vad om att jag kan gömma mer än du", sa han.

Deras ögon möttes. "Taget!" svarade hon och försvann för att klä på sig.

Mr Nicholls lutade sig fram och kisade genom vindrutan när han såg henne och Nicky komma gående över parkeringsplatsen. Hon hade nog också glott om det var hon, tänkte Tanzie. Nicky hade stoppat två stora apelsiner och ett äpple i fronten på sina jeans, och nu vaggade han fram som om han hade gjort i byxorna. Hon hade sin glitterjacka på sig trots att det var ganska varmt, för hon hade fyllt framsidan på sin luvtröja med portionsförpackade flingor och om hon inte hade jackan på sig såg det ut som om hon väntade barn. Små robotbarn.

De kunde inte sluta fnissa.

"In med er", sa mamma och slängde in deras övernattningsväska i bagageluckan. Hon kastade en blick bakom sig. "Vad fick ni med er?"

Mr Nicholls körde ut på vägen. Tanzie såg honom kasta

ett öga i backspegeln när de började hala fram sitt byte och skicka fram det till mamma.

Nicky tog fram ett vitt paket ur fickan. "Tre wienerbröd. Akta, glasyren har fastnat lite i servetten. Fyra korvar och några skivor bacon i pappmuggen till Norman. Två skivor ost, en yoghurt och ..." Han lade jackan över grenen, grävde grimaserande i jeansen och fiskade upp frukten. "Jag fattar inte hur jag lyckades få ner dem där."

"Jag kan omöjligen kommentera det på ett sätt som skulle anses vara lämpligt mellan mor och son", sa mamma.

Tanzie hade fått med sig sex småpaket flingor, två bananer och en syltmacka. Hon satt och mumsade ur det ena paketet medan Norman stirrade på henne samtidigt som två salivsträngar hängde ur hans mun och till slut droppade ner på mr Nicholls baksäte.

"Jag är säker på att kvinnan vid de pocherade äggen upptäckte oss."

"Jag sa till henne att du hade en hormonrubbning", sa Tanzie. "Jag sa att du måste äta din dubbla kroppsvikt tre gånger om dagen, annars kunde du svimma i matsalen och faktiskt dö."

"Snyggt", sa Nicky.

"Du vinner om vi räknar antal", sa hon. "Men jag får poäng för skicklighet." Medan alla såg på henne lutade hon sig fram och lyfte upp två frigolitmuggar med kaffe ur fickorna. Hon hade vadderat fickorna runt muggarna med papper så att de skulle stå upprätt. Hon räckte den ena till mamma och placerade den andra i mugghållaren bredvid mr Nicholls.

"Du är ett geni", sa mamma och lyfte på locket. "Du förstår inte hur mycket jag behöver det här." Hon tog en klunk och blundade. Tanzie visste inte om det berodde på att de hade lyckats få med sig så mycket från frukostbuffén, eller om det berodde på att Nicky skrattade för första gången på evigheter, men mamma såg plötsligt gladare ut än hon gjort sedan pappa flyttade.

Mr Nicholls stirrade på dem som om de var från en annan planet.

"Bra, då kan vi göra lunchsmörgåsar med skinkan, korven och osten. Wienerbröden kan ni äta nu. Frukt till efterrätt. Vill du ha?" Hon höll fram en apelsin mot mr Nicholls. "Den är fortfarande lite varm. Men jag kan skala den."

"Öh … det var snällt", sa han och slet bort blicken. "Men jag tror att jag stannar vid en Starbucks."

Nästa etapp var faktiskt ganska trevlig. Trafiken flöt på utan köer och mamma övertalade mr Nicholls att sätta på hennes favoritstation på radion, sedan sjöng hon med i sex låtar, högre och högre för varje gång. Och hon fick Tanzie och Nicky att sjunga med. Mr Nicholls såg lite uppgiven ut i början, men Tanzie märkte att han började nicka med till musiken efter ett par kilometer, som om han till och med tyckte att det var ganska trivsamt. Solen gassade och mr Nicholls öppnade soltaket. Norman satte sig upprätt och vädrade i luften, vilket betydde att han inte klämde dem mot varsin dörr längre, och det var också ganska skönt.

Det påminde Tanzie om när pappa fortfarande bodde hemma och de ibland åkte på utflykt i hans bil. Skillnaden var att pappa alltid körde för fort och att de aldrig kunde komma överens om var de skulle stanna för att äta. Och pappa kunde aldrig förstå varför de inte kunde spendera en del av sina pengar på en publunch, och mamma sa att nu när hon hade gjort i ordning smörgåsar vore det slöseri att inte äta upp dem. Sedan tjatade pappa på Nicky att han skulle titta upp från sitt eviga spelande och njuta av omgivningarna och Nicky svarade att han minsann inte hade bett om att följa med – vilket gjorde pappa ännu argare.

Tanzie tänkte att hon visserligen älskade sin pappa, men att hon nog föredrog att han inte var med dem på den här resan.

Två timmar senare sa mr Nicholls att han måste sträcka på benen och Norman måste också kissa, så de stannade vid utkanten av en park. Mamma plockade fram frukost-bytet och de satte sig vid ett picknickbord i skuggan och åt. Tanzie repeterade primtal och andragradsekvationer och sedan gick hon en liten sväng med Norman uppe i skogen. Han var överlycklig och stannade hela tiden för att nosa på saker, solen sken in mellan träden och ljuset studsade mellan stammarna, de såg ett rådjur och två fasaner och det kändes som om de faktiskt var på semester.

"Hur är det med dig, hjärtat?" frågade mamma och kom gående emot henne med korslagda armar. De såg Nicky och mr Nicholls sitta vid bordet och prata. "Känns det bra inför tävlingen?"

"Jag tror det", sa hon.

"Gick du igenom de gamla proven i går?"

"Ja. Först tyckte jag att det var svårt att se primtalsföljden, men sedan när jag skrev ner dem var det enklare att se sekvenserna."

"Inga mardrömmar om någon Fisher?"

"Inte i går", sa Tanzie. "Jag drömde om ett kålhuvud som åkte rullskridskor. Han hette Kevin."

Mamma gav henne ett långt ögonkast. "Säger du det."

Det var lite svalare i skogen, fukten doftade härligt av mossa och grönt och liv, inte som fukten hemma i rummet som vette mot gården och som bara luktade mögel. Mamma stannade på stigen och vände sig tillbaka mot bilen. "Jag sa ju att bra saker kunde hända, eller hur?" Hon väntade tills Tanzie kom ikapp. "Mr Nicholls kommer att släppa av oss i morgon. Vi tar det lugnt på kvällen, dagen därpå har du tävlingen och sedan kan du börja på den nya skolan. Och så kommer vår tillvaro, förhoppningsvis, att förändras lite till det bättre. Och det här är väl ändå ganska kul? Den här resan, menar jag?"

Hon höll ögonen på bilen medan hon pratade, och på hennes röst lät det som om hon sa en sak men tänkte på en annan. Tanzie märkte att hon hade sminkat sig medan de satt i bilen. "Mamma", sa hon.

"Ja?"

"Visst var det stöld när vi tog maten från buffén? Jag menar, vi tog ju mer än vår del. Proportionerligt sett."

Mamma tittade på henne och funderade. "Om du tycker att det skulle kännas bättre så kan vi ta fem pund av prispengarna och stoppa i ett kuvert och skicka till dem. Vad säger du om det?"

"Jag skulle tro, att med tanke på vad vi tog så borde vi skicka sex pund. Kanske sex och femtio", svarade Tanzie.

"Då skickar vi dem det. Och nu tycker jag att vi ska se till att din gamla, tjocka hund får lite motion så att han (a) blir trött och sover nästa etapp och (b) kanske uträttar sina behov så att vi slipper ha honom fisande i bilen hela eftermiddagen."

Och sedan var de på väg igen. Det regnade. Mr Nicholls fick ett av sina samtal av en man som hette Sidney och de pratade om aktiekurser och kurssvängningar. Mr Nicholls såg allvarlig ut och mamma slutade sjunga. Tanzie försökte att inte kika på sina mattepapper (mamma sa att hon skulle må illa). Hennes ben klibbade mot mr Nicholls skinnsäten och hon ångrade att hon hade tagit på sig shorts. Dessutom hade Norman rullat sig i något i skogen och nu luktade han riktigt illa, men hon tordes inte säga något om det eftersom mr Nicholls kanske skulle tröttna på dem och deras stinkande hund. Så hon höll för näsan med fingrarna och försökte andas genom munnen, och öppnade bara näsborrarna var trettionde gatlykta.

"Vad funderar du på, Tanze?" Mamma vände sig om.

"Jag tänkte på permutationer och kombinationer."

Mamma log det där leendet som hon brukade när hon inte förstod vad Tanzie pratade om.

"Jag tänkte på fruktsalladen på frukostbuffén. Det är en kombination – det spelar ingen roll i vilken ordning äpplena, päronen och bananerna är. Eller hur? Men med permutationer gör det det."

Mamma såg fortfarande helt nollställd ut. Mr Nicholls gav henne en blick i backspegeln, sedan vände han sig till mamma.

"Tänk dig att du drar upp färgade strumpor ur en byrålåda. Om du har sex par strumpor i olika färger – sammanlagt tolv strumpor – så finns det sex gånger fem gånger fyra gånger tre olika kombinationer som du kan dra upp dem i, eller hur?" sa han.

"Men om alla tolv strumpor hade olika färger skulle antalet kombinationer som du skulle kunna dra fram dem i vara jättestort – nästan en halv miljard."

"Det låter ungefär som våra strumplådor", sa mamma.

Mr Nicholls såg på Tanzie och flinade. "Tanzie, om du har en låda med tolv strumpor, men du kan inte se innehållet, hur många strumpor måste du då dra upp för att avgöra att du har åtminstone två par?"

Tanzie började fundera på detta, så hon hörde inte när mr Nicholls vände sig till Nicky.

"Har du tråkigt? Vill du låna min telefon?"

"Är det sant?" Nicky hade suttit hopsjunken, men rätade nu på sig.

"Visst. Den ligger i min jackficka."

När Nicky åter var klistrad vid en skärm började mamma och mr Nicholls prata igen. Det var möjligt att de glömde bort att det fanns andra i bilen.

"Tänker du fortfarande på strumpor?" undrade mamma.

"Herregud, nej. Sådant där kan man bli alldeles galen av. Det överlåter jag åt din dotter."

Det blev tyst en liten stund.

"Berätta om din fru."

"Ex-fru. Nej tack."

"Varför inte? Du var inte otrogen. Och jag skulle tro att hon inte heller var det, annars hade du gjort den där minen."

"Vilken min?"

Det blev tyst igen. Kanske tio gatlyktor.

144

"Jag tror inte att jag någonsin skulle göra den minen. Men nej, det var hon inte. Och nej, jag vill inte prata om det. Det är …"

"Privat?"

"Jag gillar inte att prata om privata saker. Vill du berätta om ditt ex?"

"Inför hans barn? Jättebra idé."

Ingen sa något på flera kilometer. Mamma började trumma med fingrarna mot fönstret. Tanzie sneglade på mr Nicholls. Varje gång mamma slog mot rutan ryckte det till i en muskel i hans käke.

"Jaha, vad ska vi då prata om? Jag är inte särskilt intresserad av dataprogram och jag misstänker att du är ointresserad av det jag gör. Jag begriper inte strumprelaterad matte. Och det finns en gräns för hur många gånger man kan peka på en äng och säga: 'Titta, kossor.'"

Mr Nicholls suckade.

"Kom igen nu. Det är långt kvar till Skottland."

Det var tyst i trettio gatlyktor. Nicky fotograferade genom rutan med mr Nicholls telefon.

"Lara. Italienska. Modell."

"Modell." Mamma lade upp ett riktigt gapskratt. "Naturligtvis."

"Och vad ska det betyda?" sa mr Nicholls surt.

"Män som du ska alltid ha modeller."

Mamma knep ihop läpparna.

"Vad menar du med män som jag?"

"Rika män."

"Jag är inte rik."

Mamma skakade på huvudet. "Nähä."

"Det är jag inte."

"Det beror på hur man definierar rik."

"Jag har sett rikedom. Jag är inte rik. Jag har det bra, ja, men jag är inte rik."

Mamma vände sig mot honom. Han visste inte vem han hade att göra med. "Har du mer än ett hus?"

Han blinkade och svängde. "Det kanske jag har."

"Har du mer än en bil?"

Han sneglade på henne. "Ja."

"Då är du rik."

"Nej, rik är privatjet och yacht. Rik är personal."

"Och vad tycker du att jag är?"

Mr Nicholls skakade på huvudet. "Inte personal. Du är ..."

"Vad?"

"Jag försöker bara föreställa mig din min om jag skulle referera till dig som min 'personal'."

Mamma började skratta. "Min kvinnliga betjänt. Min piga."

"Ja, eller det. Och hur skulle du definiera rik?"

Mamma fiskade upp ett äpple ur påsen och bet i det. Hon tuggade en stund innan hon svarade. "Rik är att betala alla sina räkningar i tid utan att tänka på det. Rik är att kunna åka på semester eller fira jul utan att tulla på januari- och februaripengarna. Rik är att inte behöva tänka på pengar hela jävla tiden."

"Alla tänker på pengar. Till och med de rika."

"Ja, men ni tänker på vad ni ska göra med era pengar för att få mer pengar. Medan jag tänker på hur vi ska få ihop tillräckligt för att klara oss en vecka till."

Mr Nicholls gjorde ett hrrmpf-ljud. "Jag fattar inte att jag kör dig till Skottland och ändå bråkar du med mig för du har fått för dig att jag är någon sorts Donald Trump."

"Jag bråkar inte."

"Nähä."

"Jag påpekar bara att det är skillnad på din definition av rik och det som verkligen innebär att man är rik."

Det blev jobbigt tyst. Mamma rodnade som om hon hade sagt för mycket och började ljudligt äta på sitt äpple. Hade det varit Tanzie hade hon blivit tillsagd att inte smaska. Tanzie slutade tänka på strumppermutationer. Hon ville inte att mamma och mr Nicholls skulle sluta prata med varandra, de hade haft det så trevligt hittills. Hon stack fram huvudet mellan sätena. "Jag läste någonstans att för att tillhöra den översta percentilen i landet måste man tjäna mer än etthundrafyrtiotusen pund om året", sa hon hjälpsamt. "Om mr Nicholls inte tjänar så mycket då är han antagligen inte rik." Hon log och lutade sig tillbaka.

Mamma såg på mr Nicholls. Hon fortsatte att se på honom. Mr Nicholls drog med handen över huvudet. "Vad säger ni?" sa han efter en stund. "Ska vi inte stanna och ta en kopp te?"

Moreton Marston såg ut som ett vykort, som skapat för turister. Allt var byggt av samma slags gråa sten och var jättegammalt, alla hade perfekt skötta trädgårdar, det kröp klätterväxter med små blå blommor över alla murar och i perfekt arrangerade korgar slingrade sig gröna blad. Det var som något ur en sagobok. Butikerna såg ut som på julkort. På torget stod en kvinna i viktorianska kläder och sålde bullar ur en korg och turisterna gick i klungor och tog bilder på allt. Tanzie var så upptagen med att titta ut genom fönstret att hon först inte lade märke till Nicky. Det var först när de stannade på en parkeringsplats som hon lade märke till att han blivit likblek. Hon frågade om det var revbenet som gjorde ont, men han sa nej, och när hon frågade om det hade fastnat ett äpple i hans byxor som han inte kunde fiska upp sa han "Sluta, Tanze. Lägg ner." Men sättet han sa det på tydde på att det visst var någonting. Tanzie tittade på mamma, men hon var fullt upptagen med att inte titta på mr Nicholls. Och mr Nicholls hade fullt upp med att hitta den bästa parkeringsplatsen. Norman såg upp mot Tanzie med en blick som sa "Fråga inte ens."

Alla klev ur bilen och sträckte på sig och mr Nicholls sa att han ville bjuda på fika och att mamma inte skulle bråka om saken eftersom det bara var fika. Mamma lyfte på ögonbrynen som om hon skulle säga något, sedan muttrade hon bara tack – men inte särskilt artigt.

De satte sig på ett kafé som hette Ye Spotted Sowe Tea Shoppe, trots att Tanzie kunde slå vad om att det inte fanns några kaféer på medeltiden. Ingen annan tycktes reagera på det. Nicky gick på toa. Mamma och mr Nicholls stod vid disken, så hon tog upp mr Nicholls telefon och det första som kom upp var Nickys Facebooksida. Hon avvaktade lite eftersom Nicky alltid blev så irriterad när folk rotade bland hans saker, men när hon var säker på att han var inne på toaletten drog hon upp storleken på texten så att hon kunde läsa. Hon blev alldeles iskall. På Nickys Facebooksida hade Jason Fisher lagt upp bilder på män som gjorde snuskiga saker med andra män. De kallade honom för "bög" och "fjolla" och även om Tanzie inte riktigt förstod vad orden betydde förstod hon att det var något elakt och hon mådde illa. Hon tittade upp och såg mamma komma med en bricka.

"Tanzie! Var försiktig med mr Nicholls telefon."

Telefonen låg vid kanten av bordet. Hon ville inte röra den. Hon undrade om Nicky grät inne på toaletten. Det skulle hon ha gjort.

När hon tittade upp märkte hon att mamma stirrade på henne. "Vad är det?"

"Ingenting."

Hon sjönk ner på stolen och sköt en assiett med en orange cupcake över bordet. Tanzie var inte sugen längre, trots att det var strössel på den.

"Tanze. Vad är det? Säg något."

Hon sköt långsamt telefonen över träbordet med fingertopparna, som om den brändes. Mamma rynkade pannan och tryckte på telefonen. Hon stirrade på skärmen. "Herregud", sa hon efter en stund.

Mr Nicholls satte sig bredvid henne. På sin tallrik hade han den största tårtbit Tanzie någonsin sett. "Alla nöjda?" frågade han. Han såg nöjd ut.

"De jävlarna", sa mamma med tårar i ögonen.

"Va?" Mr Nicholls hade munnen full av chokladtårta.

"Är det samma sak som pervers?"

Mamma verkade inte höra. Hon sköt bak stolen med ett

högt skrapljud och började gå mot toaletterna.

"Det är herrarnas", sa en dam när mamma sköt upp dörren.

"Tack, jag kan läsa", sa mamma och försvann in.

"Vad är det som händer?" Mr Nicholls försökte svälja tuggan. Han såg efter mamma. När Tanzie inte svarade tog han upp telefonen och slog på den. Han stirrade. Sedan vred han hit och dit på skärmen som för att läsa allt. Det tyckte Tanzie kändes konstigt; som om han inte borde se det där.

"Är det ... har det här något att göra med vad som hände din bror?"

Hon ville gråta. Det kändes som om Fishers hade förstört en så bra dag. Det var som om de hade förföljt dem dit, som om de aldrig kunde undkomma dem. Hon fick inte fram ett ord.

"Men du ...", sa han när en stor tår droppade ner på bordet. "Här." Han höll fram en servett och Tanzie torkade ögonen, och när hon inte kunde hålla tillbaka snyftningen som vällde upp inom henne flyttade han sig runt bordet och satte sig bredvid henne. Han lade en arm runt henne och drog henne intill sig i en kram. Han var stor och rejäl och luktade citron och man. Hon hade inte känt den lukten sedan pappa flyttade och det gjorde henne ännu ledsnare.

"Du ... gråt inte."

"Förlåt."

"Du behöver inte be om ursäkt. Jag skulle också gråta om någon gjorde så mot min syster. Det där är ... det är ..." Han stängde ner telefonen. "Jävlar." Han skakade på huvudet och suckade. "Gör de ofta så mot honom?"

"Jag vet inte." Hon snyftade. "Han säger inte så mycket längre."

Mr Nicholls väntade tills hon hade slutat gråta, sedan beställde han en varm choklad med marshmallows, riven choklad och extra vispgrädde. "Det här botar allt", sa han och ställde den framför henne. "Lita på mig. Sådant kan jag."

Och det konstiga var att han faktiskt hade rätt.

Tanzie hade hunnit dricka upp sin choklad och äta upp kakan innan mamma och Nicky kom tillbaka från toan. Mamma log som om allt var frid och fröjd och hade ena armen om Nickys axlar, vilket i och för sig såg lite konstigt ut eftersom Nicky var ett halvt huvud längre än hon. Han gled ner bredvid henne och stirrade på sin kaka. Tanzie tittade på mr Nicholls som såg på Nicky och hon undrade om han skulle säga något om det som fanns på telefonen, men det gjorde han inte. Han kanske inte ville genera honom, tänkte Tanzie. Deras trevliga dag var i vilket fall som helst förstörd.

Mamma gick ut för att titta till Norman som stod bunden utanför och mr Nicholls beställde påtår. Han rörde långsamt runt i kaffet som om han funderade på något. Han satt med nedböjt huvud och såg upp på Nicky. "Vet du hur man hackar sig in i någons dator, Nicky?" frågade han lågt.

Hon fick en känsla av att det inte var meningen att hon skulle höra något, så hon stirrade envetet ner i sina ekvationer.

"Nej", sa Nicky.

Mr Nicholls lutade sig fram och sänkte rösten. "Då tror jag att det är dags att du lär dig det."

"Var är de?" frågade mamma när hon kom tillbaka och såg sig runt i lokalen.

"De gick bort till bilen. Mr Nicholls sa att de inte ville bli störda." Tanzie tuggade på pennan.

Mammas ögonbryn sköt upp i hårfästet.

"Mr Nicholls sa att du skulle göra så där. Han sa att jag skulle hälsa att han tar hand om det. Facebook-grejen."

"Vad ska han göra? Hur då?"

"Han sa att du skulle fråga det också." Hon suddade ut en tvåa som mest liknade en femma och blåste bort suddresterna. "Han sa att du skulle ge dem tjugo minuter. Han har beställt in en till kopp te till dig och hälsade att du skulle beställa något till medan vi väntar. De kommer tillbaka och hämtar oss när de är klara. Och han hälsar att chokladtårtan är jättegod."

Mamma tyckte inte om det. Tanzie fortsatte med sina tal tills hon var nöjd med svaren, medan mamma skruvade på sig oroligt och ideligen tittade ut genom fönstret. Hon öppnade munnen som för att säga något men stängde den igen. Hon åt ingen chokladtårta. Hon rörde inte femman som mr Nicholls hade lämnat på bordet och Tanzie lade ett suddgummi på den eftersom hon var rädd att den skulle fladdra iväg i draget när någon öppnade dörren.

Till slut, när personalen började sopa golvet tillräckligt nära dem för att de skulle uppfatta markeringen, öppnades dörren. Det pinglade i en liten klocka när mr Nicholls och Nicky kom in. Nicky hade händerna nedkörda i fickorna och håret hängande i ögonen, men han hade ett flin i ansiktet.

Mamma reste sig upp och såg från den ene till den andre. Man märkte på henne att hon verkligen ville säga något, men hon visste inte vad.

"Provade du deras chokladtårta?" frågade mr Nicholls. Han såg lika oberörd ut som en programledare i ett frågesportprogram på tv.

"Nej."

"Det var synd. Den var fantastiskt god. Tack så mycket! Era tårtor är bäst!" ropade han till kvinnan bakom disken som blev alldeles stirrig och rosa om kinderna. Sedan vände mr Nicholls och Nicky på klacken och gick ut igen; de gick bredvid varandra som om de var gamla kompisar och Tanzie och mamma fick plocka ihop alla saker och skynda efter dem.

NICKY

En gång hade han läst en artikel i en tidning om en hårlös babian. Hennes hud var inte svart, som man skulle kunna tro, utan snarare fläckig i rosa och svart. Hon hade svart-kantade ögon, som om hon hade en cool eyeliner, och hennes ena bröstvårta var lång och rosa, den andra svart; som en apliknande David Bowie med tuttar.

Men hon var helt ensam. Det visade sig att babianer inte tycker om olikheter. Inte en enda babian kunde tänka sig att vara med henne. På den ena bilden efter den andra såg man henne ensam, på jakt efter mat, naken och sårbar. De andra babianerna förstod att hon också var en babian, men deras avsky för avvikelser var starkare än deras genetiska behov av sammanhållning.

Nicky tänkte ganska ofta på det där. Det fanns inget sorgligare än en ensam, hårlös babian.

Mr Nicholls skulle förstås hålla en föreläsning om riskerna med sociala medier eller säga att han måste anmäla det till skolan eller polisen eller något. Men han öppnade bildörren, tog fram sin laptop ur bagageutrymmet, anslöt den till laddaren bredvid växelspaken och stoppade in en usb-sticka och kopplade upp sig till det mobila bredbandet.

"Jaha", sa han medan Nicky gled in bredvid honom i passagerarsätet. "Berätta allt du vet om den här sötnosen. Syskon, födelsedag, husdjur, adress ... allt du vet."

"Va?"

"Vi måste lista ut hans lösenord. Kom igen – vad vet du?"

De satt på parkeringsplatsen. Det fanns inget klotter,

inga kvarlämnade kundvagnar. Det här var ett sådant ställe där folk faktiskt gick flera mil för att lämna tillbaka en kundvagn. Nicky kunde svära på att de hade en sådan där skylt med "Grevskapets finaste by", eller liknande. En gråhårig dam lastade sin bil intill deras, hon fångade hans blick och log. Hon log. Eller så log hon åt Norman, vars stora huvud hängde över Nickys axel.

"Nicky?"

"Ja. Jag tänker." Han berättade allt han visste om familjen Fisher. Deras adress, systerns namn, mammans. Han visste när Jason fyllde år; det var bara tre veckor sedan och hans pappa hade köpt honom en fyrhjuling som han hade kört sönder på mindre än en vecka.

Mr Nicholls knattrade på tangenterna. "Nej. Nej. Kom igen. Det måste finnas något annat. Vad gillar han för musik? Vilket lag håller han på? Aha, titta, han har en hotmailadress. Bra, den skriver vi in."

Inget funkade. Sedan kom Nicky på en sak. "Tulisa. Han gillar Tulisa, sångerskan."

Mr Nicholls skrev in det, sedan skakade han på huvudet.

"Försök med Tulisas röv", sa Nicky.

Mr Nicholls skrev. "Näe."

"Jagknulladetulisa. Ett ord."

"Nix."

"Tulisa Fisher."

"Mmm… nej. Fast det var ett bra försök."

De satt tysta och funderade.

"Du skulle kunna prova med hans namn", sa Nicky.

Mr Nicholls skakade på huvudet. "Ingen är så dum att han har sitt eget namn som lösenord."

Nicky såg på honom. Mr Nicholls skrev något, sedan stirrade han på skärmen. "Det var som fan." Han lutade sig tillbaka. "Du är en naturbegåvning."

"Vad tänker du göra?"

"Vi ska leka lite med Jason Fishers Facebooksida. Fast jag ska nog inte göra det själv. Jag … öh … kan inte ta några risker med min IP-adress för tillfället. Men jag vet någon som kan." Han slog ett nummer.

"Men kommer han inte förstå att det är jag?"

"Hur då? Vi är i princip han just nu. Det finns inget som kan spåras till dig. Han kommer kanske inte ens att märka det. Vänta. Jez? … Hej, det är Ed … ja, jo … Jag ligger lågt, flyger under radarn ett tag. Skulle du kunna göra mig en tjänst? Det tar inte mer än fem minuter."

Nicky hörde honom avslöja Jason Fishers lösenord och mejladress till den här Jez. Han sa att Fisher hade "orsakat problem" för en vän. Han sneglade på Nicky när han sa det. "Du kan väl skoja till det lite. Titta på hans sida, du fattar direkt vad det är för en typ. Jag skulle göra det själv, men jag måste hålla händerna på täcket just nu. Jag förklarar nästa gång vi ses. Tack för hjälpen."

Nicky kunde inte begripa att det var så enkelt. "Kommer han inte att hacka sig in på min sida nu?"

Mr Nicholls lade ifrån sig telefonen. "Jag tänker sticka ut hakan här, men en kille som inte ens fattar att man inte använder sitt eget namn som lösenord har inte särskilt avancerade datakunskaper."

De satt i bilen och väntade och uppdaterade Jason Fishers sida med jämna mellanrum. Och plötsligt började saker hända, som genom ett trollslag. Fisher var en sådan gris. Hela hans vägg var full med vilka brudar från skolan han skulle "sätta på", det var slyna hit och slampa dit och det var mycket snack om hur han hade pucklat på i princip alla utanför sitt eget gäng. Hans meddelanden gick i ungefär samma stil. Nicky hann uppfatta ett meddelande där hans eget namn förekom, men mr Nicholls läste det snabbt och skrollade vidare. "Det där behöver du kanske inte läsa." Enda gången Fisher inte lät som ett praktsvin var när han chattade med Chrissy Taylor och sa att han verkligen gillade henne och frågade om hon inte hade lust att komma förbi. Hon lät inte jätteintresserad men han fortsatte att skicka meddelanden till henne. Han sa att han skulle bjuda henne på något flott ställe och att han kunde låna sin pappas bil (det kunde han inte – han var inte myndig). Han sa att hon var den snyggaste tjejen i skolan och att hon förvred huvudet på honom, och om hans kompisar skulle veta om det skulle de tro att han var "psykad".

"Vem sa att romantiken var död?" muttrade mr Nicholls.

Sedan började det. Jez messade två av Fishers kompisar och skrev att han hade blivit pacifist och inte ville umgås med dem mer. Han skickade ett meddelande till Chrissy och sa att han fortfarande gillade henne, men att han hade åkt på någon idiotisk infektion som doktorn sa att han måste ta medicin mot, men att han skulle vara hel och ren och frisk till deras dejt.

"Jösses." Nicky skrattade så det gjorde ont i bröstkorgen. "Shit!"

"Jason" talade om för en annan tjej som hette Stacy att han gillade henne och att hans mamma hade skaffat honom lite snygga kläder ifall hon ville gå ut med honom. Sedan skickade han samma meddelande till en annan tjej som hette Angela och som han en gång hade kallat svettapa. Och Jez raderade ett nytt meddelande från Danny Kane som skrev att han hade biljetter till en viktig fotbollsmatch, men att han måste få besked under dagen. Vilket var i dag.

Han bytte Fishers profilbild mot en bild på en skriande åsna. Mr Nicholls tittade på skärmen, sedan tog han upp sin telefon. "Vänta, vi behåller hans gamla bild", sa han till Jez.

"Varför då?" undrade Nicky när han lagt på luren. Åsnan hade varit fantastisk.

"Bättre att vara lite mer subtil. Om vi håller oss till hans meddelanden är det möjligt att han inte kommer att märka något på ett tag. Vi skickar dem och sedan raderar vi dem. Vi stänger av hans notifikationer. Då kommer hans kompisar och de här tjejerna bara tycka att han är ännu konstigare som inte svarar. Och han kommer inte att begripa någonting. Det är det som är poängen."

Det var helt otroligt. Tänk att man kunde stöka till det för Fisher bara så där.

Jez ringde tillbaka och sa att han hade loggat ut och de stängde ner Facebook. "Var det allt?" frågade Nicky.

"Tills vidare. Vi driver bara lite med honom. Men visst känns det lite bättre? Och Jez har städat upp på din sida och tagit bort det där som Fisher lade upp."

Det var lite pinsamt, men när Nicky andades ut skälvde han till. Det kändes faktiskt bättre. Det hade inte löst något, men det var skönt att inte alltid behöva dra det kortare strået.

Han drog i linningen på sin T-shirt tills andningen blivit stabil igen. Det var möjligt att mr Nicholls förstod, för han stirrade ut genom fönstret som om det fanns något intressant att titta på där ute trots att det enda som fanns var bilar och pensionärer.

"Varför gör du allt det här? Hackar in på Facebook och kör oss hela vägen till Skottland. Du känner ju inte ens oss."

Mr Nicholls fortsatte att titta ut genom fönstret en stund till och det var som om han glömde bort vem han pratade med. "Jag känner att jag är skyldig din mamma det. Och jag gillar inte översittare. De fanns före din tid också."

Mr Nicholls fortsatte att stirra ut genom fönstret och plötsligt blev Nicky rädd att han skulle försöka få Nicky att prata om saker. Att han skulle göra som skolkuratorn som betedde sig som om de var vänner och som bedyrade att allt han sa skulle "stanna mellan oss" tills det nästan lät läskigt.

"Jag vill bara säga en sak."

Nu kommer det, tänkte Nicky. Han torkade av axeln där Norman hade dreglat.

"Alla jag någonsin har träffat som verkligen betyder något var lite annorlunda i skolan. Du måste bara hitta din sort."

"Hitta min sort?"

"Din stam."

Nicky gjorde en min.

"Jamen, du vet. Man känner hela livet att man inte hör hemma någonstans. Sedan kliver man in i ett rum en vacker dag, det kan vara på universitetet, jobbet eller någon klubb, och plötsligt är de bara där. Man är hemma."

"Jag känner mig inte hemma någonstans."

"Inte än."

Nicky funderade. "Var hittade du din stam?"

"Datorrummet på universitetet. Jag var en klassisk nörd. Det var där jag träffade min bäste vän Ronan. Och sedan … på mitt företag." Han såg plötsligt nedslagen ut.

"Men jag är fast där tills jag går ut skolan. Och det finns inget sådant där vi bor, inga stammar." Nicky drog ner luggen över ögonen. "Man dansar efter Fishers pipa eller håller sig undan."

"Försök hitta din sort på nätet."

"Hur då?"

"Jag vet inte. Leta efter grupper online … folk som är intresserade av samma saker som du. Har samma livsstil."

Nicky såg på honom. "Du tror också att jag är gay."

"Jag tror ingenting. Jag säger bara att Internet är stort. Det finns alltid någon som delar ens intressen, någon vars liv påminner om ens eget."

"Ingen har det som jag."

Mr Nicholls slog igen sin laptop och stoppade ner den i fodralet. Han drog ut alla sladdar och såg bort mot kaféet.

"Vi borde gå tillbaka. Din mamma undrar säkert vad vi håller på med." Han öppnade dörren, sedan vände han sig om. "Du kan alltid börja blogga."

"Blogga?"

"Du behöver inte använda ditt riktiga namn. Men det är ett bra sätt att prata om vad som pågår i ditt liv. Få med några nyckelord och folk kommer att hitta dig. Folk som du, menar jag."

"Folk som använder mascara. Och som varken gillar fotboll eller musikaler."

"Och som har enorma, illaluktande hundar och systrar

som är mattegenier. Jag slår vad om att det finns minst en till sådan person." Han tänkte efter. "Kanske i Hoxton. Eller Tupelo."

Nicky drog lite mer i luggen och försökte täcka för sitt blåmärke som nu hade börjat skifta i en hysterisk gul nyans. "Tack, men bloggar är inte riktigt min grej. Bloggar är för medelålders kvinnor som skriver om skilsmässor och katter. Eller för nagellacksfanatiker."

"Det var bara ett förslag."

"Har du en blogg?"

"Nej." Han klev ur bilen. "Men jag är inte mycket för att prata." Nicky följde efter honom. Mr Nicholls höll fram nyckeln och bilen låstes med ett dyrt och dovt klick. "Och förresten", sa han med låg röst. "Glöm att vi har haft det här samtalet. Det skulle inte falla så väl ut om det framkom att jag lär minderåriga hur man hackar sig in i andras datorer."

"Jess skulle inte bry sig."

"Jag menar inte bara Jess."

Nicky höll fast hans blick. "Första regeln i Nördklubben: Det finns ingen Nördklubb."

"Strumpproblemet", sa Tanzie när de korsade parkeringen för att möta upp de andra. Hon höll upp en nedklottrad servett. "Jag löste det. Om man har N antal strumpor måste man addera ett antal bråk med ett genom N upphöjt till N." Hon rättade till glasögonen.

"Rätt på första försöket. Det är precis vad jag skulle föreslå", sa mr Nicholls. Och mamma och Nicky såg på dem som om de kom från en annan planet.

KAPITEL SEXTON

TANZIE

Ingen var sugen på att sätta sig i bilen igen. Nyhetens behag hade hunnit lägga sig, även om de åkte i en exklusiv bil som mr Nicholls. Det här, konstaterade mamma, skulle bli den längsta dagen. Alla skulle sätta sig tillrätta och se till att ha gått på toaletten innan, för mr Nicholls ville hinna ända till Newcastle där han hade hittat ett B&B som tog emot hundar. De beräknade att vara framme klockan tio på kvällen. Efter det borde det inte ta mer än en dag att komma till Aberdeen. Mr Nicholls skulle hjälpa dem att hitta ett ställe nära universitetet där de kunde bo, sedan skulle Tanzie vila ut och ställa upp i mattetävlingen dagen därpå. Han såg på Tanzie. "Om du inte har vant dig vid bilåkandet så pass att du kan tänka dig att låta mig köra fortare än sextio."

Hon skakade på huvudet.

"Nähä", sa han lite modfällt.

Han fick syn på baksätet och satte nästan i halsen. Några chokladknappar hade råkat smälta på det gräddfärgade skinnsätet och golvet var täckt av smuts och grus som de dragit in från skogen. Mr Nicholls fångade Tanzies blick och log lite halvhjärtat, som om det inte spelade så stor roll, trots att det antagligen gjorde det. Han satte sig bakom ratten.

"Jaha, då åker vi", sa han och vred om nyckeln.

Ingen sa något på en timme. Mr Nicholls lyssnade på ett teknikprogram på radion och mamma läste en av sina böcker. Ända sedan biblioteket hade stängt köpte hon två pocketböcker i veckan i en second hand-butik, men hon brukade bara hinna läsa en.

Eftermiddagen kröp fram och regnet vräkte ner i tunga stråk. Tanzie stirrade ut genom fönstret och försökte lösa mattetal i huvudet, men det var svårt att koncentrera sig när man inte såg uträkningarna framför sig. Klockan var närmare sex när Nicky började skruva på sig som om han inte kunde sitta still.

"När ska vi stanna?"

Mamma hade nickat till. Nu satte hon sig upprätt och försökte låtsas som ingenting. Hon tittade på klockan.

"Tio över sex", sa mr Nicholls.

"Kan vi stanna och äta?" sa Tanzie.

"Jag skulle behöva röra på mig. Det börjar göra ont i revbenen."

"Vi letar rätt på något ställe", sa mr Nicholls. "Vi kan göra en avstickare till Leicester och äta indiskt."

"Jag föredrar smörgåsar", sa mamma. "Vi har inte tid att sitta ner och äta."

Mr Nicholls körde genom en liten stad, sedan en till och följde skyltarna till ett köpcentrum. Det hade börjat skymma. Audin kröp fram genom området och stannade till slut vid en mataffär. Mamma klättrade ut med en suck och sprang in. De såg henne genom de regnvåta fönstren, hon stod vid kyldisken och lyfte upp saker och lade tillbaka.

"Varför köper hon inte de färdiga?" muttrade mr Nicholls och såg på klockan. "Det skulle ta två minuter."

"För dyrt", sa Nicky. "Dessutom vet man aldrig vem som har petat i dem. Förra året hade Jess jobbat tre veckor med att göra smörgåsar åt en stormarknad. Hon berättade att kvinnan som stod bredvid henne petade sig i näsan medan hon strimlade kyckling till Ceasarwrapsen."

Mr Nicholls tystnade.

"Fem mot en att hon köper lågprisskinka", sa Nicky och följde henne med blicken.

"Lågprisskinka ger bara två mot en", sa Tanzie.

"Jag vågar slå vad om att hon köper färdigskivad ost", sa mr Nicholls. "Vad får jag för odds?"

"Inte tillräckligt specifikt", sa Nicky. "Du måste välja Dairylea eller ett billigare lågprismärke, typ kedjans egna orangefärgade skivade ost. Antagligen med ett fantasinamn."

"Lillgårdens delikata cheddar."

"Storgårdens jättegoda cheddar."

"Fy, vad äckligt det låter."

"Gamgaltsskinka."

"Äh, sluta nu. Så illa är det inte", sa mr Nicholls.

Tanzie och Nicky började skratta.

Mamma öppnade dörren och höll upp kassen. "Jaha", sa hon glatt. "De hade extrapris på tonfiskpastej. Vem vill ha en macka?"

"Du vill aldrig ha våra mackor", sa mamma när mr Nicholls körde vidare.

Mr Nicholls slog på blinkersen och körde ut på vägen. "Jag tycker inte om dem. De påminner mig om skolan."

"Vad brukar du äta?" Mamma mumsade på en smörgås. Inom loppet av några minuter luktade det fisk i hela bilen.

"I London? Toast till frukost. Sushi eller nudlar till lunch. På kvällen beställer jag takeaway från ett ställe i närheten."

"Äter du hämtmat? Varje dag?"

"Om jag inte går ut och äter."

"Hur ofta går du ut?"

"För närvarande? Inte alls."

Mamma tittade menande på honom.

"Ja ja, bortsett från när jag går ut på din pub och dricker mig full."

"Äter du verkligen samma sak varje dag?"

Nu såg mr Nicholls lite generad ut. "De har en massa rätter att välja på."

"Det måste kosta en förmögenhet. Vad gör du när du bor på Beachfront?"

"Hämtmat."

"Från Raj?"

"Ja. Känner du till det?"

"Ja, det kan man säga."

Det blev tyst i bilen.

"Vadå?" sa mr Nicholls. "Går du aldrig dit? Är det för dyrt? Du kommer säkert säga att det är jätteenkelt att laga bakpotatis. Men jag gillar inte bakpotatis. Jag gillar inte smörgåsar. Och jag gillar inte att laga mat." Det kanske berodde på att han var hungrig, men plötsligt lät han lite grinig.

Tanzie lutade sig fram mellan sätena. "En gång hittade Nathalie ett hårstrå i sin Chicken Jalfrezi."

Mr Nicholls öppnade munnen för att säga något, men hon hann före. "Och det var inte från någons huvud."

De passerade tjugotre gatlyktor.

"Det finns en gräns för hur mycket man kan noja över saker", sa mr Nicholls.

Någonstans efter Nuneaton började Tanzie mata Norman med bitar av sin smörgås. Tonfiskpastejen smakade inte riktigt tonfisk och brödet klibbade hela tiden fast i gommen. Mr Nicholls körde in på en bensinmack.

"Deras smörgåsar är oätbara", sa mamma och tittade mot kiosken. "De har säkert legat i veckor."

"Jag tänkte inte köpa en smörgås."

"Tror ni att de har pajer?" undrade Nicky och kikade ut genom fönstret. "Jag älskar pajer."

"Ännu värre. De är säkert fyllda med hundkött."

Tanzie höll för Normans öron.

"Ska du gå in?" frågade mamma mr Nicholls och började rota i handväskan. "Kan du köpa lite choklad till de här två? Ett undantag."

"Kan jag få en Crunchie?" sa Nicky och såg genast lite gladare ut.

"En Aero mint till mig, tack", sa Tanzie. "Kan jag få en stor?"

Mamma höll fram handen. Men mr Nicholls tittade

bort åt höger. "Kan du gå in och handla själv? Jag ska bara springa över på andra sidan vägen."

"Vart ska du?"

Han klappade sig på magen och såg plötsligt nöjd ut. "Dit."

På Keiths Kebab fanns sex plaststolar fastnitade i golvet, fönstret hade man dekorerat med fjorton burkar Cola Light och på neonskylten utanför saknades första b:et. Tanzie kikade ut genom bilrutan och såg mr Nicholls nästan studsa in i den lysrörsupplysta lokalen. Han läste på skylten bakom disken, sedan pekade han på ett stort, brunt köttstycke som långsamt roterade på ett spett. Tanzie undrade vilket djur som hade den formen, det enda hon kunde komma på var buffel. En amputerad buffel, kanske.

"Åh", sa Nicky längtansfullt när mannen började skära långsmala remsor av köttet. "Kan inte vi också få?"

"Nej", sa mamma.

"Mr Nicholls skulle säkert bjuda oss om vi frågade", sa han.

Mamma fräste till. "Mr Nicholls gör redan mer än tillräckligt för oss. Vi ska verkligen inte snylta på honom mer än vi redan gör."

Nicky himlade med ögonen åt Tanzie. "Okej", sa han trumpet.

Och sedan sa ingen något på ett tag.

"Förlåt", sa mamma efter en stund. "Jag vill bara inte … att han tror att vi utnyttjar honom."

"Men är det att utnyttja någon om man blir bjuden?" undrade Tanzie.

"Ta ett äpple om ni är hungriga. Eller en frukostmuffin. Vi har nog några kvar."

Nicky såg upp utan att säga ett ord. Tanzie suckade lågt.

Mr Nicholls öppnade dörren och bilen fylldes av doften av varmt, fett kött; han hade en kebab invirad i ett vitt, flottigt papper. Snålvattnet hängde ur Normans mungipor som två gummiband. "Säkert att ni inte vill smaka?" frågade han glatt och vände sig mot Nicky och Tanzie. "Jag har bara haft lite chilisås på."

"Tack det var snällt, men vi ska inte ha", sa mamma bestämt och kastade en varnande blick på Nicky.

"Nej tack", sa Tanzie lågt. Det doftade ljuvligt.

"Nej tack", sa Nicky och vände bort huvudet.

Nuneaton, Market Bosworth, Coalville, Ashby de la Zouch; skyltarna for förbi som i ett töcken. Det kunde lika gärna stått Zanzibar eller Tanzania, vad Tanzie anbelangade. Hon hade ingen aning om var de var. Hon kom på sig själv med att upprepa *Ashby de la Zouch, Ashby de la Zouch*, och hon tänkte att det skulle vara ett bra namn. *Hej, vad heter du? Jag heter Ashby de la Zouch. Hej Ashby! Coolt namn.* Costanza Thomas bestod också av fem stavelser, men det hade inte samma melodi. Hon funderade på *Costanza de la Zouch*, det hade sex stavelser, och sedan på Ashby Thomas, men det lät verkligen tråkigt i jämförelse.

Costanza de la Zouch.

Mamma läste igen, hon hade en liten lampa tänd, och mr Nicholls skruvade och vred på sig i sätet ända tills han sa, "Kartan … kan du se om det kommer någon restaurang snart längs vägen?"

De var tillbaka på landsvägen och hade kört 389 lyktstolpar. I vanliga fall var det någon av dem som ville stanna för en paus. Tanzie blev snabbt törstig och måste dricka, och sedan måste hon förstås kissa hela tiden. Norman gnydde var tjugonde minut, men de visste aldrig om han verkligen måste gå eller om han bara var uttråkad – som alla andra – och ville ut och nosa runt lite.

"Fortfarande hungrig?" frågade mamma.

"Nej. Jag … måste gå på toa."

Mamma återvände till sin bok. "Bry dig inte om oss. Ställ dig bakom ett träd."

"Inte det", muttrade han.

"Jaha, okej, Kegworth verkar vara närmsta stad. Där måste det finnas något. Annars kan vi åka ut på motorvägen och stanna vid en rastplats."

"Hur långt?"

"Tio minuter, kanske?"

"Okej." Han nickade, nästan för sig själv. "Tio minuter går bra." Han var märkligt blek och blank i ansiktet. "Jag klarar tio minuter."

Nicky hade hörlurarna i och lyssnade på musik. Tanzie klappade Normans stora, mjuka öron och funderade på strängteori. Plötsligt krängde bilen till när mr Nicholls svängde in på en parkeringsficka. Alla flög fram. Norman rullade nästan ner på golvet. Mr Nicholls tryckte upp dörren och sprang runt bilen, och när hon vred på sig såg hon honom stå framåtlutad vid ett dike med ena handen stödd mot knäet och kräkas våldsamt. Det var omöjligt att inte höra honom ens med stängda fönster.

De stirrade.

"Jäklar", sa Nicky. "Det är inte lite som kommer upp. Det är som ... rena Alien."

"Åh herregud", sa mamma.

"Äckligt", sa Tanzie och kikade ut genom bakrutan.

"Snabbt", sa mamma. "Var är hushållsrullen?"

De såg efter henne när hon gick ut för att hjälpa mr Nicholls. Han stod dubbelvikt. När hon såg dem stirra ut genom fönstret viftade hon med handen att de skulle vända sig om och inte glo, trots att hon själv precis hade gjort samma sak.

"Är du fortfarande sugen på en kebab?" sa Tanzie till Nicky.

"Du är ond", sa Nicky och ryste.

Mr Nicholls återvände till bilen på darriga ben, som någon som just lärt sig gå. Han var gulblek i ansiktet och hyn var täckt av små svettpärlor.

"Du ser hemsk ut", sa Tanzie till honom.

Han sjönk försiktigt ner på sätet. "Jag mår bättre nu", viskade han. "Nu borde det bli bättre."

Mamma sträckte sig bak mellan sätena och mimade *plastpåse*. "Bara för säkerhets skull", sa hon hurtigt och öppnade sin ruta en aning.

Mr Nicholls krypkörde ett par kilometer till. Han körde så långsamt att två bilar blinkade med helljusen och den ene tutade ilsket när han körde om dem. Ibland råkade han glida över de vita strecken på vägen som om han inte var fullt koncentrerad på körningen, men Tanzie uppfattade mammas sammanbitna tystnad och valde att inte kommentera det.

"Hur långt är det kvar?" muttrade mr Nicholls.

"Inte långt", svarade mamma trots att hon antagligen inte hade en susning. Hon klappade honom på armen som om han var ett barn. "Det går jättebra."

Han såg på henne med en plågad min.

"Håll ut", sa hon lågt och det lät som en instruktion.

De hann inte mer än en kilometer till. "Åh gud", sa han och tvärnitade igen. "Jag måste …"

"Pub!" gastade mamma och pekade på en skylt som nätt och jämt gick att urskilja i utkanten av nästa by. "Titta! Du klarar det."

Mr Nicholls trampade gasen i botten så att Tanzie trycktes bakåt i sätet. Han sladdade in på parkeringen, kastade upp dörren, stapplade ut och rusade in på puben.

De satt kvar i bilen och väntade. Det var så tyst att de hörde motorn ticka.

Efter fem minuter sträckte sig mamma fram och drog igen dörren på förarsidan för att hålla kvar värmen i bilen. Hon log mot dem. "Hur smakade din Aero?"

"Gott."

"Jag gillar också Aero."

Nicky blundade och nickade i takt med musiken.

En man körde in på parkeringen, bredvid honom satt en kvinna med en högt uppsatt hästsvans och stirrade på dem.

Mamma log mot henne, men kvinnan log inte tillbaka.

Det gick tio minuter.

"Ska jag gå in och hämta honom?" Nicky plockade ut hörsnäckorna och tittade på klockan.

"Bäst att låta honom vara", sa mamma. Hon började vippa med foten.

Det gick tio minuter till. Och så äntligen, efter att Tanzie rastat hunden ett varv på parkeringsplatsen och mamma gjort stretchövningar bakom bilen eftersom, som hon sa, kroppen var helt mörbultad och ur led, dök mr Nicholls upp.

Han var blekare än vad Tanzie någonsin hade sett någon vara, han var vit som papper. Som om någon hade suddat ut hans drag med ett billigt suddgummi.

"Jag tror att vi kanske måste stanna här ett tag", sa han.

"På puben?"

"Nej, inte puben", sa han och kastade en blick över axeln. "Definitivt inte puben. Kanske … kanske någonstans i närheten."

"Vill du att jag ska köra?" frågade mamma.

"Nej!" ropade alla i kör och hon log och försökte att inte se stött ut.

Bluebell Haven var det enda stället inom en mils radie som hade lediga rum. De hade arton uppställda husvagnar, en lekplats med två gungor och en sandlåda, och en skylt med texten "Inga hundar".

Mr Nicholls sänkte huvudet mot ratten. "Vi kör vidare." Han kved och vek sig dubbelt. "Alldeles strax."

"Behövs inte."

"Men du sa att du inte ville lämna hunden i bilen."

"Vi ska inte lämna honom i bilen. Tanzie", sa mamma. "Solglasögonen."

På den ena husvagnen satt en skylt med ordet "Reception" Mamma gick in först, Tanzie satte på sig solglasögonen och väntade på trappan utanför. Hon tittade in genom den frostade glasdörren. En tjock karl reste på sig där inne och sa att de hade tur, eftersom det fanns en husvagn kvar och de kunde få den till ett specialpris.

"Hur mycket?" undrade mamma.

"Åttio pund."

"För en natt? I en husvagn?"

"Det är lördag."

"Och klockan är sju på kvällen och den står tom."

"Det kan fortfarande komma någon."

"Eller hur? För Madonna sitter nere på puben och har en helkväll och måste inkvartera hela sitt entourage."

"Finns ingen anledning att vara snorkig."

"Finns ingen anledning att pungslå folk. Trettio pund", sa mamma och plockade fram sina pengar.

"Fyrtio."

"Trettiofem." Mamma höll fram en hand. "Det är allt jag har. Och förresten har vi en hund."

Han höjde en tjock handflata i luften. "Inga hundar. Läs på skylten."

"Det är en ledarhund. För min dotter. Ni vet väl att det är förbjudet att diskriminera folk på grund av handikapp?"

Nicky öppnade dörren och ledde in Tanzie vid armbågen. Hon stod orörlig bakom sina mörka solglasögon medan Norman tålmodigt stod framför henne. De hade gjort det här två gånger förut när de helt enkelt måste med bussen till Portsmouth efter att pappa hade flyttat.

"Han är rumsren och väluppfostrad", sa mamma. "Han kommer inte att störa någon."

"Han är mina ögon", sa Tanzie. "Utan honom skulle jag inte ha något liv."

Mannen stirrade på Tanzies hand, sedan på hennes ansikte. Hans dubbelhaka påminde om Normans. Hon måste komma ihåg att inte kika upp mot hans tv.

"Det här är rena rånet", muttrade han.

"Tack så hjärtligt", kvittrade mamma.

Han ruskade på huvudet och vaggade långsamt mot ett

168

nyckelskåp. "Golden Acres. Andra raden, fjärde vagnen till höger. Nära toaletterna."

Mr Nicholls var så illa däran när de kom fram att det var möjligt att han inte ens förstod var de var. Han kved och höll sig för magen och när han såg WC-skylten försvann han med ett litet utrop. De såg honom inte på nästan en timme.

Det fanns inget som påminde om guld i Golden Acres, men nöden hade ingen lag. Husvagnen hade två små sovhytter och soffan i vardagsrummet gick att fälla ut till en säng. Mamma sa att Tanzie och Nicky kunde ta hytten med dubbelsängen, mr Nicholls fick ta den andra, själv skulle hon ligga på soffan. Rummet var ganska okej, även om sängen var för kort och Nickys fötter stack ut och allt luktade rök. Mamma vädrade och bäddade sängarna med de medhavda sängkläderna, sedan lät hon varmvattnet rinna eftersom hon trodde att mr Nicholls skulle må bra av en dusch när han kom tillbaka.

Tanzie inspekterade toaletten i badrummet och tryckte näsan mot fönstret. Hon räknade lamporna i de andra husvagnarna. (Bara två andra tycktes upptagna. "Den lögnhalsen", sa mamma.)

Hon hade lagt telefonen på laddning och den ringde inom femton sekunder. Hon ryckte till och svarade, fortfarande med sladden i väggen.

"Hallå? Des?" Hennes hand flög upp mot munnen. "Åh gud, Des. Jag hinner inte tillbaka."

En serie dämpade utbrott på andra sidan.

"Jag är hemskt ledsen. Jag vet vad jag sa, men det har hänt en del saker på vägen. Jag är …" Hon gjorde en min mot Tanzie. "Var är vi?"

"I närheten av Ashby de la Zouch", sa hon.

"Ashby de la Zouch", sa mamma. Hon drog handen genom håret. "Ja, Ashby de la Zouch. Jag vet. Jag är jätteledsen. Resan gick inte riktigt som planerat, och vår chaufför blev sjuk och batteriet tog slut och ... Va?" Hon sneglade på Tanzie. "Jag vet inte. Antagligen inte före tisdag. Eller onsdag. Det tar längre tid än vi trodde."

Nu hörde Tanzie honom skrika.

"Kan inte Chelsea täcka upp? Jag har täckt upp för henne flera gånger. Jag vet att vi har mycket nu. Jag vet, Des, jag är ledsen. Jag har sagt det." Hon gjorde en paus. "Nej, jag hinner inte tillbaka till dess. Jag beklagar ... Vad menar du? Jag har aldrig missat ett pass under ett helt år. Jag ... Des? Des?" Samtalet bröts och hon stirrade på telefonen.

"Var det Des på puben?" Tanzie gillade honom. En gång hade hon suttit utanför med Norman och väntat på mamma en söndagseftermiddag, och då hade han bjudit henne på ett fat med friterad scampi.

I samma ögonblick öppnades dörren till husvagnen och mr Nicholls ramlade in. "Jag måste lägga mig", sa han och släpade sig till den blommiga soffan där han sjönk ihop. Han såg upp på mamma med hålögd blick, alldeles grå i ansiktet. "Måste ligga. Förlåt", mumlade han.

Mamma bara satt där och stirrade på mobilen.

Han blinkade. "Försökte du ringa mig?"

"Jag fick sparken", sa mamma. "Det är fan inte klokt. Den jäveln gav mig sparken."

KAPITEL SJUTTON

JESS

Det blev en märklig natt och timmarna flöt ihop. Jess hade aldrig tidigare sett en man vara så sjuk. Hon gav upp alla försök att sova. Hon stirrade på de krämfärgade, avtorkbara ytorna i husvagnen, hon läste några sidor och nickade till. Bredvid henne stönade mr Nicholls och med jämna mellanrum stapplade han ut till toaletterna. Hon stängde dörren in till barnen och väntade på honom i ena änden av den L-formade soffan, hon gav honom vatten och pappersnäsdukar när han släpade sig tillbaka.

Strax efter tre sa mr Nicholls att han ville duscha. Hon fick honom att lova att inte låsa dörren, hon tog hans kläder och gick bort till tvättautomaten och betalade tre pund för ett sextiominutersprogram. Hon hade inte växel till torktumlaren.

Han var kvar i badrummet när hon kom tillbaka. Hon hängde upp hans kläder på galgar ovanför elementet och hoppades att de skulle hinna torka till morgonen, sedan knackade hon på dörren. Han svarade inte, allt som hördes var vatten som rann och ångan vällde ut genom glipan under dörren. Hon kikade in. Duschkabinen var helt igenimmad och hon kunde nätt och jämt urskilja honom där han satt hopsjunken och utmattad på golvet med ryggen mot glasväggen. Hon avvaktade lite, betraktade hans förvånansvärt muskulösa ryggtavla och såg hur han lyfte ena handen och drog den i en trött gest över ansiktet.

"Mr Nicholls?" viskade hon bakom honom. "Mr Nicholls?" upprepade hon när han inte svarade.

Han vände sig om och såg henne. Hans ögon var

171

rödkantade och huvudet var djupt nedsjunket mellan axlarna.

"Satan. Jag orkar inte ens resa mig upp. Och vattnet börjar bli kallt", sa han.

"Vill du ha hjälp?"

"Nej. Jo. Helvete."

"Vänta."

Hon höll upp en handduk, osäker på om det var för att skyla honom eller henne, och stack in en hand för att stänga av kranen. Armen blev dyngsur. Sedan böjde hon sig ner så att han kunde lägga handduken över sig och lutade sig fram. "Lägg armen om min hals."

"Du är så liten. Jag kommer att dra ner dig."

"Jag är starkare än jag ser ut."

Han rörde sig inte.

"Du får hjälpa till lite. Jag klarar inte ett brandmanslyft."

Han lade sin våta arm om hennes hals och virade handduken runt höften. Jess tog stöd mot duschväggen och långsamt och skakigt lyckades de resa på sig. Som tur var, var husvagnen så pass trång att han alltid hade en vägg att luta sig emot. På ostadiga ben lyckades de ta sig till soffan.

"Så här lågt har man alltså sjunkit?" Han stönade och såg på hinken som hon ställde intill soffan.

"Japp." Jess såg på de flagnande tapeterna och de nikotingula målade ytorna. "Jag har också haft roligare lördagskvällar."

Klockan var strax efter fyra. Ögonen sved och kändes grusiga och hon slöt dem en sekund.

"Tack", sa han svagt.

"För vad?"

Han reste sig upp i sittande ställning. "För att du kom ut med en toarulle mitt i natten. För att du har tvättat mina äckliga kläder. För att du hjälpte mig upp ur duschen. Och för att du inte har sagt att jag får skylla mig själv som åt på ett sunkhak som Keith's Kebab."

"Fast du får faktiskt skylla dig själv."

"Nu förstörde du allt."

172

Han lutade sig tillbaka mot kuddarna och lade ena armen över huvudet. Hon försökte att inte titta på hans breda bringa ovanför den strategiskt placerade handduken. Hon kunde knappt minnas när hon hade sett en mans nakna överkropp senast, bortsett från vid den misslyckade beach-volleybollturneringen som Des hade ordnat i augusti i fjol.

"Gå och lägg dig i sängen. Det är bekvämare."

Han öppnade ena ögat. "Får jag ett Svampbob Fyrkants-täcke?"

"Du kan få mitt rosarandiga. Och jag lovar att inte ifråga-sätta din manlighet på grund av det."

"Var ska du sova?"

"Här ute. Det går jättebra", fortsatte hon när han började protestera. "Jag tror inte att jag kommer att sova så mycket ändå."

Han lät henne leda honom bort till det lilla sovrummet. Han stönade när han föll ihop på sängen, som om det också var plågsamt, och hon drog försiktigt täcket över honom. Han hade askgrå skuggor under ögonen och hans röst var sömnig. "Jag är klar att åka vidare om ett par timmar."

"Visst", sa hon och såg på hans likbleka ansikte. "Ta den tid du behöver."

"Var är vi någonstans egentligen?"

"Åh, någonstans på Den gyllene vägen till Oz."

"Är det den där lejonet räddar alla?"

"Du tänker på Narnia. Det här lejonet är fegt och ganska värdelöst."

"Typiskt."

Äntligen somnade han.

Jess lämnade rummet och lade sig på den smala soffan, hon försökte att inte titta på klockan. Hon och Nicky hade stud-erat kartan medan mr Nicholls var inne på toaletten kvällen före, och de hade försökt lägga upp rutten för resten av resan.

Vi har fortfarande gott om tid, sa hon till sig själv. Och sedan somnade till slut hon också.

Det hördes inte ett ljud inifrån mr Nicholls rum på hela morgonen. Jess tänkte att hon skulle väcka honom, men varje gång hon började röra sig mot hans dörr tänkte hon på honom när han låg utslagen i duschkabinen och då ångrade hon sig. Hon gläntade bara på dörren en gång, det var efter att Nicky hade sagt att han kanske hade kvävts i sina egna spyor. Han såg bara aningen besviken ut när det visade sig att mr Nicholls bara sov djupt. Barnen tog med sig Norman bort till vägen – Tanzie i sina mörka glasögon för syns skull – och handlade lite mat i snabbköpet. De åt viskande sin frukost. Jess gjorde smörgåsar av brödet som fanns kvar ("Åh, toppen", sa Nicky), städade husvagnen i brist på annat att göra och lämnade ett meddelande på Des telefonsvarare. Hon bad om ursäkt igen, men han svarade inte.

Sedan öppnades dörren med ett knarrande och mr Nicholls dök upp i T-shirt och boxershorts, han kisade mot ljuset och höjde ena handen i ett "god morgon". Längs ena kinden löpte ett långt streck efter kudden. "Var är vi?"

"Ashby de la Zouch. Eller någonstans i närheten. Det är inte Beachfront, direkt."

"Är klockan mycket?"

"Kvart i elva."

"Kvart i elva, okej." Hans haka och kinder var täckta av mörk skäggstubb och håret stack upp på ena sidan. Jess låtsades läsa sin bok. Han luktade varm, sömndrucken man. Hon hade glömt vilken märkligt potent doft det var.

"Kvart i elva." Han drog handen över skäggstubben, sedan gick han på svaga ben bort till fönstret och kikade ut. "Det känns som om jag har sovit i hundra år." Han sjönk tungt ner i soffan mittemot henne och gnuggade sig på hakan.

"Hallå", sa Nicky som satt bredvid Jess. "Din kompis har rymt."

"Va?"

Nicky viftade med en kulspetspenna. "Stoppa tillbaka rymlingen."

Mr Nicholls stirrade på honom, sedan vände han sig till

Jess med en min som sa, *Nu har din son blivit helt tossig*.

Hon följde Nickys blick, sedan tittade hon snabbt bort. "Hoppsan."

Mr Nicholls stelnade till. "Vadå hoppsan?"

"Du kunde åtminstone ha bjudit på middag först", sa hon och reste sig med rodnande örsnibbar för att plocka undan frukosten.

"Åh." Mr Nicholls tittade ner och rättade till kalsongerna. "Förlåt. Ber om ursäkt. Okej." Han gick mot badrummet. "Är det … okej om jag tar en till dusch?"

"Vi sparade lite varmvatten till dig", sa Tanzie som satt i ena hörnet med näsan i sina mattetest. "Du luktade verkligen illa i går."

Han kom ut tjugo minuter senare, hans fuktiga hår luktade schampo och han hade rakat sig. Jess blandade salt och socker i ett glas vatten och försökte att inte tänka på mr Nicholls nakna kroppsdelar. Hon gav honom glaset.

"Vad är det där?" frågade han med en grimas.

"Vätskeersättning. Återställer lite av det du förlorade i går."

"Menar du att jag ska dricka ett glas saltvatten? Efter att ha varit magsjuk hela natten?"

"Bara drick." Medan han grimaserande drack det, rostade hon en skiva bröd och hällde upp en kopp svart kaffe. Han satt vid det lilla bordet, tog en klunk av kaffet och bet några försiktiga tuggor av brödet. Och tio minuter senare, med viss förvåning i rösten, lät han meddela att han faktiskt kände sig lite bättre.

"Bättre? Menar du så pass mycket bättre att vi slipper fler olyckor?"

"Och med olycka menar du …?"

"Inga fler tvärnitar vid vägkanten."

"Tack för klargörandet." Han tog ännu en klunk av kaffet och en större tugga av brödet. "Ge mig tjugo minuter till. Jag vill vara säker på att jag …"

"Är rumsren."

"Ha." Han flinade och det var skönt att se honom le.

"Precis. Åh, jag mår faktiskt mycket bättre." Han drog med handflatan över bordsskivan och tog en klunk till av kaffet. Han suckade belåtet. Han åt upp det rostade brödet och bad om ett till, sedan såg han sig omkring. "Fast jag skulle må ännu bättre om ni inte stirrade på mig allihop. Jag blir orolig att någon annan kroppsdel sticker ut."

"Det skulle du märka", sa Nicky. "Vi skulle springa härifrån skrikande."

"Mamma sa att du nästan spydde upp dina inälvor", sa Tanzie. "Hur kändes det?"

Han sneglade upp på Jess och rörde runt i sitt kaffe. Han släppte henne inte med blicken förrän hon rodnade. "Ärligt talat? Ungefär som de flesta lördagskvällar på sistone."

Tanzie granskade sitt provblad innan hon nogsamt vek ihop det. "Det speciella med tal", sa hon som om de var mitt uppe i ett helt annat samtal, "är att de inte alltid är tal. Jag menar, I är en imaginär enhet. Pi är transcendent, och det är E också. Men om man sätter ihop dem, E upphöjt till I gånger pi blir det minus ett. De blir ett tal som inte finns. Minus ett är egentligen inte ett tal; det är en plats där det borde finnas ett tal."

"Låter helt självklart", sa Nicky.

"Det tycker jag", sa mr Nicholls. "Jag känner mig ungefär som ett tomt utrymme där det borde finnas en kropp." Han drack upp sitt kaffe och ställde ner koppen. "Nu känner jag mig ganska återställd. Nu åker vi."

Under eftermiddagen skiftade landskapet för varje mil, kullarna blev brantare och mindre pastorala, den gröna växtligheten fick allt oftare ge vika för kala klippväggar. Det var som om himlen öppnade sig och ljuset blev klarare. På avstånd syntes ett industriområde: tegelfabriker och skorstenar som spydde ut senapsgula rökmoln. Jess iakttog förstulet mr Nicholls, hon var orolig att han plötsligt skulle ta sig för magen igen, men konstaterade nöjt att han alltmer började återfå sin normala ansiktsfärg.

"Jag tror inte att vi hinner till Aberdeen i dag", sa han beklagande.

"Vi kör så långt vi hinner och tar sista biten tidigt i morgon bitti."

"Det var det jag tänkte föreslå."

"Fortfarande gott om tid."

"Gott om tid."

De lade mil efter mil bakom sig, Jess nickade till då och då och försökte att inte oroa sig över allt hon hade att oroa sig för. Hon rättade till spegeln utan att någon märkte det så att hon kunde iaktta Nicky i baksätet. Hans blåmärken hade bleknat under den korta tid de varit på resande fot. Han pratade mer än förut. Men mot henne var han fortfarande sluten. Ibland var Jess rädd att det alltid skulle vara så. Det spelade ingen roll hur ofta hon försäkrade honom att hon älskade honom och att han var en del av deras familj. "Det är för sent", sa hennes mamma när hon berättade att han skulle komma och bo med dem. "För ett barn i den åldern är skadan redan skedd. Jag om någon borde veta."

Som lärare kunde hennes mamma hålla militärisk disciplin bland trettio åttaåringar i en klass, hon lotsade dem genom skrivningar och förhör som en fåraherde föser sina djur genom en fälla. Men Jess kunde inte påminna sig om att modern någonsin lett mot henne i pur glädje, det slags glädje man förväntas känna när man tittar på det liv man själv fött till världen.

Modern hade haft rätt i en hel del. Samma dag Jess började mellanstadiet sa hon: "De val du gör nu kommer att påverka resten av ditt liv." Men allt Jess uppfattade var någon som sa åt henne att tygla sig och låta sig nålas upp som en fjäril i en glaslåda. Och det var det som var grejen: om man ständigt blir nedtryckt och åthutad slutar man så småningom att lyssna. Även på de vettiga råden.

När Jess fick Tanzie var hon ung och oerfaren, trots det bestämde hon sig för att aldrig låta en dag gå utan att hon talade om för sin dotter hur mycket hon älskade henne. Hon skulle krama henne och torka hennes tårar, hon skulle ligga sammanslingrad med henne och gosa i soffan. Hon skulle väva en kokong av kärlek runt henne. När Tanzie var liten sov Jess med armarna om henne i deras säng och Marty fick muttrande släpa sig in i gästrummet medan han gnällde över att det inte fanns tillräckligt med plats. Jess lade knappt märke till det.

Och när Nicky dök upp två år senare och alla sa att hon var galen som tog sig an någon annans barn, ett barn som redan var åtta år gammalt och hade en trasslig bakgrund – *du vet hur sådana pojkar blir* – då struntade hon i dem. För i den skugglika, bleka pojken, som alltid stod på minst en armlängds avstånd från alla, såg hon lite av det hon själv hade känt. För hon visste att något hände med en om ens mamma aldrig höll om en, aldrig talade om att man var det bästa som någonsin hänt henne, knappt ens lade märke till om man var hemma eller inte: man slöt sig, avskärmade sig, härdade sig. Man behövde henne inte. Man behövde inte någon. Utan att veta om det väntade man bara på att någon skulle komma tillräckligt nära för att upptäcka något i en som de inte tyckte om, något de inte hade sett till en första början, och sedan skulle de fjärma sig och försvinna, som dimman över havet. För visst måste det vara något fel på en om inte ens ens egen mamma älskar en?

Det var därför hon inte hade blivit förtvivlad när Marty lämnade henne. Varför skulle hon bli det? Han kunde inte såra henne. Det enda Jess verkligen brydde sig om var de två barnen och att låta dem veta att de dög. För det spelar ingen roll om hela världen är emot en, har man sin mammas stöd i ryggen klarar man sig. Någonstans djupt inom sig vet man att man är älskad. Att man förtjänar att bli älskad. Det var inte mycket Jess hade uträttat i livet som hon var särskilt stolt över, men det hon var stoltast över var att Tanzie visste om det. Hon var en udda, liten fågel men Jess visste att hon visste.

När det gällde Nicky jobbade hon fortfarande på det.

"Är du hungrig?" Hon ryckte till av mr Nicholls röst och vaknade ur sin halvslummer.

Hon satte sig upp. Hon var stel som en ståltrådsgalge i nacken av att ha suttit stilla för länge. "Utsvulten", sa hon och vände sig osmidigt mot honom. "Vill du stanna och äta lunch?"

Solen hade tittat fram. Strålarna lyste som ränder över de öppna fälten till vänster. Guds fingrar, brukade Tanzie kalla dem. Jess sträckte sig efter kartan i handskfacket för att se var närmaste vägkrog fanns.

Mr Nicholls sneglade på henne och såg nästan lite generad ut. "Vet du vad? Jag skulle hemskt gärna prova en av dina smörgåsar."

KAPITEL ARTON

ED

The Stag and Hounds var inte ett Bed & Breakfast som var listat i någon guide. Det hade ingen hemsida, inga broschyrer. Det var inte så svårt att förstå varför. Byggnaden stod ensam i kanten av en vindpinad hed och de mossbelupna trädgårdsmöblerna i plast som stod framför det grå huset antydde att det var glest mellan besökarna. Eller om det var ett uttryck för hoppets seger över erfarenheten. Sovrummen hade inte renoverats på flera decennier – de hade blanka, rosa tapeter, spetsgardiner och en uppsjö av porslinsfigurer istället för användbara saker som schampo och pappersnäsdukar. I ena änden av korridoren en trappa upp fanns ett gemensamt badrum, inredningen gick i grönt och kranarna var kantade med kalkavlagringar. I rummet med två enkelsängar fanns en lådformad tv där man fick in tre sprakande kanaler. När Nicky upptäckte plastdockan i virkad klänning som satt ovanpå toalettpappersrullen blev han djupt imponerad. "Man måste faktiskt älska det här", sa han och höll upp dockan för att inspektera den syntetiska fållen. "Det är så gräsligt att det faktiskt är coolt."

Ed kunde inte begripa att det fanns sådana här ställen. Men han hade kört bil i lite drygt åtta timmar i sextiofem kilometer i timmen, Stag and Hounds tog tjugofem pund per rum och natt – ett pris som till och med Jess var nöjd med – och de hade inget emot Norman.

"Åh, vi älskar hundar." Mrs Deakins vadade fram genom ett koppel av gläfsande pomeranianer. Hon hade håret i en avancerad uppsättning och klappade försiktigt på frisyren.

"Vi tycker till och med bättre om hundar än människor, eller hur, Jack?" Det hördes ett grymtande någonstans från bottenvåningen. "De är definitivt lättare att ha att göra med. Ni kan låta er härliga kille mysa med mina flickor. De skulle älska att träffa en ny man." Hon nickade skälmskt mot Ed när hon sa det.

Hon öppnade de två dörrarna och gjorde en gest med handen in mot rummet.

"Jaha, mr och mrs Nicholls, ni bor i rummet bredvid era barn. Ni är de enda gästerna i kväll, så det ska säkert bli lugnt och tyst. Till frukost har vi antingen ett urval av flingor, eller så kan Jack laga stekt ägg på toast. Han är väldigt duktig på det."

"Tack så mycket."

Hon gav honom nycklarna och höll fast hans blick en millisekund längre än nödvändigt. "Jag skulle gissa att ni vill ha era … pocherade. Har jag rätt?"

Ed sneglade över axeln för att vara säker på att det var honom hon talade till.

"Visst har jag?"

"Öh … det blir bra vilket som."

"Vilket som", upprepade hon långsamt utan att släppa honom med blicken. Hon lyfte ena ögonbrynet, log mot honom en gång till och gick sedan nedför trapporna med sitt entourage av håriga småhundar vid fötterna. I ögonvrån såg han Jess flina.

"Inte ett ord", sa han och släppte väskorna på sängen.

"Tjing för att bada först", sa Nicky och gned sig i korsryggen.

"Jag måste plugga", sa Tanzie. "Jag har sjutton och en halv timme på mig till olympiaden." Hon plockade ihop sina böcker och försvann in i rummet bredvid.

"Följ med på en liten promenad med Norman först", sa Jess. "Det är bra om du får lite frisk luft, du sover bättre sedan."

Jess öppnade ena väskan och drog en luvtröja över huvudet.

När hon lyfte armarna blottade hon en strimma bar hud vid magen, den var blek och märkligt oroande. Hennes ansikte dök upp i halslinningen. "Vi är borta minst en halvtimme. Men ... vi kan vara borta längre, om du vill." Hon justerade hästsvansen, såg menande mot trapporna och höjde ett ögonbryn."Bara så du vet."

"Jättekul."

Han hörde henne skratta när de försvann. Ed lade sig ovanpå nylonöverkastet, kände hur håret blev en smula elektriskt, och drog fram telefonen ur fickan.

"Jag har goda nyheter", sa Paul Wilkes. "Polisen har avslutat sin förundersökning och deras preliminära slutsats är att du saknar uppenbara motiv. Det finns inga bevis på att du drog fördel av Deanna Lewis och hennes brors aktiehandel. Och än mer relevant är att det inte finns något som tyder på att du själv tjänade några pengar på lanseringen av SFAX, mer än den aktievinst som all personal kunde göra. Med tanke på att du har en större aktiepost har din vinst blivit större, men de har inte hittat några kopplingar till utlandskonton eller andra försök från din sida att dölja någon vinst."

"Det är för att det inte finns något sådant."

"I utredningen har det dessutom framkommit att flera konton står i Michael Lewis familjemedlemmars namn, vilket däremot tyder på att han har försökt dölja sina förehavanden. Utredarna har fått tillgång till handelshistoriken, enligt vilken framgår att han handlade stora volymer strax före tillkännagivandet – en tydlig varningsflagg."

Paul fortsatte att tala, men mottagningen var dålig och Ed hade svårt att uppfatta allt. Han reste sig och gick bort till fönstret. Tanzie sprang runt, runt i pubens trädgård och tjöt lyckligt. De små hundarna hoppade och sprang efter henne. Jess stod med armarna i kors och skrattade. Norman stod i mitten och glodde på dem, förvirrad och orörlig i detta hav av galenskap. Ed höll handen för ena örat. "Betyder det att jag kan komma tillbaka nu? Är allt över?" Kontoret framstod plötsligt som en hägring i öknen.

"Lugn i stormen. Jag har mindre goda nyheter också. Michael Lewis handlade inte bara med aktier; han handlade även med optioner."

"Handlade med vad?" Han blinkade. "Det där är rena grekiskan."

"Menar du allvar?" Det blev tyst en sekund. Ed kunde föreställa sig Paul i sitt kontor med träpaneler på väggarna och hur han himlade med ögonen. "Optionerna ger honom, eller i det här fallet henne, en bättre hävstång på investeringen och genererar betydligt större vinster."

"Men vad har det med mig att göra?"

"Storleken på vinsten gör att hela målet blir allvarligare. Vilket leder mig till den dåliga nyheten."

"Var inte det här den dåliga nyheten?"

Paul suckade. "Ed, varför berättade du inte att du skrev en check till Deanna Lewis?"

Ed blinkade. Checken.

"Hon växlade in en check på femtusen pund som du hade utfärdat."

"Och?"

"Och", med tanke på hur utstuderat långsamt och välartikulerat han talade var det inte omöjligt att han himlade med ögonen nu också, "det kopplar dig finansiellt till Deanna Lewis agerande. En del av handeln möjliggjordes tack vare dig."

"Det var bara några tusen för att hjälpa henne. Hon hade inga pengar!"

"Oavsett om du gjorde en vinst eller inte, hade du ett ekonomiskt intresse i Lewis – och det strax innan SFAX lanserades. Vi kan eventuellt avfärda mejlens betydelse, men det här visar tydligt att det inte handlar om ord mot ord längre."

Han stirrade ut på heden. Tanzie hoppade upp och ner och viftade med en pinne framför den dreglande hunden. Glasögonen satt på sniskan och hon skrattade högt. Jess grep tag om henne bakifrån och lyfte upp henne i en kram.

"Och det betyder?"

"Det betyder att det blev väldigt mycket svårare att försvara dig, Ed."

Bara en gång tidigare hade Ed gjort sin far riktigt besviken. Det betydde inte att han inte var en besvikelse i största allmänhet – han visste att hans far hade föredragit en son som var mer lik honom själv: rättrådig, bestämd, driftig. Ett slags sonlig variant av marinkårssoldat. Men hans far lyckades bortse från det personliga nederlag han kände inför sin tystlåtne och nördige son och beslutade att om inte han kunde få fason på honom, så kunde en dyr utbildning göra det.

Det faktum att den begränsade utbildningsfonden som föräldrarna hade sparat ihop till hade gått till att bekosta privatskoleutbildning för Ed men inte för systern, var familjens outtalade trauma. Han undrade ofta om föräldrarna hade gjort om det om de hade vetat vilken känslomässig hämsko detta skulle bli för Gemma. Ed lyckades aldrig få henne att inse att det enda skälet till att de skickade honom och inte henne var att hon var så duktig att de inte kände att hon behövde det. Det var han som satt som klistrad framför dataskärmen varje ledig sekund. Det var han som var usel på allt som hade med sport att göra.

Men nej, trots att allt talade emot det, var Bob Nicholls, före detta militärpolis och senare säkerhetschef på en hypoteksbank i norra England, övertygad om att en dyr privatskola med mottot "Idrotten fostrar mannen" även skulle fostra sonen. "Det är en fantastisk möjlighet, Edward. En som varken din mor eller jag någonsin fick", upprepade han. "Kasta inte bort den." När det första läsåret var slut öppnade han betygskuvertet och läste orden *oengagerad* och *medioker prestation* och det värsta av allt *saknar laganda*. Han stirrade på brevet och Ed iakttog olustigt hur färgen vek från faderns ansikte.

Ed kunde inte berätta att han inte tyckte om skolan med

sina arrogant flabbande, privilegierade rikemansungar. Han kunde inte säga att oavsett hur många gånger de tvingade honom att springa runt rugbyplanen skulle han aldrig lära sig att tycka om rugby. Han kunde inte tala om för honom att det som verkligen intresserade honom var de möjligheter som en högupplöst skärm kunde erbjuda. Och att han trodde att han kunde skapa sig ett liv av detta. Men fadern sjönk ihop av besvikelse och av känslan att allt var fullständigt bortkastat, och Ed hade inget val.

"Jag lovar att göra bättre ifrån mig nästa år, pappa", sa han.

Och nu måste Ed inställa sig hos polisen om några dagar.

Han försökte föreställa sig hur hans far skulle reagera när han fick veta att hans son – den son som han numera skröt om inför sina gamla militärkollegor ("Jag begriper ju inte vad han håller på med, men tydligen är de här dataprogrammen framtiden.") – sannolikt skulle åtalas för brott mot insiderlagen. Han såg framför sig hur hans far skulle vrida på huvudet, såg hans sköra nacke och ansiktsdragen som förvreds av chock. Han skulle försöka dölja det, men hans läppar skulle pressas ihop i förtvivlan när han insåg att det inte fanns något han kunde säga eller göra.

Så Ed fattade ett beslut. Han skulle be sin advokat att förhala processen så långt det gick. Han skulle betala vad det kostade att fördröja åtalet. Och han kunde inte delta på familjelunchen oavsett hur sjuk hans far var. Han skulle göra sin far en tjänst. Genom att hålla sig undan skulle han skydda honom.

Ed Nicholls stod i det lilla rosa badrummet som doftade luftrenare och besvikelse och stirrade ut på det bleka hedlandskapet, på den lilla flickan som hade kastat sig ner i det fuktiga gräset och drog sin stora, lyckligt flämtande hund i öronen och han undrade varför han – med tanke på att han uppenbarligen gjorde det rätta – kände sig så jävla värdelös.

KAPITEL NITTON

JESS

Tanzie var nervös. Hon ville inte äta middag och hon vägrade komma ner och ta en paus, hon föredrog att sitta hopkrupen på det rosa nylonöverkastet och plöja sina mattepapper medan hon petade i det som var kvar av frukostpicknicken. Jess var förvånad; det var sällan hennes dotter var nervös för något som hade med matematik att göra. Hon gjorde sitt bästa för att lugna henne, men det var svårt när man inte själv begrep något av vad det handlade om.

"Vi är snart där. Det kommer att ordna sig, Tanze. Oroa dig inte."

"Tror du att jag kommer att kunna sova i natt?"

"Det är klart att du kommer."

"Men om jag inte gör det kanske jag inte kommer att klara provet."

"Du kommer att klara det fint även om du inte sover. Och det har aldrig hänt att du inte sover på natten."

"Jag är orolig över att jag kommer att vara för nervös för att sova."

"Jag är inte orolig över att du kommer att vara för nervös. Slappna av, du kommer att klara det. Det kommer att gå jättebra."

När Jess lutade sig fram för att ge henne en puss såg hon att Tanzie hade bitit ner alla sina naglar.

Mr Nicholls var ute i trädgården. Han gick fram och tillbaka där nere där hon och Tanzie hade lekt för bara en halvtimme sedan och pratade upprört i telefonen. Han stannade till och stirrade på den några gånger, sedan ställde han sig på en av de vita plaststolarna – antagligen för att få bättre mottagning. Han stod där och vinglade, gestikulerade och svor, fullkomligt omedveten om de nyfikna blickar han ådrog sig inifrån huset.

Jess iakttog honom genom fönstret i baren, osäker på om hon skulle gå ut och störa honom. Ett par äldre män hade samlats vid bardisken där innehavarinnan stod och småpratade. De såg likgiltigt på Jess över sina ölglas.

"Är det jobbet?" frågade mrs Deakins och följde Jess blick ut genom fönstret.

"Ja. Det tar aldrig slut." Jess log. "Jag tror att jag går ut med något att dricka till honom."

Mr Nicholls satt på en låg stenmur när hon kom ut. Han satt med armbågarna mot knäna och blicken fäst ner i gräset.

Jess höll fram en öl och han stirrade på den en stund innan han tog emot den. "Tack." Han såg helt utmattad ut.

"Hur är det? Allt bra?"

"Nej." Han tog en djup klunk. "Inget är bra."

Hon satte sig bredvid honom en liten bit bort. "Något jag kan hjälpa dig med?"

"Nej."

De satt tysta. Det var lugnt och fridfullt, det enda som hördes var vinden som lekte över heden och de lågmälda rösterna inifrån huset. Hon skulle precis säga något om landskapet när hans röst bröt tystnaden.

"Helvete", sa han med eftertryck. "Helvetes jävla skit."

Jess ryckte till.

"Jag fattar inte att mitt liv har … tagit en sådan jävla vändning." Rösten brast. "Jag fattar inte att jag har jobbat och slitit i flera år bara för att allt ska raseras på ett ögonblick. Vad är meningen? Vad i helvete är meningen?"

"Det är bara matförgiftning. Du kommer att …"

"Jag pratar inte om den jävla kebaben." Huvudet sjönk ner i händerna. "Man jag vill inte prata om det." Han kastade en varnande blick på henne.

"Okej."

"Jag menar allvar. Jag är förbjuden, rent juridiskt, att prata om det."

Hon såg inte på honom.

"Jag får inte säga ett ord till någon …"

Hon sträckte ut ena benet och blickade bort mot solnedgången. "Men jag räknas ändå inte, eller hur? Jag är bara en piga."

Han släppte ut en djup suck. "Helvete", sa han igen.

Och sedan berättade han allt för henne, med nedsänkt huvud och med fingrarna genom det korta, mörka håret. Han berättade om flickvännen han inte vetat hur han skulle bryta upp med varsamt och hur hela hans liv hade slagits i spillror. Han berättade om företaget och hur han egentligen skulle varit där nu och firat resultatet av sex års intensivt arbete, men att han istället måste hålla sig borta från allt och alla medan han riskerade åtal. Han berättade om sin far och om advokaten som just ringt och berättat att han måste inställa sig hos polisen bara några dagar efter att han återvänt från resan och att han då sannolikt skulle åtalas för brott mot insiderlagen, ett brott som kunde ge tjugo års fängelse. När han var klar kände hon sig alldeles vimmelkantig.

"Allt jag någonsin har jobbat för. Allt jag brydde mig om. Jag får inte ens gå in till mitt eget kontor. Jag får inte gå tillbaka till min lägenhet för pressen kan få nys om det och jag kan råka avslöja något. Jag kan inte ens hälsa på min pappa för det skulle ta livet av honom om han fick veta vilken idiot hans son är. Och det jävliga är att jag saknar honom. Jag saknar honom verkligen."

Jess smälte allt detta under några minuter. Han log matt mot himlen. "Och vet du vad kronan på verket är? Det är min födelsedag."

"Va?"

"I dag. Det är min födelsedag."

"I dag? Varför har du inte sagt något?"

"För att jag är trettiofyra år och det låter töntigt när en

188

trettiofyraårig man berättar att han fyller år." Han tog en klunk av ölen. "Och med tanke på hela magsjukehistorien kände jag inte för att fira." Han sneglade på Jess. "Dessutom hade du kanske stämt upp i 'Ja må han leva' i bilen."

"Jag kan sjunga den nu."

"Gör inte det, snälla. Det är illa nog som det är."

Jess kände sig snurrig. Det var obegripligt att mr Nicholls gick och bar på allt detta. Hade det varit någon annan hade hon lagt en arm om honom och försökt säga något trösterikt. Men mr Nicholls var så lättretlig.

"Det kommer att bli bättre", sa hon till slut när hon inte kom på något annat att säga. "Hon kommer att drabbas av dålig karma förr eller senare."

Han gjorde en min. "Karma?"

"Det är som jag brukar säga till barnen. Bra saker händer bra människor. Man måste bara ha tillit …"

"Då måste jag varit en riktig skitstövel i mitt tidigare liv."

"Kom igen. Du har kvar dina fastigheter. Du har dina bilar. Du har ditt förstånd. Du har dyra advokater. Du kommer att lösa det."

"Hur kommer det sig att du är en sådan optimist?"

"Därför att saker brukar ordna sig."

"Säger kvinnan som inte har råd att köpa tågbiljetter."

Jess höll blicken fäst på den kala klippväggen. "Eftersom det är din födelsedag ska jag låtsas som om jag inte hörde det där sista."

Mr Nicholls suckade. "Förlåt. Jag vet att du bara vill hjälpa till. Men just nu är din positivism mest jobbig."

"Nej, att köra flera hundra kilometer med tre främmande människor och en stor hund är jobbigt. Gå upp och ta ett långt bad, det kommer att göra dig gott. Gör det."

Han traskade in som en slagen man och hon satt kvar och stirrade ut över heden som bredde ut sig framför henne. Hon försökte föreställa sig hur det skulle kännas att riskera fängelsestraff, att inte få vara nära dem man älskade. Hon försökte föreställa sig någon som mr Nicholls i finkan.

Efter en stund gick hon in med de tomma glasen. Hon lutade sig över bardisken där innehavarinnan tittade på ett avsnitt av *Homes under the hammer*. Karlarna satt tysta bakom henne; de såg också på tv:n eller så stirrade de ner i sina glas.

"Mrs Deakins? Det råkar vara min mans födelsedag. Skulle jag få be er om en tjänst?"

Klockan halv nio kom mr Nicholls äntligen ner, han hade samma kläder på sig som han hade haft tidigare under dagen. Och dagen innan. Jess visste att han hade duschat eftersom han var fuktig i håret och nyrakad.

"Vad har du i din bag egentligen? Ett lik?"

"Va?" Han gick bort mot baren. Han doftade svagt av Wilkinson Swords rakprodukter.

"Du har haft samma kläder ända sedan vi åkte hemifrån."

Han tittade ner som för att undersöka saken. "Åh, nej inte alls. De här är rena."

"Har du likadana jeans och T-shirtar på dig varje dag?"

"Det sparar tid."

Hon såg på honom, sedan bestämde hon sig för att ändå inte säga något. Det var ju hans födelsedag, trots allt.

"Åh. Men du är fin", sa han plötsligt som om han just lagt märke till det.

Hon hade bytt om till en blå solklänning och en kofta. Hon hade tänkt spara den till matteolympiaden, men hon insåg att det här var ett viktigt tillfälle. "Tack så mycket. Man gör sitt bästa för att smälta in i miljön."

"Du menar att du skippade kepsen och de hundhåriga jeansen?"

"Du kommer att ångra dina spydigheter. För jag har en överraskning åt dig."

"Överraskning?" Han blev genast på sin vakt.

"En bra överraskning. Här." Jess räckte honom det ena glaset som hon, till mrs Deakins förtjusning, hade förberett tidigare. De hade inte blandat en cocktail i baren sedan 1997, hade mrs Deakins konstaterat när Jess inspekterade de dammiga flaskorna ovanför ölkranen. "Jag antar att du är tillräckligt återställd nu."

"Vad är det här?" Han såg misstänksamt på glaset.

"Whisky, triple sec och apelsinjuice."

Han smuttade på glaset. Sedan tog han en klunk. "Inte så illa."

"Jag visste att du skulle tycka om det. Jag gjorde den enkom för dig. Den kallas för en Jobbig Jävel."

Det vita plastbordet stod mitt på den glesa gräsmattan, det var dukat för två med bestick i rostfritt stål och mitt på bordet stod en vinflaska med ett stearinljus i. Jess hade torkat stolarna rena från mossa och hon drog nu ut den ena åt honom.

"Vi äter ute. För att fira." Hon låtsades inte om hans blick. "Om du sätter dig ner ska jag meddela köket att du är här."

"Det blir väl inga frukostmuffins, hoppas jag."

"Klart det inte blir frukostmuffins." Hon låtsades bli stött. Medan hon gick mot köket muttrade hon, "Tanzie och Nicky åt upp de sista."

När hon återvände till bordet hade Norman sjunkit ner på mr Nicholls ena fot. Jess misstänkte att han nog gärna hade dragit undan foten, men Norman hade suttit på Jess fötter förr och hon visste hur blytung han var. Man kunde bara hoppas att han skulle flytta på sig innan foten svartnade och ramlade av.

"Smakade drinken bra?"

Mr Nicholls tittade ner i sitt tomma glas. "Utsökt."

"Huvudrätten är på ingång. Det blir bara vi två i kväll eftersom de andra gästerna redan var upptagna på annat håll."

"Med tonårssåpa och sjukligt komplicerade ekvationer?"

"Du känner oss alltför väl." Jess slog sig ner mittemot honom, samtidigt som mrs Deakins kom trippande över gräsmattan med sina pomeranianer gläfsande runt fötterna, hon höll två tallrikar i luften.

"Varsågoda", sa hon och ställde ner dem på bordet. "Kött-och njurpaj. Från Ian en bit bort på gatan. Han gör de bästa köttpajerna."

Jess var så utsvulten att hon antagligen hade kunnat äta upp Ian. "Fantastiskt. Tack så mycket", sa hon och lade servetten i knäet.

Mrs Deakins stod kvar och beundrade dukningen som om hon aldrig sett den förut. "Vi äter aldrig här ute. Väldigt trevlig idé. Jag kanske skulle föreslå det för mina gäster. Och drinken. Man kunde göra ett paketerbjudande."

Jess tänkte på gubbarna i baren. "Tycker jag verkligen", sa hon och skickade vinägern till mr Nicholls. Han tycktes fullständigt ha tappat målföret.

Mrs Deakins torkade av händerna på förklädet. "Ja, mr Nicholls. Er hustru har verkligen bemödat sig om att ni ska få en trevlig födelsedag", sa hon och blinkade.

Han såg upp på henne. "Det är aldrig en lugn stund med Jess", sa han och lät blicken glida över till henne.

"Hur länge har ni varit gifta?"

"Tio år."

"Tre år."

"Barnen är från mina tidigare äktenskap", sa Jess och skar en tugga av pajen.

"Åh, så …"

"Jag räddade henne", sa mr Nicholls. "Vid vägkanten."

"Det gjorde han."

"Så romantiskt." Mrs Deakins log osäkert.

"Inte särskilt. Polisen stod i begrepp att gripa henne."

"Jag har redan förklarat allt det där. Åh, pommes fritesen är verkligen goda."

"Ja, det har du. Och polisen var väldigt förstående. Med tanke på allt."

Mrs Deakins hade börjat backa tillbaka. "Det låter förtjusande. Det är fint att ni fortfarande håller ihop."

"Vi gör så gott vi kan."

"Vi har inte så mycket till val just nu."

"Det är också sant."

"Skulle vi kunna få lite ketchup?"

"Bra idé. Älskling."

Medan hon försvann nickade mr Nicholls mot stearin-ljuset och tallrikarna. Sedan såg han upp på Jess och han såg inte så bekymrad ut längre. "Det här är faktiskt den godaste njurpaj med pommes som jag någonsin har ätit på ett skumt B&B någonstans som jag aldrig har hört talas om på norra Yorkshires hedland."

"Det gläder mig. Grattis på födelsedagen."

De åt under vänskaplig tystnad. Det var märkligt att lite varm mat och en stark drink kunde få en människa att må så mycket bättre. Norman suckade och rullade över på sidan och frigjorde mr Nicholls fot. Ed sträckte tveksamt ut benet, kanske för att se om han fortfarande kunde.

Han såg upp mot henne och lyfte sitt påfyllda glas. "Tack så mycket. Jag menar det verkligen." När han inte hade glasögonen på sig såg Jess vilka löjligt långa ögonfransar han hade. Hon blev underligt medveten om stearinljuset på bordet. Hon hade menat det som ett skämt när hon bad om det.

"Tja … det var det minsta jag kunde göra. Du räddade ju faktiskt oss. Där vid vägkanten. Jag vet inte vad vi skulle ha gjort."

Han spetsade en pommes på gaffeln och höll upp den. "Jag bemödar mig om att ta hand om min personal."

"Jag tror att jag föredrog att vara din fru."

"Skål." Han log brett mot henne och fick skrattrynkor i ögonvrårna. Det var så äkta och oväntat att hon log tillbaka.

"Skål för i morgon. Och för Tanzies framtid."

"Och för att slippa mer skit i våra liv."

"Det skålar vi för."

Kvällen började långsamt och behagligt övergå i natt, alkoholens påverkan och vetskapen om att ingen behövde sova i bilen eller springa på toaletten hela natten bidrog till den lätta stämningen. Nicky kom ner och tittade misstänksamt på gubbarna i baren under sin svarta lugg, och de tittade lika misstänksamt tillbaka. Sedan återvände han till sovrummet för att titta på tv. Jess drack tre glas sur Liebfraumilch, sedan gick hon upp och tittade till Tanzie och tog med sig lite mat till henne. Hon lovade att inte hålla på längre än till klockan tio. "Får jag fortsätta inne i ditt rum? Nicky har på tv:n."

"Det går bra", svarade Jess.

"Du luktar vin", anmärkte Tanzie.

"Det är för att vi är på ett slags semester. Och mammor får lukta vin när de är på ett slags semester."

"Hm." Hon tittade strängt på Jess och återvände sedan till sina böcker.

Nicky låg raklång på ena sängen och tittade på tv. Hon stängde dörren bakom sig och sniffade i luften.

"Du har väl inte rökt på?"

"Du har fortfarande mitt gräs."

"Javisst ja." Det hade hon glömt bort. "Men du kunde somna utan. Både i går och i förrgår."

"Mmm."

"Men det är väl bra?"

Han ryckte på axlarna.

"Jag tror att du försöker säga: 'Ja, visst är det toppen att jag lyckades somna utan olagliga substanser?' Upp med dig, du måste hjälpa mig med madrassen." När han inte rörde på sig fortsatte hon, "Jag kan inte sova där inne med mr Nicholls. Vi flyttar över ena madrassen hit till golvet i ert rum."

Han suckade, men reste sig upp för att hjälpa till. Hon märkte att han kunde röra sig utan att grimasera. De lade madrassen på mattan bredvid Tanzies säng, vilket lämnade två decimeters manöverutrymme för att gå in och ut genom dörren.

"Det blir kul om jag måste gå på toa mitt i natten."

"Gå precis innan du lägger dig. Du är en stor pojke." Hon sa till Nicky att stänga av tv:n senast tio så att Tanzie kunde sova, och lämnade barnen på övervåningen.

Ljuset hade för längesedan brunnit ner i kvällsbrisen, och när de inte längre kunde se varandra flyttade de in. Samtalet hade pendlat mellan föräldrar, första jobb och vidare till förhållanden. Jess berättade om Marty och hur han en gång hade köpt henne en förlängningssladd i födelsedagspresent och försvarat sig med "Men du sa ju att du behövde en!" Han i sin tur berättade om exet Lara, som på sin födelsedag blev hämtad av en privatchaufför som körde henne till ett exklusivt hotell där han bjöd henne och hennes väninnor på frukost, sedan hade hon fått tillgång till en personal shopper och obegränsad budget på Harvey Nicholls. När han sammanstrålade med henne vid lunchen klagade hon på att han inte hade tagit ledigt hela dagen för att vara med henne. Jess tyckte att exet Lara förtjänade en fet örfil rakt över sitt välsminkade ansikte. (Hon hade fantiserat ihop en bild av detta ansikte. Det var antagligen mer drag queen-likt än nödvändigt.)

"Blev du tvungen att betala underhåll till henne?"

"Jag var inte tvungen, men jag gjorde det ändå. Ända tills hon gick in i lägenheten en tredje gång och försåg sig med mina saker."

"Har du fått tillbaka dem?"

"Det var inte värt besväret. Om ett silkscreentryck av Mao nu är så viktigt för henne så kan hon ta det."

"Vad var det värt?"

"Vad?"

"Tavlan."

Han ryckte på axlarna. "Några tusen."

"Vi talar helt olika språk, du och jag."

"Tror du? Hur mycket underhåll betalar ditt ex till dig och barnen?"

"Ingenting."

"Ingenting?" Hans ögonbryn sköt ända upp till hårfästet. "Inget alls?"

"Han mår inte bra. Man kan inte straffa någon för att han inte mår bra."

"Inte ens om det betyder att du och barnen blir lidande?"

Hur skulle hon kunna förklara? Själv hade det tagit henne två år att inse det. Hon visste att barnen saknade honom, men själv var hon i smyg lättad över att Marty var borta. Hon var lättad över att hon slapp oroa sig för att han skulle få för sig att satsa hela deras framtid i ett nytt, ogenomtänkt projekt. Hon var trött på hans humörsvängningar och att han ständigt blev utmattad av barnen. Och tröttast var hon på att aldrig någonsin göra rätt. Marty hade gillat sextonåriga Jess; den galna, impulsiva, ansvarslösa Jess. Sedan hade han tyngt ner henne med ansvar och tyckte inte om den hon hade blivit.

"När han har kommit på fötter igen ska jag se till att han bidrar. Men vi klarar oss." Jess kastade en blick upp mot ovanvåningen där Nicky och Tanzie låg och sov. "Jag tror att det här kan bli en vändpunkt för oss. Jag begär inte att du ska förstå det, och alla andra tycker att de är lite konstiga, men jag är lyckligt lottad som har dem. De är snälla och roliga." Hon hällde upp ett glas vin till och tog en djup klunk. Det blev allt enklare att dricka.

"Det är bra ungar."

"Tack", sa hon. "Jag insåg en sak i dag. De här senaste dagarna har inneburit att jag för första gången på evigheter bara har kunnat umgås med dem. Utan att flänga runt mellan jobb och handling och hushållsarbete. Det är mysigt att bara vara tillsammans med dem. Det kanske låter dumt."

"Inte alls."

"Och Nicky sover. Han brukar aldrig sova. Jag vet inte vad du gjorde, men han verkar …"

"Vi jämnade bara ut ställningen en aning."

Jess lyfte sitt glas. "Då har din födelsedag inneburit åtminstone en bra sak: du lyckades muntra upp min son."

"Fast det var i går."

Hon tänkte efter en stund. "Du har inte kräkts en enda gång."

"Okej, det räcker nu."

Mr Nicholls kropp hade äntligen slappnat av. Han satt tillbakalutad med benen utsträckta under bordet. Hans ena ben hade vilat mot hennes en bra stund nu. Hon hade tänkt att hon skulle flytta på det men gjorde det inte, och nu kunde hon inte flytta på det utan att det skulle bli som en markering. Hans ben mot hennes bara ben kändes nästan elektriskt.

Hon tyckte om det.

Något hade hänt någonstans mellan pajen och pommes fritesen och den senaste omgången i baren, och det var inte bara alkoholens inverkan. Hon ville att mr Nicholls skulle sluta känna sig arg och förtvivlad. Hon ville se hans breda, sömniga leende sprida sig över ansiktet, det som tycktes skölja bort all uppdämd ilska han bar på.

"Jag har aldrig träffat någon som du", sa han och tittade ner i bordet.

Jess skulle just säga något kvickt om städerskor, baristor och personal i största allmänhet, men istället sög det till i magen och hon kom på sig med att tänka på hans v-formade bara överkropp i duschen. Och sedan undrade hon hur det skulle vara att ha sex med mr Nicholls.

Tanken chockade henne så till den milda grad att hon nästan uttalade orden högt – *Jag tror att jag skulle tycka om att ha sex med mr Nicholls.* Hon var tvungen att titta bort. Med rodnande kinder drack hon upp återstoden av vinet.

Mr Nicholls såg på henne. "Ta inte illa upp. Jag menade det som något bra."

"Jag tog inte illa upp." Hon var till och med röd om öronen.

"Du är den mest positiva person jag någonsin träffat. Du verkar aldrig tycka synd om dig själv. Om det dyker upp ett hinder hoppar du bara över det."

"Och ramlar och river sönder byxorna."

"Men du fortsätter framåt."

"När jag får hjälp."

"Okej, nu börjar liknelsen bli förvirrande." Han tog en klunk öl. "Jag ville bara … säga det. Jag vet att det snart är över, men jag har haft trevligt på resan. Trevligare än jag trodde."

Hon svarade innan hon hann tänka efter. "Jag med."

De satt kvar. Han såg på hennes ben. Jess undrade om han tänkte på samma sak som hon.

"Vet du vad?"

"Vad?"

"Du har slutat gunga med foten."

De såg upp på varandra. Hon ville vika undan med blicken men förmådde inte. Mr Nicholls hade bara varit ett sätt att ta sig ur en knivig situation. Nu kunde Jess inte tänka på annat än hans stora, mörka ögon, hans starka händer och hur hans bröstkorg hävde sig under T-shirten.

Du måste upp på hästen igen.

Han var den som först vek undan med blicken.

"Oj! Titta på klockan. Vi borde verkligen se till att sova. Det var du som sa att vi måste upp tidigt i morgon." Rösten var bara en aning för hög.

"Jo. Hon är snart elva. Jag tror att jag räknade ut att vi borde åka härifrån vid sju för att hinna dit till tolv. Vad säger du?"

"Öh … det blir bra."

Hon svajade en aning när hon reste på sig och ville gripa tag om hans arm, men han hade redan flyttat på sig.

De bad om att få frukosten serverad tidigt och önskade mrs Deakins god natt på ett lite väl översvallande sätt. Sedan gick de långsamt uppför trapporna. Jess visste knappt vad de pratade om, hon var bara intensivt medveten om honom bakom sig. Om sina höfters rörelser. *Tittar han på mig?* Tankarna flög åt alla oväntade håll. Hon undrade hur det skulle kännas om han lutade sig fram och kysste hennes bara axlar. Hon trodde att hon kanske undslapp sig ett litet ofrivilligt ljud vid tanken på det.

När de nådde det översta trappsteget stannade de och hon vände sig mot honom. Nu, tre dagar senare, var det som om hon såg honom för första gången.

"God natt då, Jessica Rae Thomas. Med ett a och ett e."

Hon lät ena handen vila på dörrhandtaget, andan hade fastnat i halsen. Det var så längesedan. Skulle det verkligen vara en så dålig idé?

Hon tryckte ner handtaget och lutade sig mot dörren. "Då ses vi i morgon."

"Jag skulle erbjuda mig att göra kaffet, men du är alltid uppe först."

Hon visste inte vad hon skulle säga. Det var möjligt att hon bara stirrade på honom.

"Öh ... Jess?"

"Ja?"

"Tack. För allt. Det där med magsjukan, födelsedagen ... Om jag inte får möjlighet att säga det i morgon" – han gav henne ett snett leende – "så är du min favorit-exfru."

Hon tryckte sig mot dörren. Hon hade tänkt svara något, men blev distraherad av det faktum att dörren inte rörde sig. Hon drog ner handtaget en gång till och sköt på. Dörren gick upp två centimeter.

"Vad är det?"

"Jag får inte upp dörren", sa hon och lade båda händerna på den. "Den vägrar gå upp."

Mr Nicholls försökte skjuta upp den. Den gav vika två centimeter till. "Den är inte låst", sa han. "Men det är något i vägen."

Hon satte sig på huk och försökte kika in medan mr Nicholls tände lampan. Genom den lilla glipan såg hon Normans enorma kroppshydda innanför dörren. Han låg på madrassen med sin stora rygg mot Jess.

"Norman", väste hon. "Flytta på dig."

Ingenting.

"Norman."

"Om jag skjuter på måste han väl vakna?" Mr Nicholls lutade sig mot dörren. Han sköt på med hela sin kroppstyngd. En gång till. "Herregud", sa han.

Jess skakade på huvudet. "Du känner inte min hund."

Han släppte handtaget och dörren gick igen med ett klick. De stirrade på varandra.

"Jaha …", sa han till slut. "Det finns två sängar i det andra rummet. Det ordnar sig."

Hon gjorde en grimas. "Öh, Norman sover på den ena madrassen. Jag flyttade in den hit tidigare i kväll."

Han såg trött ut. "Ska du knacka på dörren?"

"Tanzie är så stressad. Jag vill inte riskera att hon vaknar. Det löser sig, jag sover … i fåtöljen."

Innan han hann säga något travade hon iväg till badrummet. Hon tvättade av sig och borstade tänderna, tittade på sitt vinflammiga ansikte i badrumsspegeln med plastram och försökte hålla sina förvirrade tankar i styr.

När hon återvände till rummet höll mr Nicholls fram en av sina mörkgrå T-shirtar till henne. "Här", sa han och kastade den åt henne på väg ut till badrummet. Jess drog på sig den, försökte bortse från den vagt erotiska doften, och plockade fram extratäcke och kudde ur garderoben. Hon kurade ihop sig i fåtöljen och drog upp knäna för att sitta någorlunda bekvämt. Det skulle bli en lång natt.

Några minuter senare öppnade mr Nicholls dörren och släckte lampan i taket. Han hade en vit T-shirt och mörkblå boxershorts på sig. Hon såg de långa musklerna på hans bara ben, det var den sortens muskler endast kompromisslös träning gav. Hon svalde.

Den smala sängen knakade under hans tyngd.

"Går det bra där borta?"

"Jättebra", svarade hon lite för högt. "Du?"

"Om jag blir perforerad av spiralerna har du min tillåtelse att fortsätta med bilen."

Han såg ut i rummet åt hennes håll en liten stund till, sedan släckte han sänglampan.

Mörkret var kompakt. Ute hördes en svag bris vina mellan de osynliga gliporna i stenmuren, det rasslade i träden, en bildörr slogs igen och motorn rusade i protest. I rummet intill gnydde Norman i sömnen och de tunna gipsväggarna kunde bara hjälpligt dämpa ljudet. Jess hörde mr Nicholls andhämtning, och trots att hon hade tillbringat föregående kväll bara några centimeter ifrån honom, var hon intensivt medveten om hans närvaro på ett sätt som hon inte hade varit tjugofyra timmar tidigare. Hon tänkte på hur han hade fått Nicky att le, på hans fingrar om ratten.

Hon kom att tänka på ett uttryck hon hade hört Nicky använda för ett par veckor sedan: YOLO – You Only Live Once, hon mindes att hon hade talat om för honom att hon tyckte att det bara var ett uttryck idioter använde som svepskäl för att göra vad som föll dem in, oavsett vilka konsekvenser det fick.

Hon tänkte på Liam Stubbs, och på hur bergsäker hon var på att han hade sex med någon i just denna stund. Kanske den rödhåriga bartendern på Blue Parrot eller den holländska tjejen som körde blomsterbilen. Hon tänkte på ett samtal hon hade haft med Chelsea när Chelsea sa att hon borde ljuga om att hon hade barn, eftersom ingen karl skulle falla för en ensamstående mamma som hade två. Jess hade blivit arg på henne eftersom hon innerst inne misstänkte att hon hade rätt.

Hon tänkte på att även om mr Nicholls slapp fängelse, skulle hon antagligen aldrig träffa honom igen efter den här resan.

Och sedan, innan hon hann tänka så mycket mer, reste hon på sig och lät täcket falla till golvet. Det var bara fyra steg till sängen, hon tvekade med tårna nedborrade i heltäckningsmattan. Man lever bara en gång. Och i det becksvarta mörkret uppfattade hon en svag rörelse när mr Nicholls vände sig mot henne när hon lyfte på täcket och kröp ner i sängen.

Jess bröstkorg låg mot hans, hennes svala ben mot hans varma. Det fanns ingenstans att ta vägen i den smala sängen, den nedlegade madrassen tryckte dem båda in mot mitten och madrasskanten tornade upp sig som en klippbrant bakom hennes rygg. De låg så nära att hon kunde andas in doften av hans tandkräm och aftershave. Hon kände hans bröstkorg häva sig och sitt eget hjärta som hamrade våldsamt mot hans. Hon lutade huvudet en aning bakåt och försökte läsa av hans ansikte. Han sträckte ut sin högra arm över täcket och drog henne intill sig. Med sin andra tog han hennes hand och slöt den långsamt i sin. Den var torr och mjuk och bara någon centimeter från hennes mun. Hon ville sänka sitt ansikte till hans knogar och omsluta dem med sina läppar. Hon ville lyfta sin mun mot hans ...

Man lever bara en gång.

Hon låg där i mörkret, paralyserad av sin egen längtan.

"Vill du ligga med mig?" sa hon ut i mörkret.

Det var tyst en lång stund.

"Hörde du vad ..."

"Ja", sa han. "Och ... nej." Han fortsatte innan hon hann frysa till is. "Det skulle bli alldeles för komplicerat."

"Det är inte alls komplicerat. Vi är båda unga, ensamma och lite förbannade. Och efter i kväll behöver vi aldrig mer träffa varandra."

"Hur menar du?"

"Du återvänder till London för att leva ditt storstadsliv och jag åker hem till kusten och lever mitt. Det är ingen stor grej."

Han var tyst en stund. "Jess ... jag tror inte det."

"Du vill inte ha mig." Hon blev så generad att hon fick gåshud, plötsligt mindes hon vad han hade sagt om sitt ex. Lara var modell, för guds skull. Hon försökte backa undan men hans grepp om hennes hand hårdnade.

"Du är vacker", mumlade han viskande i hennes öra.

Hon avvaktade. Hans tumme strök hennes handflata. "Men ... varför vill du inte ligga med mig då?"

Han svarade inte.

"Så här är det. Jag har inte haft sex på tre år. Jag måste, så att säga, upp på hästen igen och jag tror att det – att du – skulle vara jättebra."

"Du vill att jag ska vara din häst."

"Det var inte så jag menade. Det är en metafor."

"Och nu är vi tillbaka på de konstiga metaforerna."

"En kvinna som du säger att du tycker är vacker erbjuder dig kravlöst sex – vad är problemet?"

"Det finns inget som heter kravlöst sex."

"Va?"

"Det är alltid någon som vill ha något."

"Jag vill inte ha något av dig."

Hon kände hur han ryckte på axlarna. "Inte nu, kanske."

"Wow." Hon vände sig på sidan. "Hon lyckades verkligen knäcka dig."

"Jag menar …"

Jess lät foten glida längs hans ena ben. "Du tror att jag försöker snärja dig? Du tror att jag försöker fånga dig med min kvinnliga list? Kvinnlig list, ett nylonöverkast och paj med pommes?" Hon flätade ihop sina fingrar med hans och sänkte rösten till en viskning. Hon kände sig orädd, våghalsig. Hon kände det som om hon skulle svimma av åtrå. "Jag är inte ute efter ett förhållande. Varken med dig eller någon annan. Jag har inte plats för hela tvåsamhetsgrejen i mitt liv." Hon lutade huvudet så att hennes mun var alldeles intill hans. "Jag trodde det var ganska uppenbart vid det här laget."

Han flyttade sina höfter en bråkdel bort från hennes. "Du är … väldigt övertygande."

"Och du är …" Hon krokade ena benet om honom och drog honom intill sig. Hans stånd gjorde henne nästan yr.

Han svalde.

Hennes läppar var bara några millimeter från hans nu. Det var som om alla hennes nervtrådar hade samlats på hennes hud. Eller hans hud – hon visste inte längre.

"Det är sista kvällen. I värsta fall slutar det med att vi utbyter en snabb blick över dammsugaren nästa gång vi ses och jag minns det här tillfället som en trevlig kväll med en trevlig kille som faktiskt var en trevlig kille." Hon lät läpparna snudda vid hans kind.

Hon kände hans begynnande skäggstubb. Hon ville nafsa

honom på hakan. "Du, å andra sidan, kommer att minnas det som det bästa sex du någonsin haft."

"Och så är det inget mer med det." Hans röst var tjock och frånvarande.

Jess tryckte sig närmare. "Inget mer med det", mumlade hon.

"Du skulle bli en utmärkt förhandlare."

"Ska du sluta prata någon gång?" Hon rörde sig framåt tills hennes läppar mötte hans. Hon ryckte nästan till. Hon kände hans läppar mot sina när han gav efter, hans sötma. Och ingenting spelade längre någon roll. Hon ville ha honom. Hon brann av längtan.

Och sedan drog han sig undan. Hon snarare kände än såg Ed Nicholls blick på sig. Hans ögon var svarta och outgrundliga i mörkret. Han flyttade sin hand och när den av misstag snuddade vid hennes mage skälvde hon ofrivilligt till.

"Helvete", sa han lågt. "Helvetes skit." Och med ett stönande tillade han, "Du kommer att tacka mig i morgon."

Och sedan lösgjorde han sig försiktigt, klev upp ur sängen och gick bort till fåtöljen. Han satte sig och med en djup suck vände han sig om och drog täcket över sig.

KAPITEL TJUGO

ED

Ed hade trott att det värsta sättet att tillbringa en natt, var i en bil på en fuktig parkeringsplats. Sedan hade han konstaterat att det värsta sättet att tillbringa en natt var dubbelvikt över toaletten i en husvagnscamping någonstans i närheten av Derby. Han hade fel båda gångerna. Det visade sig att det värsta sättet att tillbringa en natt var i ett litet rum, bara någon meter ifrån en vacker, småberusad kvinna som ville ha sex med en, men som man – som en idiot – hade avvisat.

Jess somnade, eller låtsades sova. Det var omöjligt att veta. Ed satt i världens obekvämaste fåtölj och stirrade ut på den svarta månbelysta natten genom glipan mellan gardinerna, högra benet hade somnat och vänstra foten var iskall eftersom den inte fick plats under täcket. Han försökte låta bli att tänka på att om han inte hade hoppat upp ur sängen, hade han legat hopkrupen där med henne, med sina läppar mot hennes hud, hennes ben insnärjda i hans ...

Nej.

Det fanns andra alternativ; (a) sexet hade varit hemskt, de skulle vara dödligt generade efteråt, och de fem timmarna de måste tillbringa i bilen den sista etappen till olympiaden skulle varit rena tortyren. Eller (b) så hade sexet varit okej, de hade varit lite generade dagen därpå, och bilresan hade ändå varit tortyr. Ännu värre, (c) de kunde haft magiskt sex (han lutade åt det här alternativet – han fick stånd varje gång han tänkte på hennes mun), de skulle få känslor för varandra som helt och hållet grundade sig på sexuell kemi och (d) de skulle behöva inse så småningom att de inte hade något som helst gemensamt och var helt inkompatibla. Eller (e), de skulle inse att de inte var inkompatibla trots allt, men han skulle dömas till fängelse. Och inget alternativ tog i beaktande att Jess hade barn, två riktiga barn som behövde stabilitet och trygghet i livet och inte en sådan som han. Han tyckte om barn som företeelse, på samma sätt som han tyckte om den indiska subkontinenten – det vill säga, det var fint att veta att den fanns, men han visste inget om den och hade ingen som helst längtan dit.

Och sedan tillkom det faktum att han var uppenbart usel på förhållanden, han hade nyligen avslutat två av den värsta tänkbara sorten. Oddsen att han skulle lyckas bättre med någon annan enbart på grundval av en lång bilresa, som endast blivit av eftersom han inte kunde komma på ett sätt att dra sig ur, var synnerligen låga.

Och det där pratet om hästen hade faktiskt känts väldigt konstigt.

Och till allt detta kunde läggas de ännu galnare möjligheterna som han inte ens hade funderat över. Tänk om Jess var en psykopat, och allt hennes prat om att inte vilja ha ett förhållande bara var ett sätt att snärja honom? Inte för att hon verkade vara typen.

Men det hade inte Deanna heller.

Det var det här och andra komplikationer som Ed satt och funderade på och önskade att han kunde tala med Ronan om, ända tills himlen ändrade färg och blev orange och sedan neonblå och hans ben blev helt avdomnade, och baksmällan, som dittills mest gjort sig påmind som en molande spänning mellan tinningarna, slog ut i en dundrande huvudvärk. Ed försökte låta bli att titta på Jess vars ansikte och siluett framträdde allt tydligare i gryningsljuset.

Och han försökte att inte längta efter en tid när sex med en kvinna man tyckte om bara var sex med en kvinna man tyckte om, och inte något som resulterade i så komplicerade och osannolika ekvationer att bara Tanzie kunde komma i närheten av att förstå dem.

"Kom nu. Vi är sena." Jess föste Nicky – en blek zombie i T-shirt – mot bilen.

"Jag har inte fått någon frukost."

"Det är för att du inte steg upp när jag sa till dig. Du får ta något på vägen. Tanze. Tanzie? Har hunden blivit rastad?"

Morgonhimlen var blygrå och tung. Det tunna regnet var ett förebud om ett annalkande skyfall. Ed satt bakom ratten medan Jess for runt och organiserade, bannade, hotade, lovade i ett frenetiskt virrvarr. Så här hade hon hållit på sedan han vaknade, sömndrucken, efter vad som kändes som tjugo minuters sömn. Han trodde inte att deras ögon hade mötts en enda gång. Tanzie klättrade tyst in i baksätet.

"Är du okej?" Han gäspade och tittade på den lilla flickan i backspegeln.

Hon nickade tyst.

"Nervös?"

Hon svarade inte.

"Har du mått illa?"

Hon nickade.

"Det är resan. Du kommer att klara dig fint. Jag lovar."

Hon såg på honom på samma sätt som han skulle ha sett på en vuxen som hade sagt samma sak till honom, sedan vände hon bort sitt bleka, runda ansikte och stirrade ut genom rutan. Ed undrade hur länge hon hade suttit uppe och pluggat i går kväll.

"Då så", sa Jess och baxade in Norman i baksätet. Han förde med sig en nästan outhärdlig odör av våt hund. Hon kollade att Tanzie hade knäppt säkerhetsbältet, sedan satte hon sig i passagerarsätet och vände sig mot Ed. Hennes ansiktsuttryck var outgrundligt. "Då åker vi."

Eds bil såg inte längre ut som hans bil. På bara tre dagar hade dess rena, krämfärgade interiör fått fläckar och nya lukter, ett tunt lager av hundhår, skor och tröjor som låg inkilade lite varstans på och under sätena. Golvet knastrade av godispapper och chipssmulor. Programinställningarna på radion var nya och obegripliga.

Men något hade hänt medan han kröp fram i sextiofem kilometer i timmen på landsvägarna. Känslan av att han egentligen borde vara någon annanstans hade börjat luckras upp, han var knappt medveten om det själv. Han kom på sig med att betrakta människorna de åkte förbi; folk handlade mat, körde sina bilar, följde med sina barn till och från skolan i världar som var helt olika hans egen. De visste inget om hans dramatiska liv hundratals kilometer söderut. Det fick hans bekymmer att minska i storlek, det blev något hanterbart och inte bara ett stort svart orosmoln som ständigt tyngde honom.

Trots den iskalla tystnaden från kvinnan bredvid honom, Nickys sovande ansikte i backspegeln ("Tonåringar gör sig inte så bra före klockan elva", hade Tanzie förklarat) och de återkommande dunsterna från hunden, insåg Ed ju närmare de kom sin slutdestination att han inte kände någon lättnad inför att få tillbaka sitt liv och sin bil. Det han kände var mycket mer komplicerat än så. Han vred på högtalarknapparna så att musiken var högst i baksätet och för stunden tyst i framsätet.

"Hur är det med dig?"

Jess såg inte på honom. "Det är bra."

Ed kastade ett öga i backspegeln för att vara säker på att ingen lyssnade på dem. "Det där i går …", började han.

"Glöm det."

Han ville tala om för henne att han ångrade det. Han ville tala om för henne att det hade varit en fysisk plåga att avhålla sig från att krypa ner bredvid henne i den nedlegade, smala sängen. Men vad skulle det tjäna till? Det var som hon hade sagt kvällen före – de var två personer som inte hade någon anledning att någonsin träffas igen.

"Jag kan inte släppa det. Jag vill förklara …"

"Finns inget att förklara. Du hade rätt. Det var en dålig idé." Hon vek in benen under sig och stirrade ut genom fönstret.

"Det är bara det att mitt liv är så …"

"Jag menar allvar. Vi pratar inte om det. Det enda jag vill …", hon suckade djupt, "… är att vi kommer i tid till Tanzies matteolympiad."

"Men jag vill inte att det ska sluta så här mellan oss."

"Det finns inget oss." Hon lade upp fötterna på instrumentbrädan. Det kändes som en markering.

"Hur långt är det till Aberdeen?" Tanzies ansikte dök upp mellan sätena.

"Hur långt det är kvar, menar du?"

"Nej, från Southampton."

Ed drog fram telefonen ur fickan och gav till henne. "Du kan slå upp det på kartappen."

Hon tryckte koncentrerat på skärmen. "Nästan etthundra mil?"

"Det låter rimligt."

"Om vi kör i sextiofem kilometer i timmen måste vi ha åkt minst sex timmar om dagen. Om jag inte hade varit åksjuk, hade vi klarat det på …"

"En dag. En lång dag."

"En dag." Tanzie smälte detta med blicken fäst på det skotska höglandet framför dem. "Men då hade vi inte haft det lika trevligt, eller hur?"

Ed sneglade på Jess. "Nej, det hade vi inte."

Det dröjde en liten stund innan Jess blick vände sig mot honom igen. "Nej, älskling", sa hon efter en sekund. Och hennes leende var egendomligt sorgset. "Nej, det hade vi inte."

Bilen slukade mil efter mil, smidigt och effektivt. De korsade den skotska gränsen och Ed försökte – och misslyckades med – att få alla att hurra. De stannade en gång för att Tanzie behövde gå på toa, tjugo minuter senare för att Nicky måste ("Jag kan inte rå för det. Jag behövde inte när Tanzie gick.") och tre gånger för att Norman måste (två gånger var bara falskt alarm). Jess satt tyst bredvid honom, hon tittade på klockan och tuggade på naglarna. Nicky stirrade ut över det ödsliga landskapet, på de få husen som låg utspridda mellan de böljande kullarna. Ed undrade vad som skulle hända med honom när den här resan var över. Han ville ge honom femtio olika råd och förslag, men försökte föreställa sig hur han själv hade reagerat om någon hade gett honom motsvarande råd i samma ålder och han misstänkte att han inte hade lyssnat. Han undrade hur Jess skulle klara av att skydda honom när de återvände hem.

Telefonen ringde och han sneglade på skärmen. Hans mod sjönk. "Lara."

"Eduardo. Baby. Vi måste prata om lägenheten."

Han blev medveten om hur Jess stelnade till, hur hennes blick flackade. Han önskade plötsligt att han inte hade svarat.

"Lara, jag har ingen lust att diskutera det här nu."

"Det är inte så mycket pengar. Inte för dig. Jag pratade med min advokat och han sa att det inte skulle vara mycket alls för dig."

"Men vi har redan gjort bodelning och du har fått hela ditt underhåll."

Han blev medveten om att alla i bilen hade tystnat.

"Eduardo. Baby. Vi måste prata om det här."

"Lara …"

Innan han hann säga så mycket mer sträckte sig Jess fram och tog telefonen ur hans hand. "Hej Lara", sa hon. "Det här är Jess. Jag är hemskt ledsen men han kommer inte att kunna betala fler saker åt dig, så det är faktiskt ingen idé att du ringer mer."

En kort tystnad. Sedan en explosion. "Vem är det här?"

"Jag är hans nya fru. Och förresten, han vill ha tillbaka tavlan med ordförande Mao. Du kanske kan lämna den hos hans advokat? Okej? Ingen brådska. Tack ska du ha."

Tystnaden som följde var som sekunderna före en kärnvapenexplosion. Men innan någon av dem hann höra vad som hände sedan tryckte Jess bort samtalet och lämnade tillbaka telefonen. Han tog den försiktigt och stängde av den.

"Tack", sa han. "Tror jag."

"Varsågod." Hon såg inte på honom när hon svarade.

Ed tittade i backspegeln. Han var inte helt säker, men det såg ut som om Nicky hade svårt att hålla sig för skratt.

Någonstans mellan Edinburgh och Dundee, på en smal väg kantad av träd, var de tvungna att sakta ner och till slut stanna på grund av en skock kor ute på körbanan. Djuren omringade bilen, de bligade på passagerarna med slö nyfikenhet. Det var som ett böljande svart hav av gloende ögon i lurviga, svarta huvuden. Norman stirrade tillbaka på dem.

"Aberdeen Angus", sa Nicky.

Plötsligt, helt utan förvarning, slungade Norman sin enorma skällande och dreglande kropp mot ena rutan. Bilen krängde till, baksätet förvandlades till ett kaos av armar, oväsen och vildsint flängande hund. Nicky och Jess sträckte sig fram för att gripa tag i honom.

"Mamma!"

"Norman! Sluta!" Hunden var ovanpå Tanzie, han tryckte huvudet mot rutan. Ed kunde knappt urskilja hennes glittriga, rosa jacka under honom.

Jess hängde över sätet för att få ett grepp om hans halsband. De slet tillbaka Norman från fönstret. Han gnyddе och ylade hysteriskt, drog i halsbandet och stora salivloskor skvätte runt i hela bilen.

"Norman, din stora idiot! Vad fan …"

"Han har aldrig sett en ko förut", sa Tanzie och satte sig upp.

"Herregud Norman." Nicky gjorde en grimas.

"Gick det bra, Tanze?"

"Ja då."

Korna fortsatte fram i långsam takt, de delade på sig för att komma förbi bilen. Oberörda av hundens utbrott. Genom de allt immigare rutorna kunde de nätt och jämt urskilja bonden längst bak, han gick långsamt och obekymrat, i samma tempo som sina loja djur. Han nickade nästan omärkligt när han gick förbi dem, som om han hade all tid i världen. Norman gnydde och slet i halsbandet.

"Jag har aldrig sett honom så här." Jess slätade till håret och blåste ut luften ur kinderna. "Han kanske kände doften av biff."

"Jag visste inte att han hade det i sig", sa Ed.

"Mina glasögon." Tanzie höll upp de förvridna metallskalmarna. "Mamma, Norman förstörde mina glasögon."

Klockan var kvart över tio.

"Jag ser inget utan mina glasögon."

Jess såg på Ed. *Helvete.*

"Okej", sa han. "Fram med plastpåsen. Nu måste jag trycka på gasen."

De skotska vägarna var tomma och breda och Ed körde så snabbt att gps:en hela tiden måste uppdatera den beräknade ankomsttiden. För varje minut de knappade in gjorde han en ny målgest i fantasin. Tanzie spydde två gånger. Han vägrade stanna för att låta henne kräkas i vägrenen.

"Hon mår jättedåligt", sa Jess.

"Det är ingen fara med mig", upprepade Tanzie med ansiktet begravt i en plastpåse.

"Vill du inte stanna, älskling? Bara en liten stund?"

"Nej. Fortsätt köra. *Bluäh* …"

Det fanns inte tid att stanna. Inte för att vetskapen om det gjorde resan enklare på något sätt. Nicky hade vänt sig bort från sin syster, han höll för näsan med handen. Till och med Norman stack ut huvudet genom fönstret för att få frisk luft.

Han skulle se till att de kom fram i tid. Han kände sig mer uppfylld av mål och mening än han hade gjort på flera månader. Och äntligen, nu kunde de skönja Aberdeen i fjärran med sina stora, silvergrå byggnader, de anmärkningsvärt moderna skyskraporna som sköt upp i horisonten.

Han körde i riktning mot centrum, vägarna smalnade av och blev till kullerstensgator. De körde genom hamnen, till höger låg enorma tankbåtar, och det var då trafiken saktade in och hans förtröstan började vackla. De satt i en tystnad som blev allt mer nervös, Ed knappade in alternativa färdrutter genom Aberdeen som inte erbjöd någon tidsvinst. Gps:en började slå tillbaka mot honom och plussade på den tiden de hade knappat in. Det var femton, nitton, tjugotvå minuter kvar till universitetet. Tjugofem minuter. För mycket.

"Vad är det som händer?" frågade Jess rakt ut. Hon fipplade med radioknapparna och försökte få in någon trafikinformation. "Varför är det stopp i trafiken?"

"Det är bara mycket trafik."

"Det är klart att det beror på mycket trafik", sa Nicky. "Varför skulle det annars bildas kö?"

"Det kan bero på en olycka", sa Tanzie.

"Men kön skulle fortfarande bestå av trafik", sa Ed roat. "Så problemet är fortfarande mängden trafik."

"Nej, trafikvolymen som saktar in är något helt annat."

"Men resultatet är detsamma."

"Men i så fall är definitionen inkorrekt."

Jess tittade på gps:en. "Kan vi fokusera på det här? Är vi verkligen på rätt ställe? Det verkar osannolikt att hamnen skulle ligga i närheten av universitetet."

"Vi måste köra genom hamnområdet för att komma till universitetet."

"Är du säker?"

"Ja, jag är säker, Jess." Ed försökte dölja irritationen i rösten. "Titta på gps:en."

Det blev tyst en stund. Trafikljusen hann slå om till grönt två gånger utan att de rörde sig en meter framåt. Jess däremot rörde sig oavbrutet, hon skruvade på sig i sätet, vred nacken ur led och kikade sig omkring för att se om det fanns en väg som de hade missat. Han förstod henne. Han kände likadant.

"Jag tror inte vi hinner skaffa nya glasögon", mumlade han till henne när det blev grönt en fjärde gång.

"Men hon ser inget utan dem."

"Om vi börjar leta efter glasögon hinner vi aldrig dit."

Hon bet sig i läppen och vände sig om. "Tanze? Tror du att du kan läsa genom linsen som inte är sprucken? Är det alls möjligt, tror du?"

Ett grönblekt, litet ansikte kikade upp från plastpåsen. "Jag ska försöka", pep hon.

Trafiken stod still. Spänningen i bilen var så tryckt att den nästan gick att ta på. När Norman gnydde fräste de "Tyst, Norman!" med en mun. Ed kände blodtrycket stiga. Varför hade de inte åkt en halvtimme tidigare? Varför hade han inte planerat det här bättre? Vad skulle hända om de kom för sent? Han sneglade på Jess som trummade nervöst mot knäna och förstod att hon tänkte samma sak. Och till slut, oförklarligt, som om gudarna bara hade retats med dem, lättade trafiken.

Han trampade gasen i botten och Jess lutade sig fram och skrek "Kör! Kör!" som om hon satt på kuskbocken och manade på sina hästar. Han slirade i kurvorna, körde nästan för snabbt för gps:en som hickade fram nya instruktioner och sladdade till slut in på universitetsområdet på två hjul. De följde de tryckta skyltarna som var uppsatta lite här och var på området och hittade till slut Downes Building, en synnerligen charmlös kontorsbyggnad från sjuttiotalet i samma grå granit som allting annat.

Med skrikande bromsar gled Ed in på parkeringen framför huset, och när han stängde av motorn blev allting stilla. Han släppte ut en djup suck och tittade på klockan. Sex minuter i tolv.

"Är vi framme?" sa Jess och kikade ut.

"Vi är framme."

Plötsligt verkade Jess helt paralyserad, som om hon inte riktigt förstod att de faktiskt var framme. Hon knäppte upp säkerhetsbältet och stirrade ut över parkeringsplatsen, på pojkarna som släntrade förbi som om de hade all tid i världen, med näsorna begravda i sin bärbara elektronik och åtföljda av nervösa föräldrar. Barnen var alla klädda i privatskoleuniformer. "Jag trodde att det skulle vara … större", sa hon.

Nicky stirrade ut i det grå duggregnet. "Ja, för avancerad matte är en riktig publikmagnet."

"Jag ser ingenting", sa Tanzie.

"Om ni går in och registrerar er så åker jag iväg och skaffar glasögon."

Jess vände sig mot honom. "Men du vet inte vilken styrka hon behöver."

"Det blir i alla fall bättre än ingenting. Gå nu. Gå."

Han såg hur hon stirrade efter honom när han i rasande tempo backade ut från parkeringsfickan och körde in mot centrum.

Det tog sju minuter och tre försök innan han hittade ett apotek som sålde läsglasögon. Ed tvärnitade så att Norman flög fram och slog huvudet i hans axel. Hunden makade sig morrande tillrätta i baksätet.

"Stanna här", sa Ed till honom och kastade sig in.

Butiken var tom sånär som på en äldre dam med en korg på armen och två butiksbiträden som småpratade lågmält. Han rusade förbi hyllorna med tandkräm och tamponger, liktornsplåster och nedsatta julklappsset tills han hittade glasögonstället vid kassan. Jäklar. Han mindes inte om hon var närsynt eller översynt. Han skulle precis sträcka sig efter telefonen för att ringa Jess när han insåg att han inte hade hennes nummer.

"Fan Fan. Fan." Ed stod där och försökte gissa. Hon såg ut att ha ganska starka glasögon. Han hade aldrig sett henne utan. Betydde det att hon kanske var närsynt? Var det inte vanligare att barn var närsynta? Visst var det vuxna som började hålla saker på avstånd för att kunna läsa? Han tvekade i tio sekunder, och sedan plockade han ner allihop från ställningen. Det blev en hel hög med starka och super-svaga, för både närsynthet och översynthet, i genomskinliga plastförpackningar.

Flickan och den äldre damen kom av sig mitt i samta-let. Butiksbiträdet såg på glasögonen, sedan på honom. Ed såg att hon tittade på hans krage där Norman hade lämnat synliga spår av saliv och han försökte diskret torka bort det. Vilket resulterade i att det smetade ut över hela kavajslaget.

"Allihop. Jag tar allihop", sa han. "Men bara om du kan ta betalt för dem på mindre än trettio sekunder."

Flickan såg upp på sin chef som betraktade Ed miss-tänksamt och sedan nickade nästan omärkligt. Utan ett ord började flickan slå in priset på glasögon efter glasögon och prydligt packa in dem i varsin påse. "Nej, nej. Det hinns inte med. Säg bara hur mycket det kostar", sa han och började kasta glasögonen i en plastpåse.

"Klubbkort?"

"Nej, inget klubbkort."

"Vi har ett specialerbjudande på måltidsersättning. Köp tre betala för två. Vill ni ..."

Ed böjde sig ner för att plocka upp ett par glasögon som hade åkt ner på golvet. "Nej, inget sådant", sa han. "Inga erbjudanden. Tack. Jag vill bara betala."

"Det blir hundrasjuttiofyra pund", sa hon till slut. "Sir."

Hon såg sig om som om hon väntade sig att ett kamera-team från Dolda kameran skulle dyka upp. Men Ed rafsade ner sin namnteckning, grep påsen och rusade ut till bilen. På vägen ut hörde han "Inget hyfs" uttalas på bred skotska.

Parkeringsplatsen var tom på folk när han kom tillbaka. Han körde ända fram till dörren och lämnade Norman i baksätet, han sprang in och rusade längs de ekande korri-dorerna. "Mattetävlingen? Mattetävlingen?" ropade han så fort han mötte någon. En man pekade stumt på en lamine-rad skylt. Ed rusade uppför trapporna, två steg i taget, längs en ny korridor och in i ett förrum. Två män satt bakom ett skrivbord. På andra sidan rummet stod Jess och Nicky.

Hon tog ett steg mot honom. "Jag har dem." Han höll triumferande upp påsen. Han var så andfådd att han knappt kunde prata.

"Hon har gått in", sa hon. "De har redan börjat."

Han tittade flämtande upp på klockan. Den var sju minuter över tolv.

"Ursäkta", sa han till den ena mannen bakom skrivbordet. "Jag måste överlämna några glasögon till en flicka där inne."

Mannen såg långsamt upp. Han tittade på plastpåsen som Ed höll fram.

Ed lutade sig över bordet och visade upp påsen. "Hennes glasögon gick sönder på vägen hit. Hon ser inte utan dem."

"Jag beklagar, sir. Jag kan inte släppa in någon."

Ed nickade. "Jo, det kan ni visst. Jag försöker inte fuska eller smuggla in något. Jag visste bara inte vilken sorts glasögon hon behöver, så jag köpte en massa olika. Kontrollera dem. Allihop. Titta, inga hemliga lappar eller meddelanden." Han höll upp påsen. "Ni måste gå in med dem till henne så att hon kan prova och hitta ett par som passar."

Mannen skakade långsamt på huvudet. "Sir, vi kan inte tillåta att någon går in och stör …"

"Jo. Det kan ni visst. Det här är en nödsituation."

"Det är emot reglerna."

Ed stirrade på honom i tio hela sekunder. Sedan sträckte han på sig, lade ena handen på bakhuvudet och började gå bort. Han kände en ny frustration växa inom sig, som en kaffepanna på en het kokplatta. "Vet ni vad?" sa han och vände sig om. "Det har tagit oss tre hela dagar att komma hit. Tre dagar då min en gång väldigt fina bil har fyllts med spyor och en hund har orsakat onämnbara saker med min bilklädsel. Jag som inte ens gillar hundar. Jag har legat i bilen med en främmande person. Och inte på ett bra sätt. Jag har bott på ställen som ingen vettig människa ska behöva bo på. Jag har ätit ett äpple som legat nedstoppat i en tonårig pojkes alltför tajta byxor och en kebab som möjligtvis innehöll människokött. Jag har en väntande kris av episka mått i London och jag har skjutsat dessa fullständigt främmande – men väldigt trevliga – människor nästan etthundra mil för att till och med jag insåg att den här tävlingen var väldigt, väldigt viktig för dem. Livsavgörande. Därför att det enda som betyder något för den där lilla flickan där inne är matematik. Och om hon inte får ett par glasögon som hon faktiskt kan se något med har hon inte en chans att göra bra ifrån sig. Och om hon inte kan det, kommer hon att missa den enda möjlighet hon har att gå på en skola som hon verkligen, verkligen behöver gå på. Och om det händer, vet ni vad jag kommer att göra då?"

Mannen stirrade.

"Jag kommer att gå in i det där rummet och gå runt till alla deltagare och ta deras mattepapper och riva sönder dem i småbitar. Och jag kommer att göra det så snabbt att ni inte hinner tillkalla några säkerhetsvakter. Och vet ni varför jag tänker göra det?"

Mannen svalde. "Nej."

"För att det måste finnas en mening med allt det här." Ed gick tillbaka till bordet. "Det måste det."

Något hade hänt med Eds ansikte. Han kände det, kände hur ansiktet förvreds i nya former. Och Jess klev fram och lade en lugnande hand på hans arm.

Hon gav påsen till mannen. "Vi skulle bli väldigt tacksamma om ni kunde ge henne glasögonen", sa hon lågt.

Mannen reste sig upp, gick runt bordet och bort till dörren. Han släppte inte Ed med blicken. "Jag ska se vad jag kan göra", sa han. Och dörren gick tyst igen bakom honom.

De gick ut till bilen under tystnad, omedvetna om regnet. Jess packade ut väskorna. Nicky stod vid sidan om med händerna så djupt nedkörda i fickorna som det bara var möjligt. Vilket med tanke på de tajta jeansen inte var särskilt djupt.

"Jaha, vi klarade det." Hon lyckades le.

"Jag sa ju det." Ed nickade mot bilen. "Ska jag vänta med er tills hon är klar?"

Hon rynkade på näsan. "Nej, det går bra. Vi har uppehållit dig tillräckligt länge redan."

Ed kände leendet falna. "Var ska ni sova i natt?"

"Om det går bra för henne kanske vi unnar oss en natt på hotell. Och om det inte gör det ..." Hon ryckte på axlarna. "Busshållplatsen." Hon sa det på ett sätt som antydde att hon inte trodde på det.

Hon gick bort till ena bakdörren. Norman, som hade glott ut i regnet och bestämt sig för att stanna kvar där han var, såg upp på henne.

Jess stack in huvudet. "Norman, dags att gå."

Bakom Audin låg en liten hög av påsar och väskor. Hon drog fram en jacka och räckte till Nicky. "Sätt på dig den. Det är kallt."

Det fanns en aning sälta från havet i luften. Det fick honom att tänka på Beachfront. "Jaha ... var det allt?"

"Jag tror det. Tack så mycket för skjutsen. Jag ... vi ... uppskattar det verkligen. Och glasögonen. Allting."

De såg på varandra på riktigt för första gången den dagen och det fanns en miljard saker han ville säga.

Nicky lyfte generat ena handen. "Ja. Tack så mycket, mr Nicholls."

"Åh. Här." Ed stack handen i fickan och fiskade upp telefonen han hade plockat fram ur handskfacket och kastade den till honom. "Det är en reservtelefon. Jag ...öh ... behöver den inte längre."

"Är det sant?" Nicky fångade den och tittade på den som om han inte kunde tro sina ögon.

Jess rynkade pannan. "Vi kan inte ta emot den. Du har redan gjort tillräckligt mycket för oss."

"Det är inget märkvärdigt. Jag menar allvar. Om Nicky inte vill ha den måste jag skicka den till en sådan där återvinningsplats. Han besparar mig bara en massa besvär."

Jess tittade ner i marken som om hon var i begrepp att säga något. Sedan tittade hon upp och svepte upp håret i en hästsvans.

"Okej. Tack än en gång." Hon sköt fram en hand. Ed tvekade, sedan skakade han den och försökte bortse från de plötsligt uppblossande minnesbilderna från kvällen före.

"Lycka till med din pappa. Och lunchen. Och allt det andra. Det kommer säkert att ordna sig. Glöm inte bort att bra saker händer." När hon drog tillbaka sin hand kände han det som om han förlorade något. Hon vände sig om och såg sig över axeln, redan på väg. "Jaha, då ska vi hitta någonstans att ställa våra saker."

"Vänta." Ed tog fram ett visitkort, skrev ett nummer på det och gick bort till henne. "Ring mig."

En av siffrorna var utsmetad. Han såg henne stirra på den.

"Det ska vara en trea." Han ändrade det, sedan stoppade han händerna i fickorna och kände sig som en osäker ton-åring. "Jag vill gärna veta hur det går för Tanzie. Snälla."

Hon nickade. Och sedan var hon borta, hon föste pojken och hunden framför sig som en fåraherde. Han såg efter dem, såg dem släpa sina överdimensionerade bagar och den motsträviga hunden ända tills de rundade hörnet på den gråa byggnaden och försvann utom synhåll.

Det var tyst i bilen. Ed hade vant sig vid de svagt immiga rutorna och känslan av andra kroppars närvaro i hans omedelbara närhet även under de timmar när ingen hade pratat. Det dova plinget från Nickys spel. Jess ständiga fumlande. Nu stirrade han runt i bilen och kände det som om han befann sig i ett övergivet hus. Han såg smulorna och äppelskruttet som låg nedstucket i den bakre askkoppen, den smälta chokladen, den hopvikta tidningen i sätesfick-an. Hans fuktiga kläder på galgar vid bakrutan. Han såg matteboken som Tanzie tydligen hade glömt i brådskan, inklämd vid sidan av sätet, och han undrade om han skulle vända och lämna tillbaka den till henne. Men vad var det för mening med det? Det var för sent.

Det var för sent.

Han satt kvar i bilen på parkeringsplatsen och såg de sista föräldrarna släntra tillbaka till sina bilar, de skulle fördriva tiden medan de väntade på sina avkommor. Han böjde sig fram och lutade huvudet mot ratten. Och sedan, när hans bil var den sista som stod kvar på parkeringen, vred han om tändningen och körde iväg.

Ed hade kört cirka trettio kilometer innan han insåg hur trött han var. Kombinationen av tre nätters dålig sömn, baksmälla och tusen kilometers bilkörning träffade honom med full kraft och han kände ögonlocken falla ihop. Han vred upp radion och vevade ner rutan, och när inte det heller hjälpte stannade han till vid ett kafé för att dricka kaffe.

Det var halvtomt trots att det var lunchdags. Ett par kostymklädda män satt i varsin ände av lokalen, försjunkna i sina mobiler och dokument, på väggen bakom dem stååde stället med sin meny bestående av sexton olika varianter av korv, ägg, bacon, pommes frites och bönor. Han beställde en kopp kaffe.

"Jag beklagar, men så här dags på dagen är borden reserverade för matgäster." Hennes dialekt var så kraftig att han måste anstränga sig för att uppfatta vad hon sa.

"Jaha. Ja, då …"

KÄNT IT-FÖRETAG I INSIDERHÄRVA

Han stirrade på tidningsrubriken.

"Sir?"

"Mm?" Han blev iskall.

"Ni måste beställa mat. Om ni vill sitta ner."

"Åh."

Ekobrottsmyndigheten bekräftade i går att det pågår en utredning om misstänkt insiderhandel i mångmiljonklassen i ett känt brittiskt IT- företag. Utredningen pågår på ömse sidor om Atlanten och inbegriper både börsen i London och

New York, samt de amerikanska ekobrottsmyndigheterna.
Inga gripanden har skett, men enligt en källa inom London-
polisen är det bara en tidsfråga.

"Sir?"

Hon måste upprepa det två gånger. Han såg upp. En ung kvinna med fräknar på näsan och håret i en medvetet slar-vig uppsättning. "Vad vill ni äta?"

"Det spelar ingen roll." Det var som att ha krita i munnen.

En paus.

"Öh ... vill ni höra dagens erbjudande? Eller våra mest populära rätter?"

Bara en tidsfråga.

"Vi har Burns frukost hela dagen ..."

"Okej."

"Ska det vara vitt eller mörkt bröd till?"

"Vilket som."

Han kände hur hon stirrade. Sedan krafsade hon ner något i sitt block, petade ner det innanför förklädet och gick sin väg. Ed satt kvar och stirrade på tidningen som låg på bordet. Han kanske kände det som om livet hade vänts upp-och-ned de senaste sjuttiotvå timmarna, men det var inget mot vad som komma skulle.

"Jag har besök."

"Det här går fort." Han tog ett djupt andetag. "Jag kommer inte till pappas lunch."

Tystnaden var kort, olycksbådande.

"Säg att jag hörde fel."

"Jag kan inte. Det har kommit något emellan."

"Något."

"Jag kan förklara senare."

"Nej. Vänta."

Han hörde det dämpade ljudet av en hand som läggs över luren. Kanske också en knuten näve. "Sandra, jag måste ta

222

det här samtalet där ute. Jag kommer strax tillbaka." Fot-
steg. Och sedan var det som om någon vred upp volymen
på max. "Skämtar du? Du måste fan skämta med mig?"

"Jag är ledsen."

"Jag tror knappt det är sant. Fattar du hur mycket tid
mamma har lagt ner på det här? Fattar du hur mycket de
ser fram emot att träffa dig? Förra veckan räknade pappa
ut hur länge sedan det var ni sågs. Fyra månader sedan. I
december. Det är fyra månader då han har blivit gradvis
sämre och det enda du har gjort är att du har skickat ho-
nom några jävla tidningar."

"Han sa att han gillar *The New Yorker*. Jag trodde att han
skulle uppskatta det."

"Han kan för fan knappt se, Ed. Det hade du vetat om
du någon jävla gång orkade komma upp och hälsa på. Och
mamma tycker att de där långa artiklarna är så tråkiga att
hon tror att hjärnan ska börja rinna ut ur öronen."

Så där fortsatte hon. Det var som att ha en hårtork på
maxeffekt rakt i örat.

"Hon har till och med lagat dina favoriträtter och inte
pappas på deras speciella lunch. Så gärna vill hon att du
ska komma. Och nu lämnar du återbud tjugofyra timmar
innan? Utan förklaring. Vad fan är det frågan om?"

Han blev alldeles het om örat. Han satt där med slutna
ögon. När han öppnade dem igen var klockan tjugo i två.
Olympiaden var snart över. Han tänkte på Tanzie i uni-
versitetsaulan, hur hon satt dubbelvikt över sina papper
med de överflödiga glasögonen spridda runt omkring sig
på golvet. Han hoppades för hennes skull att hon lyckades
slappna av, fokusera, och göra det hon uppenbarligen var
ämnad för. Han tänkte på Nicky som drev omkring utanför
och väntade och kanske försökte smita iväg och tjuvröka.

Han tänkte på Jess, hopkrupen på en bag med hunden
bredvid, händerna knäppta runt knäna som i bön, överty-
gad om att om hon bara önskade det tillräckligt mycket så
skulle bra saker äntligen hända.

"Du är en jävla skam för mänskligheten, Ed. Faktiskt."
Gråten stockade sig i halsen på systern.

"Jag vet."

"Du ska inte tro att jag tänker tala om det för dem. Jag tänker inte göra ditt skitgöra."

"Snälla Gem, det finns ingen anledning …"

"Glöm det. Om du vill krossa deras hjärtan så får du göra det. Jag tvår mina händer, Ed. Jag fattar inte att du är min bror."

Ed svalde hårt när hon lade på luren. Sedan andades han skälvande ut. Vad gjorde det för skillnad? Hade de vetat sanningen hade det låtit ännu värre.

Det var där, i den halvtomma restaurangen på en soffa i röd skinnimitation, med en kallnande frukost framför sig som han inte ens ville ha, som Ed slutligen insåg hur mycket han saknade sin far. Han skulle ha gett vad som helst för att se hans uppmuntrande nick och något motvilliga leende som långsamt spred sig över ansiktet. Han hade inte haft hemlängtan på femton år, inte sedan han flyttade hemifrån, och plötsligt drabbades han av en nästan förlamande längtan hem. Han satt i restaurangen och tittade ut genom det smutsiga fönstret, på trafiken som susade förbi, och en känsla han inte riktigt kunde identifiera sköljde över honom som en rullande jättevåg. För första gången i sitt vuxna liv, trots skilsmässa, polisutredning och hela grejen med Deanna Lewis, måste Ed Nicholls kämpa för att hålla tillbaka tårarna.

Han tryckte händerna mot ögonen och spände käkarna tills det enda han kunde tänka på var känslan av tänder som pressades samman.

"Allt till belåtenhet?"

Den unga servitrisen såg på honom som om hon försökte avgöra om han skulle utgöra ett problem eller inte.

"Visst." Han hade försökt låta lugnande, men rösten höll inte. Och när hon inte såg övertygad ut tillade han, "Migrän."

Hon såg genast mindre sträng ut. "Åh, migrän. Stackare. Har ni tabletter?"

Ed skakade på huvudet, han litade inte på rösten.

"Jag förstod att det var något." Hon stod kvar framför honom en liten stund. "Vänta." Hon gick bort mot disken, ena handen letade sig upp mot bakhuvudet och den avancerade håruppsättningen. Hon lutade sig över disken, rotade bland något han inte kunde se, sedan återvände hon långsamt. Hon kastade ett öga bakom axeln, sedan lade hon ner två tabletter inslagna i metallfolie.

"Jag får naturligtvis inte ge tabletter till kunder, men de här är toppen. Det enda som funkar för mig. Fast drick inte mer kaffe – då blir det bara värre. Jag ska hämta lite vatten."

Han tittade upp på henne, sedan på tabletterna.

"Oroa dig inte, det är inget skumt. Det är bara migräntabletter."

"Tack, det var snällt."

"Det tar ungefär tjugo minuter. Men sedan …! Vilken lättnad." När hon log skrynklade sig hennes näsa. Under all mascara såg han att hon hade snälla ögon.

Hon dukade undan hans kaffe, som för att skydda honom mot sig själv. Ed kom på sig med att tänka på Jess. Bra saker händer. Ibland när man minst av allt anar det.

"Tack så mycket", sa han lågt.

"Det var så lite."

Och sedan ringde det i hans telefon. Ljudet ekade i lokalen och när han väl hade lokaliserat ljudet tittade han ner på skärmen. Okänt nummer.

"Mr Nicholls?"

"Ja?"

"Det är Nicky. Nicky Thomas. Öh … jag är ledsen att jag stör, men vi skulle verkligen behöva hjälp."

KAPITEL TJUGOETT

NICKY

Redan när de hade kört in på parkeringen hade det varit uppenbart för Nicky att det här var en dålig idé. Varenda unge, med undantag för någon enstaka, var pojke. Varenda en var minst två år äldre än Tanzie. De flesta såg ut att ha varit föremål för en Aspergersutredning. De hade alla medelklassattribut; yllekavajer, fula frisyrer, tandställning och lagom slitna skjortor. Föräldrarna körde Volvo. Med sina rosa byxor och jeansjacka med påsydda blomapplikationer var Tanzie som en främmande fågel från en annan planet.

Nicky visste att Tanzie var orolig redan innan Norman bröt av hennes glasögon. Hon hade blivit tystare och tystare i bilen. Hon försvann in i sin egen värld; en blandning av nervositet och åksjuka. Han hade försökt locka ut henne ur sin bubbla – och med tanke på hur illa hon luktade var detta en osjälvisk handling av episka mått – men lagom till att de hunnit till Aberdeen hade hon dragit sig så pass långt undan att hon inte längre var kontaktbar. Jess var så inställd på att hinna fram i tid att hon inte märkte det. Hon var upptagen med mr Nicholls, glasögonen och spypåsarna. Det hade inte ens föresvävat henne att privatskoleungar kunde vara minst lika elaka som de på McArthur's.

Jess hade stått vid bordet och registrerat Tanzie och fått namnbricka och formulär. Nicky hade stått vid sidan om tillsammans med Norman och undersökt mr Nicholls telefon, så han hade inte heller uppmärksammat de två pojkarna som gått fram till Tanzie som stod och studerade informationsskylten utanför aulan. Han hörde dem inte eftersom han hade hörlurarna instoppade i öronen och lyssnade på Depeche Mode och han var inte särskilt medveten om något som skedde runtomkring honom. Ända tills han upptäckte Tanzies stukade min. Han plockade ut snäckan ur ena örat.

Pojken med tandställningen betraktade henne och lät blicken långsamt vandra uppifrån och ner. "Har du verkligen kommit rätt? Du vet att Justin Biebers fanclub har flyttat sitt möte?"

Den magra pojken skrattade.

Tanzie tittade på dem med sina runda ögon.

"Har du varit på en olympiad förut?"

"Nej", sa hon.

"Vilken *surprise*. Jag kan inte påminna mig om att jag har sett så många deltagare som haft pälsiga pennskrin med sig. Har du ditt pennskrin i päls med dig, James?"

"Jag tror bestämt att jag har glömt det hemma. Oj, oj."

"Det är min mamma som har sytt det", sa Tanzie stelt.

"Jaså din mamma har sytt det?" Det såg på varandra. "Det kanske är ditt turpennskrin?"

"Vad vet du om strängteori?"

"Hon vet nog mer om stinkteori. Du James, känner du att det luktar illa? Det luktar spya. Tror du att det är någon som kanske är lite nervös?"

Tanzie böjde ner huvudet och satte fart mot toaletten.

"Det där är herrarnas!" ropade de efter henne och skrattade så de nästan trillade omkull.

Nicky hade krånglat med att binda fast Norman vid elementet. När pojkarna nu gick förbi honom på väg in i aulan tog han ett steg fram och lade en hand runt Tandställningens nacke. "Hörru! Hallå där."

Pojken snodde runt. Hans ögon spärrades upp. Nicky ställde sig alldeles nära honom och sänkte rösten till en viskning. Plötsligt var han glad över sin gulaktiga hudton och ärret som löpte över ena kinden. "Grabben. Ville bara säga en sak. Om du någonsin bråkar med min syrra igen

227

– någons syrra överhuvudtaget – kommer jag att leta upp dig och förvandla hela dig till ett jävligt komplicerat bråk. Fattar du?"

Han nickade med gapande mun.

Nicky blängde på honom med sin galnaste Jason Fisher-blick. Tillräckligt länge för att pojkens adamsäpple skulle börja guppa betänkligt. "Inte så kul att vara nervös, eller hur?"

Pojken skakade på huvudet.

Nicky klappade honom på axeln. "Bra. Fint att vi redde ut det. Gå och räkna nu." Han vände sig om och började gå mot toaletterna.

En av lärarna ställde sig framför honom med frågande blick och ena handen höjd. "Ursäkta, men vad sa du till honom?"

"Jag lyckönskade honom, förstås. Smart kille, det där." Nicky skakade på huvudet som i beundran, sedan gick han bort till herrarnas för att hämta Tanzie.

När Jess och Tanzie kom ut från damrummet var Tanzies tröja fuktig där Jess hade tvättat den ren med tvål och vatten och hennes ansikte var blekt och flammigt.

"Du ska inte bry dig om en sådan där liten skit", sa Nicky och ställde sig upp. "Han ville bara skrämma dig."

"Vem var det?" Jess såg fly förbannad ut. "Peka på honom, Nicky."

Säkert. För en rasande Jess som börjar härja omkring var precis vad Tanzie behövde. "Öh … jag tror inte att jag skulle känna igen honom. Dessutom har jag redan tagit hand om det."

Han gillade det. Tagit hand om det.

"Men jag ser inget, mamma. Vad ska jag göra om jag inte kan läsa?"

"Mr Nicholls har åkt för att skaffa dig glasögon. Oroa dig inte."

"Men tänk om han inte gör det? Tänk om han inte kommer tillbaka?"

Om jag var han skulle jag inte det, tänkte Nicky. De hade

förstört hans fina bil. Och han såg typ tio år äldre ut än när de hade åkt hemifrån.

"Han kommer tillbaka", sa Jess.

"Mrs Thomas. Vi börjar nu. Er dotter har trettio sekunder på sig att inta sin plats."

"Finns det någon som helst möjlighet att skjuta på det i fem minuter? Vi måste verkligen få fram några glasögon till henne. Hon ser ingenting utan."

"Nej, madam. Om hon inte är på sin plats om trettio sekunder börjar vi utan henne."

"Får jag följa med henne i så fall? Och läsa frågorna för henne?"

"Men jag kan inte skriva utan glasögon."

"Då kan jag skriva åt dig."

"Mamma …"

Jess visste när hon var besegrad. Hon kastade ett öga mot Nicky och skakade på huvudet. *Vad ska jag göra?*

Nicky satte sig på huk bredvid henne. "Du fixar det, Tanzie. Det gör du. Det här är sådant som du klarar av stående på huvudet. Om du bara håller pappret riktigt nära ögonen och tar god tid på dig."

Hon stirrade blint ut i aulan där de andra barnen höll på att inta sina platser, drog in stolar, plockade fram pennor och suddgummin.

"Och så fort mr Nicholls kommer tillbaka kommer vi in med glasögonen till dig."

"Just det. Gå in och gör ditt bästa så väntar vi här utanför. Norman är bara på andra sidan väggen. Det är vi allihop. Och sedan går vi någonstans och äter lunch. Du behöver inte jaga upp dig."

Kvinnan med skrivplattan kom bort till dem. "Ska du delta i tävlingen, Costanza?"

"Hon heter Tanzie", sa Nicky. Kvinnan verkade inte höra. Tanze nickade stumt och lät sig ledas bort till bänken. Hon såg så liten ut.

"Du fixar det, Tanze!" Hans röst hade plötsligt sprängt fram ur honom och nu studsade den mellan väggarna. En man vid dörren rynkade irriterat på näsan. "Tvåla till dem, syrran!"

"Men herregud", muttrade någon.

"Ge dem vad de tål!" skrek Nicky igen och Jess tittade förstummad på honom.

Sedan ringde en klocka, dörren gick igen med en dov smäll och nu var det bara Nicky, Jess och Norman kvar där på andra sidan dörren och de hade ett par timmar som måste fördrivas.

"Jaha", sa Jess till slut när hon lyckats slita blicken från dörren. Hon stack händerna i fickan, drog upp dem igen, rättade till hästsvansen och suckade. "Jaha."

"Han kommer", sa Nicky som inte alls var säker på att han skulle det.

"Jag vet."

Tystnaden som följde var tillräckligt lång för att de skulle le påtvingat mot varandra. Långsamt tömdes korridoren på folk, snart var det bara arrangören kvar som mumlande studerade en namnlista.

"Han har antagligen fastnat i trafiken."

"Det är säkert en massa köer."

Nicky kunde se Tanzie framför sig, hur hon kisade med ögonen för att försöka läsa uppgifterna och hur hon såg sig omkring och letade efter en hjälp som aldrig kom. Jess stirrade upp i taket, svor tyst, och satte upp håret i en ny svans. Han misstänkte att hon hade samma bild på näthinnan.

Sedan hördes ett oväsen på avstånd och mr Nicholls dök upp springande längs korridoren med en plastpåse i handen som såg ut att vara proppfull med glasögon. När han kastade sig fram mot bordet och började argumentera med arrangörerna på ett sätt som bara den gör som aldrig i livet kommer att ge med sig, kände Nicky en sådan enorm lättnad att han var tvungen att gå ut ur rummet och luta sig mot väggen. Han sjönk ihop och lade huvudet mot knäna ända tills andhämtningen stabiliserades och inte längre hotade att övergå i snyftningar.

Det kändes konstigt att säga adjö till mr Nicholls. De stod vid hans bil i duggregnet och Jess låtsades som om hon inte brydde sig det minsta, trots att det var uppenbart att hon gjorde det. Nicky ville tacka honom för det där med Facebook och skjutsen och för att han varit förvånansvärt schyst, men det var då mr Nicholls gav honom sin telefon och vid det laget var ett grötigt tack det enda han lyckades klämma ur sig. Och sedan var det över. Han och Jess och Norman korsade parkeringen och låtsades som om de inte hörde när han körde iväg.

De gick in och lämnade in sina väskor i garderoben. Sedan vände sig Jess mot honom och borstade bort några icke-existerande dammkorn från hans axel. "Jaha", sa hon. "Ska vi ta och gå en sväng med hunden?"

Det var sant att Nicky inte pratade mycket. Det var inte det att han inte hade något att säga. Det var bara det att han inte hade någon han ville säga det till. Ända sedan han flyttade till pappa och Jess hade folk försökt få honom att prata om "känslor", som om han bar runt på en ryggsäck som vem som helst kunde öppna och rota igenom. Men oftast visste han själv inte vad han tyckte och kände. Han hade ingen uppfattning om politik eller ekonomi eller det som hände honom. Han hade inte ens en uppfattning om sin egen mamma. Hon var missbrukare. Hon gillade drogerna mer än honom. Vad fanns det att tillägga?

Nicky gick hos en terapeut ett tag eftersom socialarbetarna ville det. Kvinnan verkade vilja att han visade ilska inför det som hade hänt honom. Nicky hade förklarat att han inte var arg eftersom han förstod att hans mamma inte kunde ta hand om honom. Det var ju inget personligt. Hon hade dumpat honom alldeles oavsett vem han var. Hon var bara … sorglig. Han hade knappt träffat henne när han var liten och det kändes inte som om han hade så mycket med henne att göra.

Men terapeuten hade framhärdat: "Du måste släppa fram

det, Nicholas. Det är inte bra att hålla allt inom sig." Hon gav honom två mjuka dockor och ville att han skulle visa "hur det kändes att bli övergiven" av sin mamma.

Nicky talade inte om för henne att det var tanken på att sitta i hennes mottagningsrum och leka med dockor och bli kallad för Nicholas, som fick honom att känna sig destruktiv. Han var inte en särskilt arg person. Inte på sin biologiska mamma, inte ens på Jason Fisher. Men han begärde inte att någon skulle förstå det. Fisher var bara en idiot som inte hade förmåga att göra annat än att slåss. Någonstans djupt inom sig visste Fisher att han inte hade något och aldrig skulle bli någon. Han var en nolla och ingen tyckte egentligen om honom. Därför blev han utagerande och projicerade all ilska på första bästa person. (Där ser man, terapin fungerade visst ändå.)

Så när Jess ville att de skulle gå en sväng blev Nicky lite orolig. Han ville inte prata om sina känslor. Han ville inte diskutera något alls. Han var helt inställd på att gå i försvarsställning när Jess kliade sig i håret och sa, "Är det bara jag, eller tycker du också att det känns konstigt att mr Nicholls inte är här?"

Det här var vad de pratade om:

Att Aberdeen hade några förvånansvärt vackra byggnader.

Hunden.

Om någon av dem hade tagit med sig bajspåse.

Vem av dem som skulle sparka in lorten under en parkerad bil så att ingen skulle behöva trampa i den.

Det bästa sättet att torka av en sko i gräset.

Om det alls var möjligt att torka rent skor i gräset.

Nickys ansikte, om det fortfarande gjorde ont. (Vilket det inte gjorde längre.)

Andra delar av honom, om de gjorde ont. (Nej, nej, och lite, men det var bättre nu.)

Hans jeans; varför han inte kunde dra upp dem så att hans kalsonger inte syntes.

Att hans kalsonger var hans ensak.

Om de skulle berätta för pappa om Rollsen. Nicky tyckte att hon skulle låtsas att den blivit stulen. Han skulle ju aldrig få reda på det. Dessutom var det rätt åt honom. Men Jess sa att hon inte kunde ljuga, det var inte rätt. Och sedan var hon tyst en stund.

Hur var det med honom? Kändes det bra att komma hemifrån ett tag? Var han orolig över att åka hem? Det var då Nicky tystnade och började rycka på axlarna. Vad skulle han säga?

Det här pratade de inte om:

Hur det skulle kännas att faktiskt vinna femtusen pund.

Om Tanzie började i den andra skolan och Nicky slutade sin skola tidigare, ville Jess att han skulle hämta henne på eftermiddagarna då?

Takeaway-maten de skulle fira med i kväll. Helst inte kebab.

Att Jess frös, trots att hon förnekade det. Håret på armarna stod rätt upp.

Mr Nicholls. Närmare bestämt var Jess hade sovit kvällen före. Och varför de hade tittat så förstulet på varandra hela förmiddagen, som två tonåringar, till och med när de argumenterade. Ärligt talat trodde Nicky att hon trodde att de var helt dumma i huvudet ibland.

Men det var ändå ganska okej, hela pratgrejen. Han tänkte att han kanske skulle göra det lite oftare.

De stod utanför och väntade när dörrarna äntligen slogs upp klockan två. Tanzie var bland de första som kom ut och hon klämde sitt lurviga pennskrin i famnen. Jess höll ut armarna, redo att fira.

"Nå? Hur var det?"

Hon såg stadigt på dem.

"Dominerade du, syrran?" flinade Nicky.

Plötsligt skrynklades Tanzies ansikte ihop. Alla stelnade

till, sedan hukade sig Jess ner för att dra henne intill sig, kanske lika mycket för att dölja sin egen chock. Nicky lade ena armen om henne på andra sidan och Norman satt vid hennes fötter. Medan de andra barnen strömmade förbi dem berättade hon hulkande vad som hade hänt.

"Jag missade första halvtimmen. Och jag förstod inte deras dialekt. Och jag såg inte ordentligt. Sedan blev jag nervös och bara stirrade på pappret och när jag fick glasögonen tog det jättelång tid innan jag hittade ett par som fungerade och sedan förstod jag inte ens första frågan."

Jess spejade efter en av arrangörerna. "Jag ska prata med dem. Förklara vad som hände. Jag menar, du kunde ju inte läsa vad som stod. Det måste de förstå. Vi kanske kan få dem att ta med det i beräkningen av resultatet."

"Nej. Jag vill inte att du pratar med någon. Jag förstod inte första frågan ens när jag hade fått på mig rätt glasögon. Jag fick det inte att stämma."

"Men kanske …"

"Jag förstörde allt", bölade Tanzie. "Jag vill inte prata om det. Jag vill bara åka hem."

"Du har inte alls förstört något, hjärtat. På riktigt. Du gjorde ditt bästa och det är det enda som spelar någon roll."

"Men det är inte sant. För utan pengarna kan jag inte gå på St. Anne's. Eller hur?"

"Det måste finnas ett sätt … Oroa dig inte, Tanzie. Det ordnar sig."

Det var hennes minst övertygande leende någonsin. Och Tanzie var inte dum i huvudet. Hennes gråt var hjärtskärande. Nicky hade aldrig sett henne sådan. Det fick honom nästan att börja gråta själv.

"Nu åker vi hem", sa han när han inte orkade mer.

Men det fick Tanzie att gråta ännu mer. Jess såg upp på honom, hon såg alldeles rådvill ut och det var som om hon vände sig till honom för att få hjälp. *Vad ska vi ta oss till?* Och det faktum att inte Jess visste vad de skulle göra fick honom att känna det som om hela världen var uppochned.

Sedan tänkte han: Gud, vad jag önskar att Jess inte hade konfiskerat mitt gräs. Just nu ville han röka på mer än någonsin tidigare.

De väntade i korridoren medan de andra deltagarna satte sig i sina bilar med sina föräldrar och plötsligt, helt oväntat, insåg Nicky att han var arg. Han var arg på pojkarna som hade retat Tanzie och fått hans lillasyster att tappa fattningen. Han var arg på hela tävlingen som inte kunde rucka en aning på reglerna för en liten flicka som inte kunde se ordentligt. Han var arg för att de hade rest tvärs över hela landet bara för att misslyckas igen. Som om deras familj aldrig kunde lyckas med något. Aldrig. Med något.

När korridoren var tom stack Jess handen i bakfickan och drog fram ett litet rektangulärt kort. Hon gav det till honom. "Ring mr Nicholls."

"Men han är halvvägs hemma. Vad kan han göra?"

Jess bet sig i läppen. Hon vände sig bort, sedan tillbaka. "Han kan skjutsa oss till Marty."

Nicky stirrade på henne.

"Snälla. Jag vet att det är genant, men jag kommer inte på något annat. Tanzie behöver något som kan muntra upp henne. Hon behöver få träffa sin pappa."

En halvtimme senare var han tillbaka. Han hade tydligen varit i närheten och stannat för att äta. Senare tänkte Nicky att det var konstigt att han inte hade kommit längre, och varför hade det tagit honom så lång tid att äta? Men han var upptagen med att argumentera med Jess en bit bort från bilen.

"Jag vet att du inte vill träffa din pappa, men …"

"Jag följer inte med."

"Tanzie behöver det här." Hon såg bestämd ut. Nicky visste att hon tog hänsyn till hans känslor, men den här gången skulle hon kräva att han gjorde som hon ville.

"Det kommer inte att göra saken bättre."

"Inte för dig, kanske. Nicky, jag vet att du har blandade

känslor för din pappa just nu och jag klandrar dig inte. Jag vet att det har varit förvirrande att ..."

"Jag är inte förvirrad."

"Tanzie är helt knäckt. Hon behöver något som får henne på fötter igen, lite uppmuntran. Och Marty är inte så långt bort." Hon lade en hand på hans arm. "Om du verkligen inte vill träffa honom när vi kommer dit kan du sitta kvar i bilen, okej? Jag är hemskt ledsen", fortsatte hon när han inte svarade. "Det är inte så att jag längtar efter att träffa honom heller, men vi måste göra det här."

Vad kunde han säga? Vad kunde han säga som skulle få henne att förstå? Och i ärlighetens namn fanns det en femprocentig chans att det var han som hade fel.

Jess gick bort till mr Nicholls som stod lutad mot bilen och såg på. Tanzie satt tyst inne i bilen. "Kan du skjutsa oss till Marty? Till hans mamma. Snälla? Jag är ledsen, jag vet att vi har varit jävligt jobbiga men ... jag har ingen annan som jag kan fråga. Tanzie ... måste få träffa sin pappa. Oavsett vad jag tycker om honom, vad vi tycker, så måste hon träffa honom. Det är bara ett par timmar med bil."

Han såg på henne.

"Okej, kanske lite mer om vi måste köra långsamt. Men snälla. Jag måste vända på den här situationen."

Mr Nicholls klev åt sidan och öppnade dörren på passagerarsidan. Han böjde sig ner och log mot Tanzie. "Okej, då åker vi."

De såg lättade ut allihop. Men det var en dålig idé. En riktigt dålig idé. Om de bara hade frågat honom om tapeten, hade Nicky kunnat tala om för dem varför.

KAPITEL TJUGOTVÅ

JESS

Sista gången Jess träffade Maria Costanza var samma dag som hon levererade Marty till henne i Liams brors skåpbil. Marty hade sovit under ett täcke de sista två timmarna till Glasgow, och när Jess stod i hennes perfekta vardagsrum och försökte förklara hennes sons psykiska sammanbrott, hade hon tittat på Jess som om det var hon som hade försökt ta livet av honom.

Maria Costanza hade aldrig tyckt om henne. Hon tyckte att hennes son förtjänade bättre än en sextonårig skolflicka med hemmafärgat hår och glittrigt nagellack, och inget Jess hade gjort sedan dess förändrade Marias uppfattning om henne. Hon tyckte att Jess hade konstig inredning. Hon tyckte att Jess gjorde sig medvetet excentrisk för att hon sydde en del av barnens kläder. Det slog henne aldrig att fråga varför hon gjorde det, eller varför hon inte anlitade någon som målade om. Eller hur det kom sig att det var Jess som låg på alla fyra under vasken när det var stopp i avloppet.

Hon hade försökt. Hon var trevlig och uppmärksam och vårdade sitt språk. Hon var trogen mot Marty. Hon födde världens ljuvligaste lilla bebis och såg till att hon var ren och mätt och glad. Det tog Jess fem år att inse att det inte var henne det var fel på. Maria Costanza var en av tillvarons surkartar. Jess hade aldrig sett henne le spontant, såvida det inte rörde sig om skvaller som handlade om hennes vänner eller grannar, sönderskurna bildäck eller dödliga sjukdomar, sådana saker.

Hon hade försökt ringa henne två gånger från mr Nicholls telefon utan att få svar.

"Farmor kanske är kvar på jobbet", sa hon till Tanzie. "Eller så har hon gått för att hälsa på bebisen."

"Vill du åka dit i alla fall?" Mr Nicholls såg på henne.

"Ja, gärna. De har säkert hunnit tillbaka tills vi kommer. Hon brukar aldrig gå ut på kvällarna."

Nicky mötte hennes blick i backspegeln och tittade bort. Jess klandrade honom inte för att han var negativt inställd. Om Maria Costanzas inställning till Tanzie hade varit ljummen, hade upptäckten att hon hade en sonson mötts med samma entusiasm som om de hade berättat att alla i familjen hade skabb. Jess visste inte om det berodde på att hon kände sig kränkt över att så länge ha svävat i ovisshet om hans existens, eller om det berodde på att hon inte kunde förklara hans tillblivelse utan att konstatera att hennes son hade haft ihop det med en knarkare och fått ett utomäktenskapligt barn. Hon tyckte väl att det var enklare att låtsas som om han inte fanns.

"Ska det bli roligt att träffa pappa, Tanze?" Jess vände sig om i sätet. Tanzie satt lutad mot Norman, hon var utmattad och hennes ansikte var allvarligt. Hon lät blicken glida över till Jess och hon nickade nästan omärkligt.

"Det kommer att bli jättekul att träffa honom. Och farmor", sa Jess glatt. "Jag förstår inte att vi inte tänkte på det tidigare."

De körde vidare under tystnad. Tanzie dåsade till, lutad mot hunden. Nicky såg ut genom rutan på den mörknande himlen. Hon kände inte för att sätta på radion. Hon vågade inte låta barnen förstå vad hon kände inför det som hade hänt i Aberdeen. Hon vågade själv inte tänka på det. *En sak i taget*, tänkte hon. *Först måste vi få Tanzie på fötter igen. Sedan får jag fundera på hur vi går vidare.*

"Hur är det med dig?" frågade mr Nicholls.

"Bra." Hon såg att han inte trodde henne. "Hon kommer att må bättre bara hon får träffa sin pappa. Det är jag övertygad om."

"Hon kan ställa upp i olympiaden nästa år. Då vet hon vad det handlar om."

Jess försökte le. "Mr Nicholls, det där låter misstänkt likt optimism."

Han vände sig mot henne och hans ögon var fulla av medkänsla.

Hon kände sig lättad över att vara tillbaka i hans bil. På något märkligt vis kände hon sig trygg där, som om inget hemskt kunde hända dem så länge de var där. Jess såg framför sig hur hon måste stå i Maria Costanzas vardagsrum och förklara vad de gjorde där och varför. Hon föreställde sig Martys reaktion när han fick höra om Rollsen. Hon såg dem stå vid busshållplatsen dagen därpå, beredda att påbörja den långa resan hem. Hon snuddade vid tanken på att be mr Nicholls ta hand om Norman tills de kom tillbaka. Det fick henne att tänka på hur mycket den här resan hade kostat dem, men hon motade genast bort tanken. En sak i taget.

Och sedan måste hon ha nickat till, för någon grep henne i armen.

"Jess?"

"Hm?"

"Jess? Jag tror att vi är framme. Enligt gps:en är det här hon bor. Stämmer det?"

Hon satte sig upp och vred på nacken. Det prydliga, vita radhusets fönster stirrade mot henne. Genast knöt det sig i magen.

"Hur mycket är klockan?"

"Strax före sju." Han väntade medan hon gnuggade sig i ögonen. "Ljuset är tänt där inne", sa han. "Jag antar att de är hemma."

Han vände sig om mot baksätet. "Vakna, ungar. Vi är framme. Dags att träffa er pappa."

Tanzie höll Jess hårt i handen när de gick fram mot dörren. Nicky vägrade att kliva ur bilen, han sa att han skulle sitta kvar och vänta tillsammans med mr Nicholls. Jess tänkte låta Tanzie gå in innan hon gick tillbaka för att försöka resonera med honom.

"Ska det bli roligt?"

Tanzie nickade och hennes lilla ansikte såg plötsligt hoppfullt ut, och Jess kände att hon hade gjort det rätta. Hon skulle rädda den här resan, om så bara en liten skärva och om det så skulle ta knäcken på henne. Vilka problem hon och Marty än hade så skulle de reda ut det senare.

Utanför dörren stod två nya krukor med lila blommor som hon inte kunde namnet på. Hon rättade till jackan och strök håret ur Tanzies ansikte, lutade sig ner för att torka bort något hon hade i mungipan och sedan ringde hon på dörrklockan.

Det första Maria Costanza upptäckte var Tanzie. Hon stirrade på henne och sedan på Jess, och ett antal olika känslouttryck flög över hennes ansikte, men inget av dem gick att tyda.

Jess bemötte dem med sitt muntraste leende. "Hej Maria. Vi … öh .'. var i närheten och vi kunde inte åka förbi utan att hälsa på Marty. Och dig."

Maria Costanza stirrade på henne.

"Vi försökte ringa", fortsatte Jess nästan mässande. Hon kände knappt igen sin egen röst. "Flera gånger, till och med. Jag kanske skulle lämnat ett meddelande men …"

"Hej farmor." Tanzie rusade fram och kastade sig runt sin farmors midja. Maria Costanzas ena hand föll ner och lade sig tafatt på flickans rygg. Hon hade färgat håret en nyans för mörkt, noterade Jess frånvarande. Maria Costanza stod kvar så en stund, sedan sneglade hon bort mot bilen där Nicky uttryckslöst stirrade ut genom rutan.

Herregud kvinna, kan du inte bjuda till för en gångs skull, tänkte Jess. "Nicky kommer strax", sa hon utan att låta leendet slockna. "Han vaknade just. Han … måste bara morna sig."

De stod mittemot varandra, avvaktande.

"Jaha …", sa Jess.

"Han ... han är inte här", sa Maria Costanza.

"Är han på jobbet?" Det lät mer hoppfullt än hon hade haft för avsikt. "Jag menar, det är fantastiskt om han mår så pass bra att ... ja, att han kan arbeta."

"Han är inte här, Jessica."

"Är han sjuk?" Åh gud, tänkte hon. Det har hänt något. Och sedan såg hon det. Ett uttryck hon nog aldrig hade sett hos Maria Costanza. Kvinnan såg generad ut.

Jess såg henne försöka dölja det. "Var är han?"

"Du ... jag tror att du borde prata med honom." Maria Costanza dolde munnen med handen, som för att hindra sig själv från att säga för mycket, sedan lösgjorde hon sig ur sitt barnbarns grepp. "Vänta här. Du ska få hans adress."

"Hans adress?"

Hon lämnade Tanzie och Jess vid tröskeln, drog till hälften igen dörren bakom sig och försvann in i hallen. Tanzie tittade frågande upp. Jess log lugnande. Vilket inte var så enkelt längre.

Dörren öppnades igen och hon räckte Jess en lapp. "Det tar kanske en timme eller en och en halv, beroende på trafiken." Jess såg hennes spända anletsdrag, sedan såg hon förbi henne in i hallen där allt såg likadant ut som det gjort i femton år. Allt var sig likt. Och någonstans i bakhuvudet började det ringa en klocka.

"Jaha", sa hon och hon log inte längre.

Maria Costanza vek undan med blicken. Hon böjde sig ner och kupade ena handen runt Tanzies kind. "Kom snart tillbaka och hälsa på din *nonna*." Hon såg upp på Jess. "Kan du komma tillbaka med henne? Det var så länge sedan."

Hennes tysta vädjan och stumma erkännande av sin medverkan i falskspelet, var det mest omskakande och obehagliga Maria Costanza någonsin gjort under all den tid hon känt henne.

Jess vände sig om och svepte med sig Tanzie i riktning mot bilen.

Mr Nicholls såg upp. Han sa ingenting.

"Här." Jess gav honom lappen. "Vi måste åka dit." Utan ett ord började han programmera om gps:en. Hennes hjärta bultade.

Hon tittade i backspegeln. "Du visste", sa hon när Tanzie äntligen hade stoppat hörlurarna i öronen.

Nicky drog i luggen och stirrade ut på sin farmors hus. "Det var de senaste gångerna vi skypade. Farmor skulle aldrig ha sådana tapeter."

Hon frågade inte var Marty fanns. Hon hade sina misstankar.

De körde en timme under tystnad. Jess fick inte fram ett ord. Tusen olika möjligheter for genom huvudet. Då och då tittade hon på Nicky i backspegeln. Hans ansikte var slutet, envist vänt mot fönstret. Långsamt började hon omvärdera hans ovilja att åka hit, till och med att prata med sin pappa på sistone. Och hon såg det i ett nytt sken.

De körde genom det grådaskiga landskapet och nådde utkanten av en ny stad, det var ett nybyggt bostadsområde med sprillans nya hus som låg längs mjukt svepande gator med skinande blanka bilar parkerade på uppfarterna. Mr Nicholls stannade på Castle Court. Fyra körsbärsträd stod som vaktposter framför ett nybyggt hus i empirstil med glänsande fönsterrutor och skiffertak som glittrade i regnet.

Hon stirrade ut genom rutan.

"Hur är det med dig?" Det var det första han sa på hela resan.

"Vänta här med barnen", sa Jess och klev ur bilen.

Hon gick fram till ytterdörren, dubbelkollade adressen på lappen, sedan hamrade hon på dörrkläppen i mässing. Hon hörde ljudet från en tv och anade skuggan av en person som rörde sig.

Hon knackade igen. Hon var knappt medveten om regnet.

Fotsteg i hallen. Dörren öppnades och en blond kvinna stod framför henne. Hon var klädd i en röd ylleklänning och hade matchande skor, hennes frisyr var av den sorten som kvinnor hade som jobbade i butik eller på bank, men som inte helt hade gett upp drömmen om att se ut som en rockbrud.

"Är Marty här?" frågade Jess. Kvinnan gjorde en ansats att säga något, sedan tittade hon på Jess uppifrån och ner, på hennes flip-flops och skrynkliga, vita byxor, och under sekunderna som följde, när Jess såg hennes aningen stela ansiktsuttryck, insåg Jess att hon visste. Kvinnan kände till henne.

"Ett ögonblick", sa hon.

Bakom den halvt stängda dörren hörde hon henne ropa. "Mart? Mart?"

Mart.

Hon hörde hans röst, dämpad, skrattande, han sa något om tv:n, och sedan sjönk kvinnans röst. Jess såg deras skuggor bakom det frostade glaset. Och sedan öppnades dörren och han stod där.

Marty hade låtit håret växa. Han hade en lång lugg som han omsorgsfullt hade kammat åt sidan som en tonåring. Han hade mörkblå jeans som hon inte kände igen och han hade gått ner i vikt. Han såg ut som en främling. Och han hade blivit väldigt, väldigt blek. "Jess."

Hon fick inte fram ett ord.

De stirrade på varandra. Han svalde. "Jag hade tänkt berätta."

Fram till dess hade en del av henne vägrat tro att det var sant. Hon hade envist trott att det måste finnas en förklaring, det var ett missförstånd. Marty bodde hos en vän eller så hade han blivit sjuk igen och Maria Costanzas förvridna uppfattning om stolthet gjorde att hon vägrade inse det. Men det hon hade framför sig var inget missförstånd.

Det dröjde en liten stund innan hon återfick talförmågan. "Har du ... har du bott här hela tiden?"

Jess stapplade baklänges, nu uppfattade hon den perfekta trädgården på framsidan av huset, vardagsrummet som syntes genom fönstret. Hon slog emot en bil med höften och var tvungen att sträcka ut en hand för att stödja sig. "Hela tiden? Jag har slitit och gnetat de senaste två åren för att hålla oss flytande medan du har bott i en flott villa och kört omkring i en ny Toyota?"

Marty såg sig generat om. "Vi måste prata, Jess."

Och då såg hon tapeten i hans matsal. Den bredrandiga tapeten. Och plötsligt föll allt på plats. Hans orubbliga krav på att de bara pratade på bestämda tider. Avsaknaden av vanlig analog telefon. Maria Costanzas försäkran att han låg och sov varje gång hon ringde när de inte hade kommit överens om det. Hennes försök att avsluta varje samtal med Jess så fort som möjligt.

"Måste vi prata?" Jess nästan skrattade. "Ja, det måste vi verkligen, Marty. Vad sägs om att jag pratar? I två års tid har jag inte ställt några som helst krav på dig, varken i form av pengar eller tid eller hjälp med barnen. Ingenting alls. För att jag trodde att du var sjuk. Jag trodde att du var deprimerad. Jag trodde att du bodde hos din *mamma!*"

"Jag gjorde det."

"Hur länge då?"

Han pressade ihop läpparna.

"Hur länge då, Marty?" Hennes röst var kall.

"Femton månader."

"Bodde du hos din mamma i femton månader?"

Han såg ner på sina fötter.

"Har du bott här i femton månader? Har du bott här i mer än ett år?"

"Jag ville berätta, men jag visste att du skulle …"

"Skulle vad? Bråka? Varför skulle jag det? För att du har levt ett liv i lyx och överflöd medan din fru och dina barn har fått försöka klara sig bäst de kan i den jävla röra som du lämnade efter dig?"

"Jess …"

Hon tystnade när dörren plötsligt öppnades. En liten flicka med gyllenblont hår dök upp bakom honom, hon hade en Hollistertröja på sig och Converse på fötterna. Hon drog honom i ärmen. "Ditt favoritprogram börjar nu, Marty", började hon säga, men när hon fick syn på Jess tystnade hon.

"Gå in till din mamma, raring", sa han lågt med flackande blick. Han lade försiktigt en hand på hennes axel. "Jag kommer strax."

Hon tittade vaksamt på Jess. Hon var i ungefär samma ålder som Tanzie. "Gå nu." Han drog igen dörren bakom sig.

Och det var då Jess hjärta faktiskt brast.

"Har ... har hon *barn*?"

Han svalde. "Två."

Hennes hand flög upp till ansiktet, sedan till håret. Hon vände sig om och gick i blindo ner för uppfarten. "Åh gud. Åh herregud."

"Jess, det var inte meningen att ..."

Hon for runt. Hon ville bara slå till hans fåniga ansikte, hans dyra frisyr. Hon ville att han skulle känna samma smärta som han hade utsatt deras barn för. Hon ville att han skulle betala. Han duckade bakom bilen och utan att riktigt vara medveten om vad hon gjorde började hon sparka på den, på de löjligt stora däcken, den glänsande karossen, den vita jävla blankpolerade bilen.

"Du ljög. Du ljög för oss! Och jag försökte skydda dig! Jag fattar inte att jag ... jag ..." Hon sparkade och kände en viss tillfredsställelse när metallen gav vika, även om det gjorde vansinnigt ont i foten. Hon sparkade igen och igen, hon brydde sig inte, hon hamrade på rutorna.

"Jess! Bilen! Är du helt galen?"

Hon gick lös på bilen eftersom hon inte kunde slå honom. Hon slog och sparkade och grät av ilska, hennes flämtande andetag ljöd högt i hennes öron. När han trängde sig mellan henne och bilen med ett fast grepp om hennes armar, kände hon en plötslig rädsla över att ha förlorat kontrollen över tillvaron. Sedan såg hon in i hans fega ögon och det började ringa i huvudet. Hon ville slå sönder ...

"Jess."

Mr Nicholls lade sin arm runt hennes midja och drog henne försiktigt bakåt.

"Släpp mig!"

"Kom nu, barnen tittar." En hand på hennes arm.

Hon fick inte luft. Ett jämmer riste hela hennes kropp. Hon lät sig dras några steg bakåt. Marty skrek något hon inte kunde uppfatta genom det ringande tjutet i öronen.

"Kom … kom."

Barnen. Hon såg bort mot bilen, såg Tanzies chockade ansikte och uppspärrade ögon, Nicky satt orörlig bredvid henne. Hon vred huvudet åt andra hållet, såg två små bleka ansikten titta på henne genom vardagsrumsfönstret, deras mor bakom dem. När hon såg att Jess tittade åt deras håll drog hon för gardinerna.

"Du är fan galen", skrek Marty och stirrade på den buckliga plåten på bilen. "Helt jävla galen."

Hon hade börjat skaka. Mr Nicholls lade en arm om henne och lotsade henne in i bilen. "Sitt ner", sa han och stängde dörren om henne. Marty kom långsamt gående mot dem, hans gamla självsäkerhet hade återvänt nu när det var hon som hade gjort bort sig. Hon trodde att han kom för att gräla, men när han var ett par meter från bilen böjde han sig lite framåt och kikade in i den. Hon hörde bakdörren öppnas och såg Tanzie flyga mot honom.

"Pappa!" skrek hon och han svepte upp henne i famnen och sedan visste Jess inte längre vad hon kände.

Hon visste inte hur länge hon satt där och stirrade ner i golvet. Hon kunde inte tänka. Kunde inte känna. Hon hörde mumlande röster på trottoaren och vid ett tillfälle kände hon Nickys hand på sin axel. "Jag är hemskt ledsen", kraxade han.

Hon grep tag i hans hand och höll den hårt. "Inte. Ditt. Fel", viskade hon.

Till slut öppnades dörren och mr Nicholls stack in huvudet. Han var blöt i ansiktet och regnet droppade från hans krage. "Tanzie ska stanna här några timmar."

Hon stirrade på honom, plötsligt klarvaken. "Nej, nej", började hon. "Han ska inte få henne. Inte efter ..."

"Det här handlar inte om dig och honom, Jess."

Jess vände sig mot huset. Ytterdörren stod på glänt. Tanzie var redan inne. "Men hon kan inte stanna här. Inte med dem ..."

Han klev in och satte sig på förarsätet, sträckte sig fram och tog hennes hand. Hans var blöt och iskall.

"Hon har haft en dålig dag och hon frågade om hon fick stanna här en stund. Och om det här nu är hans nya liv, då måste hon få vara en del av det."

"Men det är inte ...", började hon.

"Rättvist. Nej, jag vet."

De satt där, alla tre, och stirrade mot det hemtrevligt upplysta huset. Hennes dotter var där inne. Med Martys nya familj. Det var som om någon hade stuckit en klo innanför hennes revben och slitit ut hjärtat.

Hon kunde inte slita blicken från fönstret. "Tänk om hon ångrar sig? Hon är alldeles ensam. Och vi känner inte dem. Jag vet inte vem den där kvinnan är. Hon kanske är ..."

"Hon är med sin pappa. Det är ingen fara med henne."

Hon stirrade på mr Nicholls. Hans ansikte var medlidsamt, men hans röst var märkligt bestämd. "Varför står du på hans sida?"

"Jag står inte på hans sida." Han slöt sina fingrar om hennes. "Så här gör vi. Vi går någonstans och äter och kommer tillbaka om ett par timmar. Vi håller oss i närheten så att vi kan komma tillbaka om hon vill det."

"Nej. Jag stannar här", hördes en röst från baksätet. "Jag stannar här med henne så att hon inte behöver känna sig ensam."

Jess vände sig om. Nicky såg ut genom rutan. "Är du säker?"

"Jag klarar mig." Hans ansikte var uttryckslöst. "Dessutom är jag lite nyfiken på vad han har att säga."

Mr Nicholls följde Nicky till dörren. Hon såg sin styvson,

hans långa smala ben i de tajta svarta jeansen, hans osäkra och blyga hållning. Dörren öppnades och den blonda kvinnan försökte le mot honom. Hon såg förstulet bort mot bilen och Jess insåg att kvinnan faktiskt var rädd för henne. Dörren stängdes bakom dem. Jess blundade, hon ville inte föreställa sig vad som hände på andra sidan.

Och sedan var mr Nicholls tillbaka i bilen, en pust av kall luft följde med honom. "Det kommer att ordna sig", sa han. "Vi är strax tillbaka."

De satt på ett kafé, men hon kunde inte få ner en bit. Hon drack kaffe och mr Nicholls köpte en smörgås, och bara satt där mittemot henne. Han visste antagligen inte vad han skulle säga. Två timmar, sa hon till sig själv. Två timmar och sedan får jag tillbaka dem. Hon ville vara tillbaka i bilen, tillsammans med barnen, långt härifrån. Långt borta ifrån Marty och hans lögner och hans nya flickvän och låtsasfamilj. Hon tittade på klockans visare medan kaffet kallnade. Varje minut kändes som en evighet.

Tio minuter innan de skulle ge sig av ringde telefonen. Okänt nummer. Jess svarade. Det var Martys röst. "Får de stanna över natten?"

Hon fick inte luft.

"Nej", sa hon när hon återfått talförmågan. "Du kan inte komma och ta dem bara så där."

"Jag ... försöker förklara för dem."

"Ha! Lycka till. Jag skulle också gärna vilja förstå." Hennes röst steg. Hon såg de andra gästerna vid borden intill vrida på huvudena.

"Jag kunde inte säga något eftersom jag visste att du skulle reagera så här."

"Så det är mitt fel? Ja, det är klart att det är!"

"Det var slut mellan oss. Det visste du lika väl som jag."

Hon stod upp. Hon var inte ens medveten om att hon hade rest på sig. Av någon anledning stod mr Nicholls också. "Jag ger väl blanka fan i dig och mig. Men vi har levt

248

på svältgränsen sedan du stack och nu får jag reda på att du bor tillsammans med någon annan och försörjer hennes barn. Trots att du sa att du inte kunde lyfta ett finger för våra. Ja, det var väl inte helt oväntat att jag skulle bli förbannad, Marty."

"Det är inte mina pengar. Det är Linzies pengar. Jag kan inte försörja dina barn med hennes pengar."

"Mina barn? Mina barn?" Hon var på väg runt bordet och gick mot dörren. Hon var vagt medveten om mr Nicholls som kallade på servitrisen.

"Du", sa Marty. "Tanzie vill verkligen sova över. Hon är väldigt ledsen för det här med matteprovet. Hon bad mig fråga dig. Snälla."

Jess fick inte fram ett ord. Hon stod som fastnaglad på den kalla parkeringsplatsen, med ögonen slutna och knogar som vitnade runt telefonen.

"Och jag vill prata med Nicky."

"Du är … helt otrolig."

"Jag vill försöka reda ut det här med barnen. Och du och jag kan prata sedan. Men bara en kväll, nu när de är här. Jag har saknat dem och jag vet att det är mitt fel. Jag sjabblade. Men nu är jag glad att slippa smyga. Jag är glad att du vet om det och nu vill jag … hitta ett sätt att gå vidare."

Hon stirrade rakt framför sig. På avstånd såg hon blinkande blåljus. Det hade börjat bulta i hennes fot. "Får jag prata med Tanzie", sa hon till slut.

Det var tyst en stund, hon hörde en dörr. Jess tog ett djupt andetag.

"Mamma?"

"Tanze, älskling? Hur är det med dig?"

"Det är bra, mamma. De har sköldpaddor. Den ena har fel på ena benet. Den heter Mike. Kan jag också få en sköldpadda?"

"Vi får prata om det sedan." Hon hörde slamret av en stekpanna, rinnande vatten. "Öh … vill du verkligen sova över? Du måste inte. Du ska … bara göra det som känns bra för dig."

"Jag vill gärna stanna kvar. Suzie är jättesnäll. Jag ska få låna hennes High School Musical-pyjamas."

"Suzie?"

"Linzies dotter. Det blir som ett pyjamasparty. Och hon har sådana där pärlor som man sätter ihop i ett mönster och stryker på så att de sitter ihop."

"Jaha."

En kort tystnad. Jess hörde dämpat prat i bakgrunden.

"Hur dags kommer du och hämtar mig i morgon?"

Hon svalde och försökte hålla rösten stadig. "Efter frukost. Klockan nio. Och om du ångrar dig så ringer du mig, okej? Du kan ringa närsomhelst. Då kommer jag och hämtar dig. Även om det är mitt i natten. Det spelar ingen roll."

"Jag vet."

"Jag kommer närsomhelst. Jag älskar dig. Närsomhelst."

"Okej."

"Kan du ge luren till Nicky?"

"Älskar dig också. Hej då."

Nickys röst var svår att tyda. "Jag sa till honom att jag stannar", sa han. "Men bara för att hålla ett öga på Tanze."

"Okej. Jag ser till att vi håller oss i närheten. Är hon … kvinnan … är hon okej? Jag menar, kommer det att gå bra?"

"Linzie. Hon är okej."

"Och du … vad tycker du om alltihop? Han är inte …?"

"Det är okej."

En lång tystnad.

"Jess?"

"Ja?"

"Hur är det med dig?"

Hon knep ihop ögonen. Hon tog ett djupt andetag och torkade bort tårarna som rann nedför kinderna med ena handen. Hon hade inte vetat att hon hade så många tårar inom sig. Hon svarade inte Nicky förrän hon visste att rösten bar. "Jag mår bara bra, älskling. Ha det så kul och oroa dig inte för mig. Vi ses i morgon bitti."

Mr Nicholls stod bakom henne. Han tog tyst telefonen

ur hennes hand, hans blick vek inte från hennes ansikte. "Jag har hittat någonstans vi kan bo där vi kan ha med oss hunden."

"Har de en bar?" frågade Jess och torkade ögonen med baksidan av handen.

"Va?"

"Jag behöver bli full, Ed. Riktigt, riktigt full." Han höll fram en arm och hon tog den. "Och jag tror att jag kanske har brutit en tå."

KAPITEL TJUGOTRE

ED

Det var en gång en ung kvinna som var den mest optimistiska person Ed någonsin hade träffat. En tjej som gick i flip-flops för att betvinga våren. Som tycktes skutta genom livet som Nalle Puhs Tiger; sådant som bekymrade andra tycktes inte bekomma henne. Och om hon föll reste hon sig genast. Hon föll igen, klistrade på ett leende, borstade av sig och fortsatte framåt. Han kunde inte bestämma sig för om det var det mest hjältemodiga han sett, eller det mest korkade.

Och sedan stod han på trottoaren utanför en nybyggd förortsvilla någonstans i närheten av Carlisle och såg samma kvinna bli fråntagen allt hon någonsin trott på, tills hon bara var en skugga av sitt forna jag, hopsjunken på passagerarsätet i hans bil, stirrande med oseende ögon genom en våt vindruta. Hon dränerades på sin optimism med ett nästan hörbart gurglande. Det var som ett hugg i hjärtat.

Han bokade en stuga vid en sjö bara tjugo minuter bort från Martys – eller rättare sagt hans flickväns – hus. Det gick inte att uppbåda ett hotell inom hundra kilometer som accepterade en hund, men den sista receptionisten han pratade med, en godmodig kvinna som kallade honom "raring" åtta gånger, rekommenderade ett ställe som hennes väninnas sonhustru drev. Han var tvungen att betala för minst tre nätter, men det spelade ingen roll. Jess frågade inget. Han var inte ens säker på att hon uppfattade var de var.

De hämtade nyckeln i receptionen, han följde en liten väg mellan träden och stannade framför en stuga. Han lastade ur bilen och lotsade in Jess. Vid det laget haltade hon ganska illa. Han mindes med vilket ursinne hon hade sparkat på bilen. I flip-flops.

"Ta ett långt bad", sa han och tände alla lampor och drog för gardinerna. Det var för mörkt ute för att se något. "Försök koppla av lite. Jag skaffar något att äta. Och kanske en ispåse."

Hon vände sig om och nickade. Leendet hon försökte sig på var knappt ett leende alls.

Det närmaste snabbköpet var snarare ett jourlivs – under de blinkade lysrören fanns två korgar med slokande grönsaker och några hyllmeter med konserver av okänt ursprung. Han köpte två färdigrätter, bröd, kaffe, mjölk, djupfrysta ärtor och värktabletter för hennes fot. Och några flaskor vin. Han behövde också något att dricka.

Han stod vid kassan när det plingade i telefonen. Han slet fram den i tron att det var Jess. Sedan kom han ihåg att hennes kontantkort hade tagit slut två dagar tidigare.

Hej älskling. Så tråkigt att du inte kan komma i morgon. Hoppas få se dig snart ändå. Kram mamma. Ps. Pappa hälsar. Han mår lite sämre i dag.

"Tjugotvå och åttio."

Flickan hade upprepat det två gånger.

"Åh, förlåt." Han grävde fram kortet och räckte henne.

"Kortmaskinen fungerar inte. Det står på lappen."

Ed följde hennes blick. "Endast kontant eller check" stod det med noggrant textade bokstäver i bläck. "Skämtar du?"

"Varför skulle jag göra det?" Hon tuggade nästan meditativt på vad det nu var hon hade i munnen.

"Jag vet inte om jag har kontanter så det räcker", sa Ed.

Hon såg uttryckslöst på honom.

"Ni tar inte kort?"

"Det står på skylten."

"Har ni ingen manuell kortdragare?"

"De flesta här betalar med kontanter", sa hon. Hon markerade tydligt att han måste vara utsocknes.

"Okej. Var finns närmaste bankomat?"

"Carlisle." Hon blinkade slött. "Om du inte har kontanter så det räcker måste du ställa tillbaka varorna."

"Jag har pengar. Vänta."

Han grävde igenom alla sina fickor och ignorerade suckarna och de himlande ögonen bakom sig. Som genom ett under skrapade han ihop tillräckligt för att betala för allt utom lök-bhajin. Han räknade upp pengarna och hon höjde demonstrativt på ögonbrynen när hon slog in varorna och sköt bhajin åt sidan. Ed kastade ner allt i en plastpåse som inte ens skulle hålla hela vägen till bilen, och försökte att inte tänka på sin mor.

Han höll på att laga maten när Jess haltade nedför trapporna. Rättare sagt, han hade stoppat två plastförpackningar i mikron, vilka nu roterade högljutt där inne. Det var det närmaste matlagning han någonsin hade kommit. Hon hade en morgonrock på sig och hade virat en handduk som en turban kring huvudet. Han hade aldrig förstått hur kvinnor gjorde det. Hans ex hade gjort på samma sätt. Han undrade om det var något alla kvinnor lärde sig, som mens och handtvätt. Hennes ansikte var osminkat och vackert.

"Här." Ed höll fram ett glas vin.

Hon tog emot det. Han hade gjort i ordning en brasa och nu satte hon sig vid den öppna spisen, fortfarande försjunken i egna tankar. Han räckte henne påsen med de djupfrysta ärtorna att ha till foten, sedan återvände han till köket och maten och instruktionerna på förpackningarna.

"Jag skickade ett sms till Nicky", sa han medan han drog av plasten från förpackningarna. "Bara för att tala om var vi är."

Hon tog en klunk till av vinet. "Hur var det med honom?"

"Bra. De skulle precis äta." Hon ryckte till en aning när han sa det och Ed ångrade i samma ögonblick att han hade sått fröet till en bild av familjemiddag i hennes hjärna. "Hur är det med foten?"

"Det gör ont."

Hon tog en djup klunk till och han upptäckte att hon redan hade stjälpt i sig hela glaset. Hon reste sig upp med en grimas och ärtpåsen föll till golvet, sedan fyllde hon på glaset. Och som om hon just kom på det, stack hon handen i morgonrocksfickan och drog upp en liten plastpåse.

"Nickys gömma", sa hon. "Jag tyckte att det här var ett lämpligt tillfälle att förbruka det beslagtagna godset."

Hon sa det nästan trotsigt, som om hon väntade sig att han skulle protestera. När han inte gjorde det tog hon en turistguide från bordet, lade den i knäet och började rulla en joint. Hon tände den och drog ett djupt bloss. Hon försökte kväva en hostning, sedan drog hon ett nytt bloss. Hennes handduksturban hade glidit på sniskan och irriterat drog hon av sig den och kastade åt sidan. Hennes blöta hår föll ner på axlarna. Hon drog ännu ett bloss, blundade, och räckte sedan över jointen till honom.

"Var det det som luktade när jag kom in?"

Hon öppnade ena ögat. "Du tycker att jag borde veta bättre?"

"Nej. Jag tycker bara att en av oss borde hålla sig i körbart skick utifall Tanzie ringer och vill bli hämtad. Det är okej, rök du. Du behöver nog …"

"Ett nytt liv? Skärpa mig? En ordentlig påsättning?" Hon skrattade glädjelöst. "Javisst ja, jag glömde. Jag lyckas inte ens med det."

"Jess …"

Hon höll upp en hand. "Sorry. Okej, då äter vi."

De satt vid det lilla laminerade köksbordet. Maten var ätbar, men Jess rörde knappt sin portion.

När han plockade ihop tallrikarna och skulle börja diska vände hon sig mot honom. "Jag har varit en komplett idiot, eller hur?"

Ed lutade sig mot diskbänken med en tallrik i handen. "Jag förstår inte hur …"

"Jag låg i badet och funderade. Jag har alltid sagt till barnen att saker och ting ordnar sig om man bara är schyst mot andra och gör det rätta. Inte stjäla. Inte ljuga. Göra det rätta. Belöningen kommer förr eller senare. Men det är bara skitsnack. Det är ju ingen annan som tänker så."

Hennes röst var aningen sluddrig, kantad av smärta.

"Det är inte ..."

"Inte? Jag har varit luspank i två år. I två år har jag försvarat honom, inte velat lägga sten på börda, inte velat öka stressen, inte störa honom med sådant som rörde hans egna barn. Och samtidigt bodde han där med sin nya flickvän." Hon skakade vantroget på huvudet. "Jag misstänkte ingenting. Inte för ett ögonblick. Jag tänkte på det när jag låg i badet ... det där med att 'behandla andra som du själv vill bli behandlad', det funkar ju bara om alla andra också gör det. Men det är det ingen som gör. Världen är full av människor som ger blanka fan i alla andra. De är beredda att gå över lik för att få det de själva vill ha. De trampar till och med på sina egna barn."

"Jess ..."

Han gick genom köksdelen och ställde sig alldeles intill henne. Han visste inte vad han skulle säga. Han ville lägga armarna om henne, men det var något hos henne som hindrade honom. Hon hällde upp ett till glas vin och lyfte glaset mot honom.

"Jag bryr mig inte om henne. Det är inte alls det som det handlar om. Han har rätt. Det var slut mellan oss för länge sedan. Men allt skitsnack om att inte kunna hjälpa sina egna barn? Han vägrade att hjälpa till med Tanzies skolavgift." Hon tog en djup klunk och blinkade långsamt. "Såg du flickans tröja? Vet du hur mycket en Hollistertröja kostar? Sextiosju pund. Sextiosju pund för en barntröja. Jag såg prislappen när Pundar-Aileen gick sin runda." Hon torkade ilsket bort tårarna. "Vet du vad han skickade till Nicky på hans födelsedag i februari? Ett presentkort på tio pund. Ett presentkort på tio pund till dataspelsbutiken. Man får inte ens ett dataspel för tio pund. Bara begagnat. Och det fåniga var att vi var ganska nöjda. Vi trodde att det var ett tecken på att Marty började må bättre. Jag sa till barnen att tio pund är mycket för den som inte har något arbete."

Hon började skratta. Det var ett ihåligt, hemskt ljud. "Och hela tiden ... hela tiden bodde han i det där huset med sin nya soffa och sina matchande gardiner och sin jävla pojkbandsfrisyr. Och han hade inte stake att berätta det för mig."

"Han är en ynkrygg."

"Japp. Men det är jag som är idioten. Jag har släpat mina barn tvärs över hela landet i en fåfäng jakt på något som jag trodde kunde göra deras liv lite bättre. Jag har dragit på oss skulder. Jag har blivit av med jobbet på puben. Och jag har knäckt Tanzies självförtroende genom att utsätta henne för något som hon aldrig skulle ha behövt göra. Varför? För att jag vägrade inse sanningen."

"Sanningen?"

"Att sådana som vi aldrig kommer någonvart. Vi kan inte resa på oss. Vi ligger bara kvar och skramlar på botten."

"Så är det inte alls."

"Vad vet du om det?" Det fanns ingen ilska i hennes röst längre, bara förvirring. "Hur kan du ha den blekaste aning om det? Du kommer att åtalas för ett av de allvarligaste brotten i affärsvärlden. Och ska vi vara ärliga är du skyldig. Du berättade för din flickvän vilka aktier hon skulle köpa för att tjäna en massa pengar. Men du kommer att klara dig."

Hans hand stannade halvvägs till munnen.

"Det kommer du. Du kanske får några veckor, får kanske en villkorlig dom och saftiga böter. Men du har råd med dyra advokater som kommer att se till att det inte blir värre än så. Du har folk som kommer att slåss för dig. Du har fastigheter, bilar, resurser. Du behöver inte oroa dig på allvar. Hur kan du någonsin förstå hur vi har det?"

"Det där var inte rättvist", sa han försiktigt.

Hon vände sig bort, drog ett bloss och blundade, andades ut. Den söta röken ringlade sig mot taket.

Ed satte sig ner bredvid henne och tog den ifrån henne. "Det kanske inte är en så bra idé ändå."

Hon ryckte tillbaka den. "Tala inte om för mig vad som är en bra idé eller inte."

"Jag tror inte att det hjälper."

"Jag bryr mig inte om vad du tror."

"Det är inte jag som är fienden, Jess."

Hon kastade ett öga på honom, sedan vände hon sig mot brasan. Han visste inte om hon bara väntade på att han skulle gå.

"Förlåt", sa hon till slut stelt.

"Det är okej."

"Det är inte okej." Hon suckade. "Jag borde inte ... tagit ut det på dig."

"Ingen fara. Det har varit en skitdag. Jag ska gå upp och ta ett bad och sedan tycker jag att vi ska försöka sova."

"Jag ska bara röka klart, sedan kommer jag upp."

Ed dröjde en liten stund, sedan lämnade han henne stirrande in i brasan. Att han inte tänkte längre än till badet var ett tecken på hur trött han var.

Han måste ha nickat till i badkaret. Han hade fyllt karet hela vägen upp och hällt i allt badsalt han kunde hitta, tacksamt hade han sjunkit ner och låtit det varma vattnet omsluta hans kropp och lösa upp alla spänningar.

Han försökte att inte tänka. Inte på Jess som frånvarande satt och stirrade in i lågorna. Inte på sin mor som förgäves väntade på sin son bara några timmars bilresa därifrån. Han behövde en liten stund utan att behöva tänka på något alls. Han sänkte huvudet så långt han kunde under vattnet, men så att han ändå kunde andas.

Han vilade. Men det var som om en märklig anspänning hade krupit in under hans skinn; han kunde inte riktigt koppla av. Och sedan blev han medveten om ett ljud i fjärran, ett avlägset vinande, ojämnt och disharmoniskt – som en motorsåg eller någon som höll på att övningsköra och inte kunde växla. Han öppnade ena ögat och hoppades att ljudet skulle försvinna. Han hade trott att det här stället åtminstone skulle erbjuda lite lugn och ro. Bara en natt utan oväsen och dramatik. Var det så mycket begärt?

"Jess?" ropade han när ljudet blev för irriterande. Han undrade om det fanns en musikanläggning där nere som hon kunde sätta på för att utestänga ljudet.

Det var då han insåg varifrån den vaga känslan av olust kom - det var hans egen bil han hörde.

Han satte sig kapprakt upp, sedan hoppade han upp ur badkaret och virade en handduk runt midjan. Han rusade nedför trapporna två steg i taget, förbi soffan, förbi Norman som nyfiket lyfte på huvudet där han låg framför brasan, och kastade upp dörren. En iskall vindpust slog emot honom. Han hann precis se sin bil skutta fram som en kanin på uppfarten till huset och ut mot grusvägen. Han sprang nedför trappan, såg Jess sitta framåtlutad bakom ratten och spana ut genom vindrutan. Lamporna var inte på.

"Herregud. JESS!" Han rusade över gräsmattan, fortfarande blöt och med ena handen om handduken, han försökte genskjuta henne innan hon hann ut på vägen. Hon vred på huvudet och ögonen spärrades upp när hon såg honom. Han hörde växellådan skrika när hon försökte växla.

"Jess!"

Han var framme vid bilen. Han kastade sig mot motorhuven, studsade mot den, sedan kastade han sig mot bilens sida och grep tag i handtaget på förarsidan. Dörren öppnades innan hon hann låsa den från insidan, och han for ut i sidled.

"Vad fan håller du på med?"

Men hon stannade inte. Nu sprang han med onaturligt långa kliv, han klamrade sig fast i den öppna dörren, ena handen på ratten, gruset vasst under fötterna. Handduken hade han tappat för länge sedan.

"Släpp!"

"Stanna bilen. *Stanna bilen, Jess!*"

"Släpp taget, Ed! Du kommer att göra illa dig!" Hon slog på hans hand och bilen girade oroväckande åt vänster.

"Vad i ..." Med en sista kraftansträngning lyckades han slita nyckeln ur tändningslåset och bilen studsade till och stannade plötsligt. Hans högra axel slog hårt i dörren. Jess slog näsan i ratten med en smäll.

"Helvete." Ed landade tungt på ena sidan och slog huvudet i något hårt. *"Helvete."* Han låg hoprullad på marken och det snurrade i huvudet. Det tog en sekund att samla tankarna, sedan reste han sig på ostadiga ben och drog sig upp med hjälp av den öppna bildörren. Som genom ett töcken såg han att bilen stod bara någon meter från sjön, ena däcket oroväckande nära det svarta vattenbrynet. Jess armar låg slängda över ratten och hon vilade huvudet mellan dem. Han sträckte sig fram och drog åt handbromsen innan hon på något sätt lyckades sätta bilen i rullning igen.

"Vad i helvete håller du på med? Vad *gör* du?" Adrenalinet och smärtan pumpade i hans kropp. Kvinnan var en mardröm. "Mitt huvud. Nej, var är min handduk? Var fan är handduken?"

Ljusen slogs på i de andra stugorna. Han tittade upp och såg siluetter av människor han inte ens hade vetat om fanns där, de tittade på honom. Han skylde sig så gott han kunde med en hand och halvsprang tillbaka för att plocka upp handduken som låg i leran. Den andra handen lyfte han mot dem som för att vinkande tala om för dem att det inte fanns något att titta på (vilket med tanke på den kyliga kvällsluften snabbt hade blivit sant), och några drog kvickt igen gardinerna.

Hon satt kvar där han lämnat henne. "Vet du hur mycket du har druckit?" röt han. "Hur mycket gräs du har rökt? Du kunde tagit livet av dig. Av oss båda."

Han ville ruska om henne. "Är du så jävla inställd på att göra saker värre hela tiden? Vad fan är det för fel på dig?"

Och då hörde han det. Hon hade begravt ansiktet i händerna och hon grät, det var ett förtvivlat läte. "Förlåt."

Lite av luften gick ur Ed, han knöt handduken runt höften. "Vad fan tänkte du på, Jess?"

"Jag ville hämta dem. Jag kunde inte lämna dem där. Hos honom."

Han drog ett djupt andetag, knöt handen, öppnade den igen. "Men vi har redan pratat om det. Det är absolut ingen fara med dem. Nicky sa att han skulle ringa om det var något. Och vi åker dit och hämtar dem i morgon bitti. Du vet det, så varför skulle du …"

"Ed, jag är rädd."

"Rädd? För vad?"

Det blödde från hennes näsa, en mörkröd strimma letade sig ner mot överläppen, hon var svart runt ögonen av utsmetad mascara. "Jag är rädd att … att de ska tycka om att vara hos Marty." Hennes ansikte skrynklades samman. "Jag är rädd att de vill stanna kvar hos honom."

Och Jess Thomas lugnade äntligen ner sig, hon lutade sig mot honom, begravde sitt ansikte mot hans bara bröst. Äntligen lade Ed armarna om henne. Han höll henne intill sig och lät henne gråta.

Han hade hört religiösa människor vittna om sina uppenbarelser. Om det där avgörande ögonblicket när allt plötsligt framstår som kristallklart, när vardagens trivialiteter bara försvinner. Han hade alltid tyckt att det verkade ganska osannolikt. Men sedan fick Ed Nicholls uppleva ett sådant ögonblick i en semesterstuga vid en sjö, eller om det var en kanal, någonstans i närheten av Carlisle.

Och han insåg i det ögonblicket att han måste ställa saker till rätta. Jess orättvisa påverkade honom starkare än vad något annat någonsin påverkat honom i hela hans liv. Han höll henne intill sig, kysste henne på huvudet och kände hur hon klamrade sig fast vid honom, och han insåg att han skulle göra vad som helst för att göra henne och hennes barn lyckliga, garantera deras trygghet och ge dem en ärlig chans.

Han frågade sig inte hur han kunde veta det efter bara fyra dagar. Det bara framstod klarare och tydligare än något annat.

"Det kommer att ordna sig", sa han mjukt med läpparna mot hennes hår. "Det kommer att ordna sig för att jag kommer se till att det gör det."

Sedan talade han om för henne, med samma låga röst som hos den som avlägger en bikt, hur fantastisk han tyckte att hon var. Och när hon lyfte sina svullna ögon mot hans, torkade Ed hennes blödande näsa och sänkte sina läppar mot hennes, och han gjorde det han hade velat göra de senaste fyrtioåtta timmarna, trots att han till en början varit för dum för att förstå det. Han kysste henne. När hon kysste honom tillbaka – avvaktande till en början, sedan med en växande passion, hennes hand smög sig runt han nacke, hon slöt ögonen – lyfte han upp henne och bar henne tillbaka in i huset. Och han försökte visa det för henne på det enda sätt han visste att hon inte skulle missuppfatta.

Ed Nicholls insåg i det ögonblicket att han hade varit mer lik Marty än Jess. Han hade varit en ynkrygg som snarare smet från saker än vågade möta dem. Och det måste bli ändring på det.

"Jess?" sa han en stund senare och andades in doften av hennes hud när han låg vaken och förundrade sig över den vändning tillvaron hade tagit. "Kan du göra en sak för mig?"

"Igen?" sa hon sömnigt. Hennes hand vilade på hans bröst. "Herregud."

"Nej. I morgon." Han lutade sitt huvud mot hennes.

Hon makade på sig och lät ena benet glida över hans. Han kände hennes läppar mot sin hud. "Visst. Vad gäller det?"

Han tittade upp i taket. "Kan du följa med mig till mina föräldrar?"

KAPITEL TJUGOFYRA

NICKY

Jess favorituttryck (efter "Det kommer att ordna sig" och "Vi löser det på något sätt") är att familjer numera kan se ut lite hur som helst. "Alla familjer är inte kärnfamiljer", säger hon som om det blir sant om hon bara upprepar det tillräckligt många gånger.

Om vår familj var lite skev i formen tidigare, så är den helt oformlig nu.

Jag har ingen heltidsmamma på samma sätt som du antagligen har, men det verkar som om jag har fått en till deltidsvariant. Linzie. Linzie Fogarty. Jag vet inte riktigt vad hon tycker om mig. Jag ser att hon iakttar mig ur ögonvrån, som om hon undrar om jag ska göra något svartrocksaktigt och gotiskt som att äta upp en av sköldpaddorna eller något annat. Pappa sa att hon är någon högt uppsatt inom kommunen. Han lät stolt när han sa det, som om det var han som hade kommit upp sig i världen. Jag tror inte att han någonsin har betraktat Jess med samma stolthet.

Första timmen här kände jag mig helt malplacerad, som om jag bara hade hamnat på ännu ett ställe där jag inte passade in. Huset var välstädat och det fanns inga böcker någonstans, inte som hos oss där Jess har travar med böcker i snart sagt alla rum utom badrummet. Men oftast ligger det en bok bredvid toan också. Och jag kunde inte låta bli att stirra på pappa för jag förstod inte att han hade bott här som en helt normal människa samtidigt som han hade ljugit för oss. Jag hatade Linzie, på samma sätt som jag hatade honom.

Men sedan sa Tanzie något vid middagen som fick Linzie att brista ut i skratt och det var det sjukaste, knäppaste skratt jag hört. Hon tutade som en mistlur. Hon slog ena handen för munnen och hon och pappa såg på varandra som om det där var ett ljud hon verkligen skulle ha försökt att hålla inne. Och det var någonting med sättet som huden skrynklade sig runt ögonen på henne som fick mig att tänka att hon kanske var okej ändå.

Jag menar, hennes familj hade också blivit lite skev. Hon hade två barn, Suze och Josh, och pappa. Och plötsligt fick hon mig – Gothboy, som pappa kallar mig för som om det var roligt – och Tanze, som hade satt på sig två par glasögon ovanpå varandra eftersom bara ett par inte blev riktigt rätt. Och så var det Jess som hade gått bärsärk på hennes uppfart och sparkat bucklor på hennes bil och mr Nicholls, som helt klart var svag för mamma och gick runt och försökte lugna alla som om han var den enda som var vuxen. Och pappa hade säkert varit tvungen att berätta för henne om min biologiska mamma, som kanske också skulle dyka upp utanför hennes dörr en vacker dag och härja som hon hade gjort den där första julen som jag bodde hos Jess, när hon kastade flaskor mot vårt fönster och vrålade sig hes ända tills grannarna ringde polisen. Med tanke på allt det var det kanske inte så konstigt om mistluren Fogarty började inse att hennes familj också hade börjat anta lite skeva former.

Jag vet inte riktigt varför jag berättar allt det här. Det är bara det att klockan är halv fyra på morgonen och alla andra sover, och Tanzie och jag ligger i Joshs rum och han har en egen dator – det har de båda två (varsin Mac, förstås) – och jag kommer inte ihåg hans lösenord och kan inte spela. Men jag tänkte på det som mr Nicholls sa om att blogga; att om man sätter ord

264

på det och lägger ut det, så kanske ens folk hittar en. Ungefär som basebollpubliken i filmen Drömmarnas fält.

Du hör antagligen inte alls till mitt folk. Du skrev antagligen bara fel när du egentligen skulle söka på extrapris på bildäck eller porr eller något. Men jag lägger upp det ändå. Ifall någon möjligtvis känner igen sig.

Det senaste dygnet har jag upptäckt en sak. Jag kanske inte passar in på samma sätt som du och din familj gör; som rader av perfekt svarvade pluggar i perfekt rundade hål. I vår familj är alla pluggar udda och kommer från olika håll, och de har bankats och pressats in i ojämna hål. Men grejen är – och det kanske beror på att jag befinner mig hemifrån, eller på att de senaste dagarna har varit ganska intensiva – att jag insåg en sak när pappa satte sig ner med mig och talade om hur glad han var att vi äntligen sågs och han blev alldeles blank i ögonen: min pappa kanske är ett praktarsel, men han är mitt praktarsel och det enda praktarsel jag har. Och att känna tyngden av Jess hand på täcket när hon satt bredvid mig på sjukhuset eller höra henne svälja gråten vid tanken på att lämna mig här, och att se min lillasyster, som verkligen försöker vara tapper trots hela skolgrejen och att hela hennes värld som hon ser det har rasat samman – det har fått mig att inse att jag faktiskt hör hemma någonstans.

Jag hör hemma med dem.

KAPITEL TJUGOFEM

JESS

Ed låg stödd mot kuddarna och iakttog henne när hon sminkade sig, hon försökte täcka över blåmärkena i ansiktet med concealer ur en liten tub. Hon hade nästan lyckats dölja ett blått märke vid tinningen där hon hade slagit i airbagen. Men näsan skiftade i lila och huden var spänd över en bula som inte hade funnits där tidigare, och hennes överläpp var svullen och plutande som hos kvinnor som har låtit göra en ogenomtänkt lågprisläppförstoring. "Det ser ut som om du har fått en snyting."

Jess drog försiktigt med fingret över munnen. "Det gör du med."

"Det har jag också. Av min egen bil, tack vare dig."

Hon lutade huvudet åt sidan och tittade på hans spegelbild. Han hade ett snett leende och hela hakan var täckt av en stickig stubb. Hon kunde inte låta bli att le tillbaka.

"Jag tror inte att det är någon idé att ens försöka täcka det, Jess. Du kommer att se mörbultad ut hur du än gör."

"Jag tänkte säga till dina föräldrar att jag har sprungit in i en dörr. Jag kanske tittar menande på dig samtidigt."

Han suckade och sträckte på sig, blundade. "Om det är det värsta de tänker om mig innan den här dagen är slut, är det inte så illa ändå."

Hon gav upp sina försök och drog igen necessären. Han hade rätt: det var inte mycket hon kunde göra om hon inte ville sitta med en ispåse över ansiktet hela dagen. Hon drog med tungan över den ömma överläppen. "Jag förstår inte att jag inte kände av det mer i går när vi ... ja, i går kväll."

I går kväll.

Hon vände sig om och kröp upp i sängen, sträckte ut sin kropp bredvid hans och njöt av känslan av hans kropp intill hennes. Det var obegripligt att de bara hade känt varandra i en vecka. Han öppnade sömnigt ögonen, sträckte ut en hand och började förstrött leka med en slinga av hennes hår.

"Det måste varit min djuriska dragningskraft."

"Eller kombinationen av två jointar och en och en halv flaska Merlot."

Han krokade armen under hennes nacke och drog henne intill sig. Hon blundade och insöp doften av honom. Han luktade sex. "Du måste vara snäll", grymtade han mjukt. "Jag är lite mörbultad."

"Jag tappar upp ett bad åt dig." Hon rörde försiktigt vid märket på hans huvud där han hade slagit i dörren. De kysstes länge, långsamt och ljuvligt och en möjlighet väcktes.

"Hur känns det?"

"Har aldrig mått bättre." Han öppnade ett öga.

"Nej. Jag menade med tanke på lunchen."

Han såg plötsligt allvarlig ut och lät huvudet sjunka tillbaka mot kuddarna. Hon ångrade att hon hade frågat. "Det kommer att kännas bättre när det väl är överstökat."

Hon satt på toan och hade ångest, sedan tog hon upp telefonen och kvart i nio ringde hon till Marty och sa att hon hade något hon måste göra och att hon skulle hämta barnen mellan tre och fyra på eftermiddagen. Hon frågade inte. Hon hade bestämt att från och med nu skulle hon bara säga till honom hur hon ville ha det. Han lämnade över luren till Tanzie som frågade hur Norman hade klarat sig utan henne. Hunden låg utsträckt framför den öppna spisen som en tredimensionell matta. Hon trodde inte att han hade rört sig ur fläcken på tolv timmar, annat än för att äta frukost.

"Han har överlevt. Nätt och jämnt."

"Pappa säger att han ska göra baconsmörgåsar till frukost.

Och sedan kanske vi ska gå till parken. Bara han och jag och Nicky. Linzie ska följa med Suze på balett. Hon går på balett två gånger i veckan."

"Det låter toppen", sa Jess. Hon undrade om förmågan att låta glad när man egentligen ville sparka på något var hennes superkraft.

"Jag kommer tillbaka någon gång efter tre", sa hon till Marty när han var tillbaka i luren. "Se till att Tanzie har jacka på sig."

"Jess", sa han precis innan hon skulle lägga på.

"Ja?"

"De är toppen. Båda två. Jag bara …"

Jess svalde. "Efter tre. Jag ringer om jag blir sen."

Hon gick ut med hunden och när hon kom tillbaka var Ed uppe och hade ätit frukost. De satt tysta i bilen den timme det tog att köra till hans föräldrar. Han hade rakat sig och bytt T-shirt två gånger, trots att plaggen var identiska. Hon satt bredvid honom utan att säga ett ord, och i dagsljuset, i takt med varje kilometer de tillryggalade, kände hon nattens närhet och intimitet långsamt klinga av. Hon öppnade munnen flera gånger som för att säga något, men hon visste inte vad. Det kändes som om yttersta hudlagret hade skalats av henne och alla hennes nervändar lämnats blottade. Hennes skratt var för gällt, hennes rörelser onaturliga och förlägna. Det kändes som om hon hade sovit i tusen år och plötsligt blivit väckt av en tryckvåg.

Egentligen ville hon röra vid honom, vila en hand på hans lår. Men hon var inte säker på att det, i det obarmhärtiga dagsljuset långt ifrån sovrummet, var lämpligt. Hon var inte säker på vad han tänkte om det som hade hänt.

Jess lyfte upp sin ömmande fot och lade påsen med frysta ärtor på den. Hon tog bort den och lade dit den igen.

"Hur är det?"

"Det är okej." Hon hade mest gjort det för att ha något att göra. Hon log flyktigt mot honom och han log tillbaka.

Hon tänkte att hon skulle luta sig fram och kyssa honom. Hon tänkte att hon skulle leka med fingrarna i hans nacke så att han vred på huvudet och såg på henne som han hade gjort kvällen före. På att knäppa upp säkerhetsbältet och krångla sig intill honom så att han skulle bli tvungen att köra åt sidan, bara så att hon kunde skingra hans tankar i tjugo minuter. Och sedan kom hon att tänka på Nathalie, som tre år tidigare, i ett försök att vara lite impulsiv, hade försökt överraska Dean med en avsugning medan han körde sin lastbil. Han hade vrålat "Vad fan gör du?" och sedan ränt in i baken på en Mini Metro, och innan han hade hunnit knäppa byxorna hade Nathalies moster Doreen kommit springande från snabbköpet för att se vad som stod på. Hon hade aldrig sett på Nathalie på riktigt samma sätt igen.

Så kanske inte ändå. Hon sneglade på honom medan han körde. Hon kunde inte se på hans händer utan att föreställa sig dem på hennes hud, hur de trevade sig nedför hennes bara mage. Åh, gud. Hon var tvungen att lägga benen i kors och titta ut genom fönstret.

Men Eds tankar var någon annanstans. Han hade blivit allt tystare, muskeln vid hans käke var spänd och händerna kramade ratten en aning för hårt.

Hon tittade rakt fram igen, justerade påsen med ärtorna och tänkte på tåg. Och lyktstolpar. Och matteolympiader. De åkte vidare under tystnad, deras tankar surrade som ett hjulpar.

Eds föräldrar bodde i ett viktorianskt stenhus vid slutet av en gata, det var den sortens gata där alla grannar tävlade om att ha de prydligaste och mest prunkande fönsterlådorna. Ed körde in framför huset och stängde av motorn. Han satt orörlig tills den slutade ticka.

Nästan utan att tänka på det sträckte hon ut en hand och kramade hans. Han vände sig om som om han hade glömt att hon var där. "Är det säkert att du vill följa med in?"

"Självklart", stammade hon.

"Jag är väldigt tacksam. Jag vet att du hellre hade varit med barnen."

Hon vilade sin hand på hans. "Det är okej."

De gick fram till dörren, Ed tvekade en sekund sedan knackade han på. De sneglade på varandra, log lite och väntade. Och väntade.

Efter trettio sekunder knackade han igen, högre den här gången. Han böjde sig fram för att kika in genom brevinkastet.

Sedan reste han på sig och stoppade handen i fickan efter telefonen. "Konstigt. Jag är säker på att Gem sa att lunchen var i dag. Jag måste kolla." Han bläddrade igenom några meddelanden, nickade, och knackade igen.

"Om de är hemma borde de ha hört oss", sa Jess. Tanken slog henne att det skulle vara trevligt att för en gångs skull gå fram till ett hus och faktiskt veta vad som väntade.

De ryckte till när ett skjutfönster öppnades någonstans ovanför dem. Ed backade ett steg och tittade upp mot huset intill.

"Är det du, Ed?"

"Hej mrs Harris. Jag letar efter mina föräldrar. Vet ni möjligtvis var de är?"

Kvinnan gjorde en min. "Åh Ed, de har åkt till sjukhuset. Din pappa blev dålig igen i morse. Jag är hemskt ledsen."

Ed skuggade handen för ögonen. "Vilket sjukhus?"

Hon tvekade. "The Royal. Det ligger sex, sju kilometer härifrån om man tar motorvägen. Ta vänster vid slutet av gatan …"

"Tack, jag vet var det ligger. Tack."

"Hälsa honom så mycket", ropade hon och Jess hörde fönstret dras ner. Ed öppnade redan bildörren.

Det tog bara några minuter att komma till sjukhuset. Jess sa inte ett ord. Hon visste inte vad hon skulle säga. "Han kommer att bli glad att få träffa dig", försökte hon sig på, men det lät bara dumt och han verkade så försjunken i sina tankar att han inte tycktes höra henne. Han uppgav sin fars namn vid informationsdisken och receptionisten drog med fingret längs skärmen. "Vet ni var onkologen ligger?" frågade hon och såg upp.

De klev in i en stålhiss och åkte upp två våningar. Ed uppgav sitt namn i porttelefonen vid dörren in till avdelningen, de tvättade händerna med handsprit och när dörrlåset klickade följde hon efter honom in.

En kvinna kom dem till mötes i korridoren. Hon hade en filtkjol och kulörta tights. Håret var klippt i en kort och spretig frisyr.

"Hej Gem", sa han och saktade in stegen när hon kom närmare.

Hon såg klentroget på honom. Hon öppnade munnen en aning och först trodde Jess att hon skulle säga något.

"Det är fint att se dig …", började Ed, men från ingenstans sköt kvinnans hand fram och slog Ed rakt i ansiktet. Smällen ekade i korridoren.

Ed stapplade baklänges och tog sig för kinden. "Vad fan …"

"Din jävel", sa hon. "Fan för dig."

De stirrade på varandra, Ed sänkte handen och såg på den som för att leta efter blod.

Hon skakade på sin hand och såg ut att vara förvånad över sig själv, sedan räckte hon trevande fram handen mot Jess. "Hej. Jag heter Gemma."

Jess tvekade en sekund, sedan skakade hon den försiktigt. "Öh … Jess."

Hon rynkade pannan. "Kvinnan med barnet och nödläget."

När Jess nickade granskade Gemma henne långsamt uppifrån och ner. Hennes leende var mer trött än otrevligt. "Ja, jag tänkte nog att det var du. Okej, mamma är här borta. Kom och hälsa, Ed."

"Är han här? Är det Ed?" Kvinnans stålgrå hår var uppsatt i en prydlig knut. "Åh Ed! Du är här! Älskling, så underbart. Men vad har du gjort?"

Han kramade henne, sedan drog han sig tillbaka och vred på huvudet när hon försökte röra vid hans näsa. Han sneglade på Jess. "Jag ... öh ... gick in i en dörr."

Hon drog honom intill sig igen och klappade honom på ryggen. "Åh vad det är underbart att se dig."

Han höll om henne en stund, sedan lösgjorde han sig försiktigt. "Mamma, det här är Jess."

"Jag är ... en vän till Ed."

"Väldigt trevligt att träffas. Jag heter Anne." Hennes blick for över Jess ansikte, noterade hennes sönderslagna näsa och svullna överläpp. Hon tvekade en sekund, sedan verkade hon bestämma sig för att inte fråga. "Jag kan tyvärr inte påstå att Ed har berättat så mycket om dig, men å andra sidan berättar han överhuvudtaget inte så mycket. Jag ser fram emot att höra det från dig." Hon lade en hand på Eds arm och hennes leende sviktade en aning. "Vi hade planerat en trevlig lunch, men ..."

Gemma tog ett steg närmare sin mor och började rota runt i handväskan. "Men sedan blev pappa dålig igen."

"Han såg så mycket fram emot lunchen. Vi var tvungna att lämna återbud till Simon och Deirdre. De skulle precis åka från Peak District när vi ringde."

"Så tråkigt", sa Jess.

"Ja, ja, det är inget att göra åt." Hon tycktes ta sig samman. "Det är verkligen en fruktansvärd sjukdom. Jag får anstränga mig för att inte ta det personligt." Hon lutade sig mot Jess med ett bedrövat leende. "Ibland går jag in i sovrummet och kallar den alla möjliga hemska saker. Bob skulle bli alldeles förfärad om han hörde."

Jess log tillbaka. "Jag kan hjälpa till att säga lite fula saker."

"Åh, ja. Gör det! Det skulle vara jättefint. Ju fulare och snuskigare, desto bättre. Och det måste vara högt."

"Det är inget problem för Jess", sa Ed och pillade sig på läppen.

Tystnaden lade sig en liten stund.

"Jag köpte en hel lax", sa Anne till ingen särskild.

Jess kände Gemmas granskande blick. Omedvetet började hon dra i sin T-shirt, hon ville inte att tatueringen ovanför jeansen skulle synas. Så fort hon hörde ordet "socialarbetare" kände hon sig skärskådad och rannsakad.

Och sedan flyttade sig Anne förbi henne och sträckte ut armarna. Det hungriga sättet på vilket hon drog Ed intill sig fick Jess att kvida inombords.

"Min älskade, älskade pojke. Jag vet att jag är en hemskt klängig mamma, men du måste ha lite överseende. Jag är så lycklig över att du är här." Han kramade henne tillbaka och lyfte en skuldmedveten blick mot Jess.

"Sist mamma kramade mig var 1997", mumlade Gemma. Jess var inte säker på att hon var medveten om att hon hade sagt det högt.

"Jag tror inte att min någonsin gjorde det", sa Jess.

Gemma såg på henne. "Det där med att klippa till brorsan … Han har säkert berättat vad jag jobbar med. Jag måste bara poängtera att jag inte brukar slå folk."

"Jag tror inte bröder räknas."

En snabb glimt av sympati blixtrade till i Gemmas blick. "Låter som en bra regel."

"Inga problem", sa Jess. "Förresten har jag ibland varit nära att ge honom en snyting själv de senaste dagarna."

Bob Nicholls låg i en sjukhussäng med täcket uppdraget till hakan och händerna vilande på täcket. Hans vaxlika hud var gulaktig och skallbenet nästan synligt genom det tunna skinnet. Han vred långsamt huvudet mot dem när de klev in i rummet. På bordet bredvid honom låg en syrgasmask och märkena på kinderna avslöjade att den nyligen hade använts. Det gjorde ont att se på honom.

"Hej pappa."

Jess såg hur Ed kämpade med att försöka dölja chocken. Han böjde sig över sin far och vidrörde honom lätt på axeln.

"Edward." Han röst var som ett kraxande.

"Visst ser han ut att må fint, Bob?" sa hans mor.

Fadern granskade honom under sina halvslutna ögonlock. När han talade var det långsamt och väl övervägt.

"Nej. Det ser ut som om han har åkt på en riktig omgång."

Jess såg det nya märket på Eds kind där hans systers örfil hade landat. Hon kom på sig själv med att omedvetet ta på sin egen svullna läpp.

"Var har han varit?"

"Pappa, det här är Jess."

Faderns ögon gled över till henne, ögonbrynen lyfte en bråkdels millimeter. "Och vad har hänt med ditt ansikte, då?" viskade han.

"Jag råkade i luven på min bil. Mitt fel."

"Var det det som hände honom också?"

"Ja."

Han såg på henne en liten stund till. "Du ser ut som en handfull. Är du det?" frågade han.

Gemma lutade sig fram. "Pappa, Jess är Eds vän."

Han avfärdade henne. "Den enda fördelen med att inte ha så långt kvar är att man kan säga vad man vill. Hon ser inte ut att ha tagit illa upp. Gjorde du det? Förlåt, jag har redan glömt vad du heter. Jag verkar inte ha några fungerande hjärnceller kvar."

"Jag heter Jess. Och nej, jag tar inte illa upp."

Han lät blicken dröja kvar vid henne.

"Och ja, jag antar att jag är det", sa hon och vek inte undan med blicken.

Hans leende var långsamt, men när det till slut spred sig över hans ansikte kunde hon för ett ögonblick föreställa sig hur han hade sett ut innan han blev sjuk. "Det gläder mig. Jag har alltid tyckt om flickor som är besvärliga. Och den här grabben har stirrat på en dataskärm tillräckligt länge."

"Hur mår du pappa?"

Bob Nicholls blinkade. "Jag är döende."

"Vi är alla döende", sa Gemma.

"Bespara mig det där psykbabblet. Jag håller på att dö, snabbt och obehagligt. Det är inte mycket jag klarar av

274

längre och jag har ytterst lite värdighet kvar. Jag kommer sannolikt inte överleva cricketsäsongen. Duger det som svar på din fråga?"

"Förlåt", sa Ed lågt. "Förlåt att jag inte har varit här."

"Du har haft mycket att göra."

"På tal om det …", började Ed. Han hade händerna djupt nedkörda i fickorna. "Det är en sak jag måste berätta, pappa. För er allihop."

Jess reste sig snabbt. "Jag går iväg och köper några smörgåsar till oss. Så får ni prata i fred."

Jess kände Gemmas granskande blick. "Och något att dricka. Te? Kaffe?"

Bob Nicholls vred huvudet mot henne. "Du har ju precis kommit. Stanna."

Hon såg på Ed och deras blickar möttes. Han ryckte nästan omärkligt på axlarna.

"Vad är det, hjärtat?" Hans mor sträckte fram en hand. "Hur är det med dig?"

"Jag mår bra. Ganska bra. Jag menar, jag är frisk. Men …" Han svalde. "Nej, jag mår inte så bra. Det är en sak jag måste berätta."

"Vad?" sa Gemma.

Han tog ett djupt andetag. "Så här är det."

"Men vad är det?" sa Gemma. "Herregud, Ed. Vad?"

"Jag är föremål för en polisutredning för påstådd insiderhandel. Jag har blivit avstängd från jobbet. Jag måste till polisen nästa vecka och jag kommer sannolikt att åtalas för brott mot insiderlagen och jag kan få fängelse."

Att säga att rummet blev tyst vore en underdrift. Det var som om någon hade sugit ut all luft ur rummet. Jess trodde att hon skulle svimma.

"Är det här ett skämt?" sa hans mamma.

"Nej."

"Är det ingen som vill ha lite te?" sa Jess.

Ingen tog någon notis om henne. Eds mor sjönk långsamt ner på en plaststol.

"Insiderhandel?" Gemma var först med att säga något.
"Det … är allvarligt, Ed."

"Jo, jag vet det, Gem."

"Insiderbrott, sådant som man läser om i tidningen?"

"Precis sådant."

"Han har bra advokater", inflikade Jess.

Ingen verkade lyssna på henne.

"Dyra."

Hans mor hade lyft handen halvvägs till munnen, nu lät hon den långsamt sjunka ner. "Jag förstår inte. När hände detta?"

"En månad sedan. I alla fall grejen med insiderhandeln."

"En månad? Men varför har du inte sagt något? Vi kunde ha hjälpt dig."

"Det kunde ni inte, mamma. Ingen kan hjälpa mig."

"Men fängelse? Som en brottsling?" Anne Nicholls hade blivit alldeles blek.

"Om man åker i fängelse då är man en brottsling, mamma."

"Jamen det där måste de reda ut. De kommer att upptäcka att det rör sig om ett missförstånd, så måste det vara."

"Nej, mamma. Det kommer de inte att upptäcka."

Det blev tyst igen.

"Kommer du att klara dig?"

"Jag klarar mig. Som Jess sa, jag har bra advokater. Jag har resurser. De har redan fastställt att jag inte gjorde någon ekonomisk vinning på det."

"Du menar att du inte ens tjänade pengar på det?"

"Det var ett misstag."

"Misstag?" sa Gemma. "Jag förstår inte. Hur kan man göra det av misstag?"

Ed sträckte på sig och tittade på henne. Han tog ett djupt andetag och kastade en blick på Jess. Och sedan såg han upp i taket. "Jag hade sex med en kvinna. Jag trodde att jag tyckte om henne. Sedan insåg jag att hon inte var den jag trodde och jag ville bryta upp utan allt för mycket tjafs. Och hon ville resa. Så jag fattade ett ogenomtänkt beslut och talade om för henne hur jag trodde att hon snabbt skulle kunna tjäna lite pengar för att betala av sina skulder och ge sig ut på resa."

"Du gav henne insiderinformation."

"Ja. Om SFAX. Programvaran som vi lanserar nu."

"Herregud." Gemma skakade på huvudet. "Jag kan knappt tro att det är sant."

"Mitt namn har inte stått i tidningarna än, men det kommer det att göra." Han stack händerna i fickan och såg på sin familj. Jess undrade om hon var den enda som såg hur hans händer skakade. "Så ... det är därför jag inte har hälsat på. Jag hoppades slippa blanda in er, att jag kunde reda upp det och kanske till och med dölja det för er. Men det kommer inte att gå. Och jag ville säga förlåt. Jag skulle ha sagt det på en gång och jag skulle ha varit här. Men jag ... ville inte att ni skulle veta sanningen. Jag ville inte att ni skulle få veta hur jag har gjort bort mig."

Jess högra ben hade börjat rycka. Hon koncentrerade sig på en golvplatta och försökte få benet att sluta skaka. När hon till slut tittade upp såg hon Ed stirra på sin far. "Nå?"

"Vadå nå?"

"Ska du inte säga något?"

Bob Nicholls lyfte mödosamt huvudet från kudden. "Vad vill du att jag ska säga?"

Ed och hans far stirrade på varandra.

"Vill du att jag ska säga att du är en idiot? Jag kan säga att du är en idiot. Vill du att jag ska säga att du har sjabblat bort en lysande karriär? Det kan jag också säga."

"Bob ..."

"Men vad ..." Han började plötsligt hosta, ett ihåligt, raspigt ljud. Anne och Gemma kastade sig fram för att hjälpa honom, de räckte honom näsdukar, glas med vatten, de pysslade och ojade sig som två hönsmammor.

Ed stod vid fotändan av sin fars säng.

"Fängelse?" upprepade hans mor. "Riktigt fängelse?"

"Sätt dig ner, mamma. Andas djupt." Gemma lotsade sin mor till en stol.

Ingen närmade sig Ed. Varför var det ingen som kramade honom? Varför kunde de inte se hur ensam han kände sig?

"Förlåt", sa han tyst.

Jess stod inte ut längre. "Får jag säga en sak?" Hon hörde sin egen röst, klar och aningen för hög. "Jag vill att ni ska veta att Ed hjälpte mina två barn när jag inte kunde. Han skjutsade oss tvärs över hela landet för att vi var desperata. Frågar ni mig så tycker jag att han är … fantastisk."

Alla såg upp. Jess vände sig mot hans far. "Han är snäll, smart och begåvad, även om jag inte alltid tycker att han gör rätt. Han är trevlig mot folk han knappt känner. Insiderhandel eller inte, jag skulle bli glad om min son blev hälften så bra som han. Själaglad."

Nu stirrade de på henne allihop.

"Och det tyckte jag även innan jag låg med honom."

Ingen sa ett ljud. Ed stirrade ner på sina skor.

"Jaha …" Anne nickade en aning. "Det var … öh …"

"Upplysande", sa Gemma.

Bob suckade och slöt ögonen. "Nu ska vi inte överdramatisera det här." Han öppnade ögonen igen och gjorde en gest att någon skulle höja huvudändan. "Kom hit, Ed. Så att jag ser dig. Förbaskade ögon." Han pekade på glaset och hans fru höll fram det mot hans läppar.

Han svalde mödosamt, sedan klappade han på sängen för att Ed skulle komma och sätta sig. Han sträckte fram en hand och lade den lätt på sin sons. Han var outhärdligt skör. "Du är min son, Ed. Du må vara en ansvarslös idiot, men det påverkar inte det minsta vad jag känner för dig." Han rynkade pannan. "Jag är förbannad över att du trodde det."

"Förlåt pappa."

Hans far skakade en aning på huvudet. "Jag är ledsen att jag inte kan hjälpa dig. Förbannade … får inte luft …" Han gjorde en grimas, sedan svalde han plågsamt. Hans grepp om Ed hårdnade. "Vi gör misstag allihop. Gå och ta ditt straff, sedan kommer du hem och börjar om."

Ed såg på honom.

"Gör bättre nästa gång. Jag vet att du kan."

Det var då Anne började gråta, helt plötsligt, hjälplösa tårar som hon gömde i tröjärmen. Bob vred långsamt huvudet mot henne. "Åh älskling", sa han ömt. Jess öppnade dörren och smet tyst ut ur rummet.

Hon fyllde på kontantkortet i sjukhuskiosken, sms:ade Ed för att tala om var hon var och satte sig sedan på akuten för att få sin fot undersökt. Inre blödningar, ingen fraktur, sa den unge polske läkaren. Han rörde inte en min när hon berättade vad som hade hänt. Han förband foten, skrev ut ett recept på smärtstillande, gav tillbaka flip-flopsen och rekommenderade vila. "Försök att inte sparka på fler bilar", sa han utan att lyfta blicken från journalen.

Jess linkade tillbaka upp till Victoriaavdelningen, satte sig på en av plaststolarna i korridoren, och väntade. Det var varmt och folk runtomkring henne pratade med viskande röster. Hon kanske nickade till. När Ed kom ut ur sin fars rum ryckte hon till. Hon höll fram hans kavaj och han tog den utan ett ord. Strax efter dök Gemma upp i korridoren. Hon lade ömt en hand på hans kind. "Förbannade idiot."

Han stod med nedböjt huvud, händerna nedkörda i fickorna, precis som Nicky.

"Din förbannade, dumma idiot. Ring mig."

Han drog undan huvudet. Ögonen var rödkantade.

"Jag menar allvar. Jag följer med dig till rätten. Jag kanske känner någon som kan ordna så att du får sitta på en öppen anstalt. Du hör knappast till de tungt kriminella såvida du inte har gjort något annat." Hennes blick for mellan Jess och Ed. "Du har väl inte gjort något annat?"

Han lutade sig fram och kramade om henne, och kanske var det bara Jess som lade märke till hur hårt han knep ihop ögonen när han vände sig om.

De lämnade sjukhuset och klev ut i det strålande vita vårljuset. På ett nästan obegripligt sätt hade livet utanför fortsatt som vanligt. Bilar backade in i trånga parkeringsfickor, barnvagnar baxades ner från bussar, en radio skrålade på högsta volym bredvid en karl som målade om ett räcke i närheten. Jess drog djupt efter andan och var tacksam över att slippa den stillastående sjukhusluften, den nästan fysiskt påtagliga slöjan av död som svävade ovanför Eds far. Ed tittade rakt fram när han gick. Han stannade vid bilen och öppnade dörrarna med ett ljudligt klick. Sedan var det som om han frös till is och inte kunde röra sig mer. Han stod som fastfrusen med ena handen framsträckt och stirrade på bilen.

Jess avvaktade lite, sedan gick hon runt bilen och tog varsamt nyckeln ur hans hand. Och när hans blick äntligen gled över till henne, smög hon sina armar runt hans midja och höll om honom tills hans huvud långsamt sänktes och till slut vilade mot hennes axel.

KAPITEL TJUGOSEX

TANZIE

Det var vid frukosten som Nicky började prata om det. De satt vid bordet allihop som en tv-familj – Tanzie åt flingor, Suzie och Josh åt chokladcroissanter, vilket Suzie sa att de åt varje dag eftersom det var deras favorit – och det var lite konstigt att sitta där med pappa, men ändå inte så konstigt som hon hade trott. Pappa åt fullkornsflingor eftersom han måste hålla sig i form, sa han och klappade sig på magen. Hon förstod inte varför eftersom han ändå inte hade något jobb. "Jag har saker på gång", sa han varje gång hon frågade vad han egentligen gjorde. Hon undrade om Linzie också hade ett garage fullt med luftkonditioneringsapparater som inte fungerade. Linzie verkade inte äta alls. Nicky fingrade på en rostad smörgås. Han åt nästan aldrig frukost, innan de åkte på den här resan var han inte ens vaken så här dags. Nu tittade han på pappa och sa, "Jess jobbar hela tiden. Hela tiden. Jag tycker inte att det är rättvist."

Pappas sked stannade halvvägs till munnen och Tanzie undrade om han skulle bli jättearg, så där som han brukade bli när han tyckte att Nicky var oförskämd. Ingen sa något på en stund. Sedan lade Linzie en hand på pappas arm och log. "Han har rätt, älskling."

Och pappa blev lite röd om kinderna och sa att från och med nu skulle det bli ändring på saker och att alla gör ju fel ibland, och eftersom Tanzie kände sig lite modigare nu så svarade hon att nej, alla gör faktiskt inte fel. Hon hade räknat fel på sina algoritmer och Norman hade gjort fel när han förstörde hennes glasögon för att han blev tokig när han såg korna, och mamma hade gjort fel när hon tog Rolls-Roysen och åkte fast för polisen, men Nicky var den enda i deras familj som faktiskt inte hade gjort något fel. Halvvägs genom hennes uttalande sparkade Nicky henne på smalbenet under bordet och gav henne en blick.

Vad är det? frågade hon med blicken.

Tyst med dig, sa hans.

Morr, du ska inte säga åt mig att vara tyst, svarade hennes.

Och sedan tittade han inte på henne mer.

"Vill du ha en chokladcroissant, hjärtat?" sa Linzie och lade en på hennes assiett innan hon hann svara.

Linzie hade tvättat och torkat alla Tanzies kläder över natten och nu doftade de sköljmedel med vanilj och orkidé. Allt i deras hus luktade något. Det var som om inget fick lukta naturligt. Hon hade luftfräschare i alla eluttag som spred "en lyxig doft av exotiska blommor och regnskog", skålar med potpurri och en miljon doftljus i badrummet. ("Jag älskar mina doftljus.") Det kliade i Tanzies näsa hela tiden som de befann sig inomhus.

Efter frukosten tog Linzie med sig Suze till baletten. Pappa och Tanzie gick till lekparken, trots att hon inte hade varit i en lekpark på minst två år eftersom hon hade blivit för stor för sådant. Men hon ville inte såra pappa, så hon satte sig på gungan och lät honom ge fart några gånger. Nicky stod vid sidan om med händerna i fickorna och såg på. Han hade glömt sitt Nintendo i mr Nicholls bil och hon visste att han var väldigt röksugen, men han vågade antagligen inte röka inför pappa.

Till lunch åt de pommes frites från gatuköket ("Säg inget till Linzie", sa pappa och klappade sig på magen igen), och pappa frågade om mr Nicholls och försökte låta oberörd: "Vem är han då, den här killen? Är det er mammas nya pojkvän?"

"Nej", svarade Nicky på ett sätt som gjorde det svårt för pappa att ställa fler frågor. Tanzie trodde nog att pappa var lite chockad över Nickys sätt att svara honom. Inte för att han var direkt oförskämd, det var bara det att han inte verkade bry sig om vad pappa tyckte. Och nu hade Nicky vuxit om pappa, men när Tanzie påpekade det verkade inte pappa tycka att det var så märkvärdigt.

Sedan började Tanzie frysa eftersom hon hade glömt sin jacka, och då åkte de hem igen. Suze var tillbaka från baletten så de spelade några spel och Nicky gick en trappa upp för att spela på datorn. Sedan gick Tanzie och Suze till hennes rum och Suze sa att de kunde titta på en dvd eftersom hon hade en egen dvd-spelare på sitt rum och hon brukade se på film varje kväll innan hon somnade.

"Brukar inte din mamma läsa för dig?" undrade Tanzie.

"Hon har inte tid. Det var därför jag fick dvd-spelaren", sa Suze. Hon hade en hel hylla med filmer, alla sina favoriter, och hon kunde titta på dem i sitt rum när de andra tittade på något hon inte ville se där nere.

"Marty gillar gangsterfilmer, så det brukar de titta på", sa hon och rynkade på näsan. Det tog Tanzie flera sekunder att inse att hon pratade om hennes pappa. Och hon visste inte vad hon skulle säga.

"Jag gillar din jacka", sa Suze och kikade ner i Tanzies väska.

"Mamma sydde den till mig i julklapp."

"Va? Har din mamma sytt den?" Hon höll upp den så att paljetterna som mamma hade sytt fast på ärmarna glittrade i ljuset. "Åh gud, är hon modedesigner, eller något?"

"Nej", sa Tanzie. "Hon är städerska."

Suze skrattade som om det var ett skämt.

"Vad är det där?" frågade hon när hon såg mattepapprena i väskan.

Den här gången knep Tanzie ihop munnen.

"Är det matte? Åh gud, det är som … bara krumelurer." Hon fnittrade och bläddrade bland bladen, höll upp dem med två fingrar i ena hörnet som om de var något otäckt. "Är det din brorsas? Är han typ en mattenörd?"

"Jag vet inte." Tanzie rodnade eftersom hon inte var bra på att ljuga.

"Blä. Värsta snillet. Nördvarning." Hon kastade dem ifrån sig, samtidigt som hon drog fram fler av Tanzies kläder. "Har du paljetter på alla dina kläder?"

Tanzie svarade inte. Hon lät pappren ligga kvar på golvet eftersom hon inte orkade förklara. Och hon ville inte tänka på olympiaden. Hon tänkte att det kanske vore enklare om hon blev lite mer som Suze från och med nu, hon verkade glad och pappa verkade trivas här. Och eftersom hon inte ville tänka mer på det nu föreslog hon att de skulle gå ner och titta på tv.

De hade hunnit drygt halvvägs genom *Fantasia* när Tanzie hörde pappa ropa. "Tanze, din mamma är här nu!" Mamma stod i dörren med hakan i vädret, som om hon var beredd på att bli ifrågasatt för något. När Tanzie såg henne stannade hon till och stirrade på hennes ansikte. Mamma lade handen över munnen som om hon just kom ihåg att läppen var sprucken, sedan sa hon, "Jag ramlade." Tanzie kikade förbi henne på mr Nicholls som satt i bilen och mamma tillade snabbt, "Han ramlade också." Trots att Tanzie inte hade sett hans ansikte utan bara ville se om de skulle åka bil eller om de verkligen måste åka buss hem.

Och pappa sa, "Går allt du tar i sönder nuförtiden?" Mamma blängde på honom och han muttrade något om reparation, sedan sa han att han skulle hämta väskorna. Tanzie släppte ut en lång suck och kastade sig i mammas famn, för trots att hon hade haft det trevligt hos Linzie saknade hon Norman och mamma, och hon kände sig plötsligt jätte-jättetrött.

Stugan som mr Nicholls hade hyrt såg ut som en reklambild för ett ställe som gamla människor vill åka till när de pensionerar sig eller kanske en annons för urindrivande tabletter. Det låg vid en sjö och det fanns några andra hus i närheten, men alla hus låg mellan träd eller stod i vinkel så att inga fönster vette mot något annat hus. Det simmade femtiosex ankor och tjugo gäss på vattnet och alla utom tre var kvar när de skulle äta middag. Tanzie trodde att Norman skulle jaga bort dem, men han låg bara i gräset och betraktade dem.

"Schyst", sa Nicky trots att han egentligen inte alls tyckte om friluftsliv. Han drog några djupa andetag och tog två bilder med mr Nicholls telefon. Det slog henne att han inte hade rökt ett bloss på fyra dagar.

"Visst är det?" sa mamma och blickade ut över sjön. Hon började säga något om att betala deras del av hyran, men mr Nicholls höll upp båda händerna i luften och gjorde ett ljud som betydde *"nej nej nej nej"* som om han inte ens ville höra talas om det, och mamma blev lite röd om kinderna och sa inget mer.

De åt ute och grillade, trots att det egentligen inte alls var grillväder, men mamma tyckte att det skulle vara en trevlig avslutning på resan och när hade hon förresten tid för en grillkväll? Hon verkade inställd på att alla skulle ha det trevligt och pladdrade på dubbelt så mycket som alla andra, och hon sa att hon hade överskridit budgeten för att ibland måste man passa på att njuta och komma ihåg att vara tacksam för det man har. Det kändes som om det var hennes sätt att tacka mr Nicholls. Så de grillade korv och kycklingklubbor och hade sallad och färska frallor till, och mamma hade köpt två paket god glass, inte den där billiga sorten i vit plastförpackning. Hon frågade ingenting om pappas nya hus, men hon kramade Tanzie en hel del och sa att hon hade saknat henne, och visst var det konstigt eftersom det bara hade rört sig om en natt.

De berättade roliga historier för varandra, men Tanzie kunde bara komma ihåg en enda ("Det var en gång och den var sandad"), men alla skrattade och sedan lekte de en lek där man tar en pinne och sätter ena änden mot pannan och den andra i marken, och sedan ska man snurra runt pinnen tills man blir alldeles yr och trillar omkull. Mamma gjorde det en gång trots att hon knappt kunde gå med sin lindade fot och hon sa *Aj aj aj aj aj* hela tiden. Och det fick

Tanzie att skratta för det var så trevligt att se mamma larva sig och ha kul för en gångs skull. Och mr Nicholls sa: "Nej, nej, jag ska bara se på". Men mamma linkade bort och viskade något i örat på honom och han lyfte på ögonbrynen och sa "Jaså?" Och hon nickade. Och då sa han att "Okej, då." Och när han trillade omkull var det som om marken faktiskt skakade lite. Och till och med Nicky, som aldrig ville göra något, gjorde det och hans ben stack ut som på en Janne Långben-spindel, och när han skrattade var hans skratt jättekonstigt, det lät som *höh höh höh*, och Tanzie tänkte att hon inte hade hört honom skratta på evigheter. Kanske aldrig.

Och hon gjorde det sex gånger tills hela världen snurrade och var uppochned och hon ramlade ihop i gräset, hon tittade upp på himlen som långsamt virvlade ovanför henne och tänkte att ungefär så där var livet i deras familj. Aldrig riktigt som det var meningen.

De åt och mamma och mr Nicholls drack lite vin och Tanzie skrapade rent benen och gav resterna till Norman, för hundar kan dö om man ger dem kycklingben. Och sedan tog de på sig jackorna och satte sig på en rad vid sjön, i rottingstolarna som hörde till stugan, och tittade på fåglarna tills det blev mörkt. "Jag älskar det här stället", sa mamma i tystnaden. Tanzie var inte säker på att det var meningen att någon skulle se, men mr Nicholls sträckte sig fram och kramade mammas hand.

Mr Nicholls verkade lite ledsen hela kvällen. Tanzie visste inte riktigt varför. Hon undrade om det berodde på att resan var slut nu. Men ljudet av vattnet som kluckade mot stranden var så lugnande och fridfullt att hon måste ha somnat, för sedan mindes hon bara hur mr Nicholls hade burit upp henne i sängen och mamma stoppade om henne och sa att hon älskade henne. Men det hon mindes tydligast med kvällen var att ingen pratade om olympiaden och att hon kände sig jätteglad.

För så här var det. Medan mamma gjorde i ordning grillen hade Tanzie bett att få låna mr Nicholls dator. Hon sökte på statistik som rörde barn från låginkomstfamiljer på privatskolor. Och det dröjde inte många minuter innan hon såg att den procentuella sannolikheten för att hon faktiskt skulle börja på St. Anne's alltid hade varit ensiffrig. Och hon insåg att det inte spelade någon roll hur bra hon hade klarat antagningsproven; hon skulle ha tagit reda på de här siffrorna innan de åkte hemifrån, för den enda gången saker gick snett var när man inte var uppmärksam på siffrorna. Nicky kom uppför trapporna, när han såg vad hon höll på med stod han bara tyst en stund, sedan klappade han henne på armen och sa att han skulle prata med några som gick på McArthur's och se till att de höll ett öga på henne.

När de var hos Linzie hade pappa sagt att privatskola inte var någon garanti för att lyckas. Han hade sagt det tre gånger. *Framgång kommer inifrån*, sa han. *Beslutsamhet*. Och sedan sa han att Tanzie borde be Suze visa hur hon kammade håret för att det skulle nog vara fint på henne också.

Mamma sa att hon skulle sova på soffan den kvällen så att Tanzie och Nicky kunde ta det andra sovrummet, men Tanzie trodde inte att hon gjorde det, för när hon vaknade mitt i natten och gick ner för att dricka ett glas vatten var mamma inte där. Och på morgonen hade mamma på sig mr Nicholls grå T-shirt, den som han hade på sig varje dag, och Tanzie väntade tjugo minuter och tittade på hans dörr, nyfiken på vad han skulle ha på sig när han kom ut.

En lätt dimma hängde över sjön på morgonen. Den lättade som genom ett trollslag medan de packade bilen. Norman nosade i gräset med svansen viftande. "Harar", sa mr Nicholls. (Han hade på sig en annan grå T-shirt.) Morgonen var kylig och skogsduvorna hoade dovt i träden, Tanzie kände sig lite sorgsen på det där sättet man gör när man har varit någonstans där man har haft det trevligt men där allt nu är över.

"Jag vill inte åka hem", sa hon lågt när mamma stängde bagageluckan.

Hon ryckte till. "Vad sa du, älskling?"

"Jag vill inte åka hem."

Mamma sneglade på mr Nicholls och försökte le, hon gick fram till henne och sa, "Menar du att du vill stanna hos din pappa? För om det är det du vill ..."

"Nej, jag menar bara att jag gillar det här huset och jag vill stanna här." *Hon ville säga: Och det finns inget att se fram emot hemma för allt är förstört, och här slipper vi dessutom Fishers,* men hon såg på mammas ansikte att hon tänkte samma sak, för hon såg genast bort på Nicky och han ryckte på axlarna.

"Du vet att man inte behöver skämmas för att ha gjort ett försök, eller hur?" Mamma tittade på dem båda. "Vi försökte och gjorde vårt bästa, men det lyckades inte. Bra saker har ändå hänt; vi har sett delar av landet vi annars aldrig skulle ha sett, vi har lärt oss saker, vi träffade er pappa och ordnade upp det med honom. Och vi har träffat nya vänner." Det är möjligt att hon menade Linzie och hennes barn, men hon såg på mr Nicholls när hon sa det där sista. "Så allt som allt tycker jag att det var bra att vi gjorde ett försök, även om det inte riktigt blev som vi hade hoppats. Och förresten kanske saker inte blir så hemska när vi väl kommer hem."

Nickys ansikte var uttryckslöst. Tanzie visste att han tänkte på pengar.

Och sedan sa mr Nicholls, som knappt hade sagt ett ord på hela morgonen, "Jag har tänkt på det där. Och vi ska göra en liten avstickare."

KAPITEL TJUGOSJU

JESS

De var en tyst liten grupp som satt i bilen på vägen hem. Inte ens Norman gnydde längre, det var som om han till slut hade accepterat att bilen var hans nya hem. Under hela den tid som Jess hade planerat resan och under de märkliga och hektiska dagarna i bilen, hade hon inte tänkt längre än att få Tanzie till olympiaden. Hon måste få dit henne i tid, Tanzie skulle göra provet, och sedan skulle allt bli bra. Hon hade inte ens övervägt att resan skulle ta tre dagar längre än planerat. Eller att hon skulle ha £13,81 kvar i plånboken när resan var över och ett kort som hon inte tordes sticka in i en bankomat av rädsla för att det inte skulle komma tillbaka.

Jess nämnde inget av det för Ed, som satt tyst och hade blicken fäst på vägen.

Ed. Jess upprepade hans namn tyst för sig själv så många gånger att det slutade ha någon innebörd. När han log kunde Jess inte låta bli att le tillbaka. När han såg ledsen ut var det som om något stack till inom henne. Hon iakttog honom tillsammans med barnen, hans otvungna sätt att beundra ett foto som Nicky tagit med hans telefon, eller det allvarliga sätt som han bemötte något som Tanzie kommenterade – den sortens kommentar som hade fått Marty att himla med ögonen – och hon önskade att han hade funnits i deras liv långt tidigare. När de var ensamma och han höll henne tätt intill sig, med en hand som antydde en viss äganderätt på hennes lår, hans varma andedräkt i hennes öra, då kände hon en försiktig förvissning om att allt skulle ordna sig. Det var inte för att Ed skulle ordna allt – han hade sin egen storm att rida ut – men hon kände att summan av dem båda var större än det andra. *Tillsammans* skulle de klara sig.

För hon ville ha Ed Nicholls. Hon ville vira sina ben om honom i mörkret och känna honom inuti sig, hon ville stöta sina höfter mot honom medan han höll om henne. Hon ville känna svetten och hans styrka, hans läppar mot sina, deras ögon som möttes. Medan de körde vidare mindes hon de två senaste nätterna i heta, drömlika fragment. Hans händer, hans mun, hans hand över hennes mun för att dämpa hennes skrik så att inte barnen vaknade när hon kom. Hon kunde knappt hålla sig från att böja sig fram och begrava ansiktet i hans hals, låta en hand glida upp under hans T-shirt bara för att det var så ljuvligt.

Hon hade ägnat så mycket tid åt att bara tänka på barnen och jobbet och räkningar och pengar. Nu var huvudet fullt av honom. När han vände sig mot henne rodnade hon. När han sa hennes namn kändes det som ett kärleksmummel i natten. När han räckte henne en kopp kaffe och snuddade vid hennes fingrar var det som om elektriska impulser sköt genom hennes kropp. Hon tyckte om att känna hans blick vila på henne och hon undrade vad han tänkte på.

Jess hade ingen aning om hur hon skulle förmedla allt detta till honom. Hon hade varit så ung när hon träffade Marty, och bortsett från den enda incidenten med Liam Stubbs händer under hennes tröja inne på Feathers, hade hon aldrig ens varit i närheten av ett förhållande med någon. Jess Thomas hade inte varit på en dejt sedan gymnasiet. Hon tyckte själv att det lät patetiskt. Hon måste få honom att förstå att han hade vänt uppochned på allt.

"Vi fortsätter till Nottingham, om det är okej för alla", sa han och vände sig mot henne. Han hade fortfarande ett bleknat blåmärke på näsan. "Vi stannar och hittar någonstans att bo. Då klarar vi sista biten hem i ett svep på torsdag."

Och vad händer sedan? Ville Jess fråga. Men hon satte upp

fötterna på instrumentbrädan och sa, "Visst, det låter bra."

De stannade vid en bensinmack för att äta lunch. Barnen hade slutat fråga om de kunde äta något annat än smörgåsar, och nu betraktade de snabbmatsställen och tjusiga fik med något som snarare liknade ointresse. De vecklade ut sina stela kroppar och sträckte på sig.

"Vad sägs om en korvpirog?" sa Ed och pekade mot disken. "Kaffe och varma korvpiroger. Eller något annat. Jag bjuder. Kom igen."

Jess såg på honom.

"Kom igen, din matfascist. Vi kan äta lite frukt efteråt."

"Vågar du det? Efter den där kebaben?"

Han skuggade för ögonen med handen för att se henne bättre. "Jag har kommit fram till att jag gillar att leva lite farligt."

Han hade kommit till henne kvällen före efter att Nicky, som tyst knattrade på Eds laptop i ett hörn, äntligen hade gått och lagt sig. Hon hade känt sig som en tonåring som satt i soffan mitt emot honom och låtsades titta på tv och väntade. Men när Nicky hasade iväg hade Ed tagit fram datorn.

"Vad håller han på med?" hade hon frågat när Ed slog upp skärmen.

"Han skriver", sa han.

"Han spelar inte spel med vapen och våldsamma explosioner?"

"Ingenting sådant."

"Han sover", hade hon viskat. "Han har sovit varje natt under den här resan. Utan att röka på."

"Kul för honom. Själv känner jag det som om jag inte har sovit på flera år."

Han tycktes ha åldrats tio år under den korta tid de varit borta. Sedan hade han dragit henne intill sig. "Jaha", hade han sagt ömt. "Jessica Rae Thomas, ska du låta mig få sova i natt?"

Hon studerade hans underläpp, absorberade känslan av

hans hand på sin höft. Det plötsliga lyckoruset. "Nej", sa hon.

"Utmärkt svar."

De bytte riktning och gick bort från snabbköpet, de kryssade fram mellan sura resenärer i jakt på bankomater och långa toalettköer. Jess försökte att inte se lika lättad ut som hon kände sig över att slippa göra ännu en omgång smörgåsar. Hon kände doften av smördegen och pirogerna och de varma småpajerna på flera mils håll.

Barnen kramade en bunt sedlar och gick in för att handla enligt Eds beställning. Han gick tillbaka mot henne så att de doldes bakom mängden människor.

"Vad gör du?"

"Jag bara tittar." Varje gång han ställde sig nära henne kände Jess kroppstemperaturen stiga några grader.

"Tittar?"

"Det är omöjligt att vara i närheten av dig." Hans läppar var alldeles intill hennes öra, hans röst sände rysningar längs hennes hud.

"Va?"

"Jag bara föreställer mig allt jag vill göra med dig. Hela tiden. Väldigt snuskiga saker."

Han greppade tag om linningen på hennes jeans och drog henne intill sig. Jess böjde bak ryggen och vred nästan nacken ur led för att se att de inte var iakttagna. "Är det det du tänker på? När du kör? Hela tiden som vi har suttit tysta i bilen?"

"Japp." Han kikade över hennes axel mot butiken. "Det och mat."

"Mina två favoritsaker."

Hans fingrar spelade på hennes bara hud under tröjan. Det pirrade ljuvligt i magen. Benen bar henne knappt. Hon hade aldrig velat ha Marty på samma sätt som hon ville ha Ed.

"Bortsett från smörgåsar."

"Jag vill inte prata om smörgåsar. Någonsin."

Och sedan lade han sin handflata på hennes svank och de stod så nära varandra de anständigtvis kunde. "Jag vet att jag inte borde", mumlade han. "Men när jag vaknade kände jag mig så lycklig." Han granskade hennes ansikte. "Jag menar, så där löjligt, fånigt, fullständigt lycklig. Mitt liv håller på att rasa samman, men jag ... jag mår bra. Jag tittar på dig och jag mår bra."

Hon hade fått en klump i halsen. "Jag med."

Han kisade i det skarpa ljuset och försökte tyda hennes ansiktsuttryck. "Så jag är inte bara ... en häst?"

"Du är verkligen ingen häst. Fast det är klart, man skulle kunna ..."

Han böjde ner huvudet och kysste henne. Han kysste henne och det var en kyss som var så självklar, den sortens kyss som kan få ett världskrig att gå obemärkt förbi. När Jess lösgjorde sig var det bara för att hon inte ville att barnen skulle se henne förlora fotfästet.

"Nu kommer de", sa han.

Jess kom på sig själv med att fånstirra på honom.

"En handfull." Han sneglade på henne när barnen närmade sig med påsar i händerna. "Det var det pappa sa."

"Som om du inte hade insett det själv." Hon drog sig tillbaka, såg Ed och Nicky öppna papperspåsarna och inspektera innehållet, hon väntade på att rodnaden på hennes kinder skulle lägga sig. Hon kände solens värmande strålar på huden, hörde fågelsången överrösta folks prat, backande bilar, lukten av bensin och doften av varma piroger. Och i hennes huvud ekade orden: Det är så här lycka känns.

De började långsamt röra sig mot bilen med ansiktena nedborrade i papperspåsarna. Tanzie gick några steg före, hennes pinnsmala ben sparkade håglöst när hon gick, och det var då Jess upptäckte att något saknades.

"Tanze? Var är dina matteböcker?"

Hon vände sig inte om. "De ligger kvar hos pappa."

"Åh. Ska jag ringa honom?" Hon började rota i handväskan

efter mobilen. "Jag kan be honom lägga dem på lådan. De hinner antagligen fram före oss."

"Nej", sa hon. Hon vred huvudet en aning mot henne, men hon såg inte Jess i ögonen. "Tack ändå."

Nickys blick gled över till Jess, sedan tillbaka till systern. Och Jess fick en hård klump i magen.

Klockan var nästan nio när de kom fram till resans sista kvällsstopp och alla var lite matta. Barnen hade ätit kakor och godis hela sista sträckan, de var trötta och griniga och gick genast upp för att inspektera sovrummen. Norman lufsade efter och Ed bar upp väskorna.

Hotellet var stort och vitt och såg dyrt ut, det slags hotell som mrs Ritter hade kunnat visa för Jess på mobilen och som hon och Nathalie sedan hade suckat avundsjukt över. Ed hade bokat det via telefonen och när Jess hade börjat protestera över priset hade han svarat med ett uns av skärpa i rösten. "Alla är trötta, Jess. Och min nästa inkvartering kan mycket väl bli på statens bekostnad. Vi kan väl bo på ett trevligt ställe ikväll?"

Tre angränsande rum i en korridor som utgjorde ett slags annex till huvudbyggnaden. "Eget rum", suckade Nicky lättat när han låste upp dörren till rum tjugotre. Han sänkte rösten när Jess öppnade dörren. "Jag älskar henne och så, men du fattar inte hur högt det lilla pyret kan snarka."

"Det här kommer Norman att gilla", sa Tanzie när Jess öppnade dörren till rum tjugofyra. Som för att bekräfta det hon sagt, sjönk hunden omedelbart ner på golvet bredvid sängen. "Jag har inget emot att dela rum med Nicky, mamma, men han snarkar faktiskt jättehögt."

Ingen av dem tycktes undra var Jess skulle sova. Hon visste inte om det berodde på att de visste och inte brydde sig, eller om de trodde att antingen hon eller Ed skulle sova i bilen.

Nicky lånade Eds laptop. Tanzie klurade ut hur tevens fjärrkontroll fungerade och sa att hon skulle titta lite och sedan sova. Hon ville inte prata om de kvarlämnade matteböckerna.

Hon sa till och med, "Jag vill inte prata om det." Jess kunde inte minnas att hon någonsin hade sagt så till henne förut.

"Bara för att man misslyckas en gång betyder inte det att man inte kan göra ett nytt försök, älskling", sa hon och lade fram Tanzies pyjamas på sängen.

Tanzies ansikte uttryckte en vetskap som inte hade funnits där tidigare. Och hennes nästa ord var som ett knivhugg i hjärtat. "Jag tror att det är bäst om jag utgår ifrån det vi har, mamma."

"Vad ska jag göra?"

"Ingenting. Hon har bara fått nog för tillfället. Och man kan inte klandra henne." Ed släppte väskorna i ena hörnet. Jess satt på sängkanten och försökte att inte tänka på sin bultande fot.

"Men det är så olikt henne. Hon älskar matte. Det har hon alltid gjort. Nu beter hon sig som om hon inte bryr sig."

"Det har bara gått två dagar, Jess. Låt henne vara. Hon kommer att reda ut det där."

"Du låter så säker."

"De är smarta ungar." Han gick bort till strömbrytaren och vred på dimmern, han tittade upp på lamporna i taket tills rummet var lagom mörkt. "Som sin mamma. Men bara för att du studsar tillbaka som en gummiboll betyder inte det att de är likadana."

Hon såg på honom.

"Det är ingen kritik. Jag tror bara att om du ger henne lite andrum så kommer hon att repa sig. Hon är den hon är. Jag tror inte att det har förändrats."

Han drog T-shirten över huvudet i en svepande rörelse och kastade den på en stol. Hennes tankar grumlades omedelbart. Jess kunde inte titta på hans bara överkropp utan att vilja röra vid den.

"Hur blev du så klok?" sa hon.

"Ingen aning. Det har väl smittat av sig." Han tog två steg mot henne, sedan gick han ner på knä och tog av hennes flip-flops, han var extra varsam när han tog av den från hennes skadade fot. "Hur är det med foten?"

"Fortfarande ömt. Men det är okej."

Han sträckte sig efter hennes tröja och började långsamt dra ner dragkedjan på den utan att fråga om lov, blicken var fäst vid hennes bara hud. Han verkade frånvarande, som om han tänkte på henne, men ändå befann sig tusen mil bort. Dragkedjan fastnade längst ner och hon tog den ifrån honom, hennes händer ovanpå hans, och hon hakade isär ändarna så att han kunde dra ner tröjan från hennes axlar. Han rörde sig inte utan betraktade henne en stund.

Sedan knäppte han upp hennes skärp, drog ner blixtlåset på hennes jeans, hans fingrar rörde sig stadigt och utan tvekan. Hon såg på dem och hjärtat började pulsera i öronen.

"Det är dags att någon tar hand om dig, Jessica Rae Thomas."

Edward Nicholls tvättade hennes hår. Hon låg tillbakalutad mot hans bröst i det överdimensionerade badkaret, hans ben runt hennes midja. Han sköljde håret noggrant och torkade försiktigt hennes ansikte med en tvättlapp så att hon inte skulle få lödder i ögonen. Hon gjorde en ansats till att göra det själv, men han lät henne inte. Ingen utom frisören hade någonsin tvättat hennes hår. Det fick henne att känna sig sårbar och märkligt känslosam. När han var klar låg han kvar i det ångande, doftande vattnet med armarna om henne och kysste henne försiktigt på örat. Och sedan beslöt de gemensamt att nu fick det räcka med romantik, tack så mycket; hon kände honom styvna under sig, hon snurrade runt och sänkte sig ner över honom. Och de knullade så att vattnet skvalpade och sköljde över badkarskanten, och hon visste inte om smärtan i foten var större än behovet av att känna honom inuti sig.

En stund senare låg de med omslingrade ben i det halvfulla badkaret. Och började skratta. Det var en sådan kliché att knulla i duschen, men att göra det i badkaret var nästan löjligt, och det var ännu löjligare att vara så illa ute men ändå känna sig så lycklig. Jess vred på sig så att hon låg längsmed hans kropp, hon virade armarna runt hans hals och vilade huvudet mot hans bröstkorg och hon visste att hon aldrig skulle känna sig lika nära en annan människa igen. Hon höll hans ansikte mellan sina händer och kysste hans haka och hans blåslagna panna och hans läppar, och hon sa till sig själv att oavsett vad som skulle hända, skulle hon alltid minnas hur detta kändes.

Han drog ena handen över ansiktet och torkade bort fukten. Han såg plötsligt allvarlig ut. "Tror du att det här är en bubbla?"

"Öh ... Det finns gott om bubblor, vi ligger ju i ..."

"Nej. Du och jag. En bubbla. Vi befinner oss på en galen resa där vanliga regler inte gäller. Där verkligheten inte gäller. Hela resan har varit ... som en utflykt från verkligheten."

Vattnet låg i pölar på badrumsgolvet.

"Titta inte på det där. Prata med mig."

Hon sänkte huvudet och vilade läpparna mot hans nyckelben, funderade. "Tja", sa hon och lyfte huvudet igen. "På knappt fem dagar har vi behövt hantera sjukdom, oroliga barn, sjuka släktingar, oväntade våldsdåd, sönderslagna fötter, polisen och bilolyckor. Jag tycker att det är en rejäl dos av verklighet."

"Jag gillar ditt sätt att tänka."

"Jag gillar allt med dig."

"Vi ägnar visst en massa tid åt att snacka strunt."

"Jag gillar det också."

Vattnet började kallna. Hon slingrade sig ur hans grepp och reste sig upp, sträckte sig mot handdukstorken. Hon gav en handduk till honom och virade en annan om sig själv, njöt av den lyxiga känslan av en varm och mjuk hotellhandduk.

Ed torkade energiskt håret. Hon undrade flyktigt om han var så van vid varma och mjuka hotellhanddukar att han inte ens tänkte på det. Hon kände sig plötsligt matt.

Hon borstade tänderna, släckte badrumslampan, och när hon vände sig om låg han redan i den enorma hotellsängen och lyfte upp täcket för henne. Han släckte sänglampan och hon lade sig bredvid honom i mörkret och kände hans fuktiga hud mot sin egen, och hon undrade hur det skulle kännas att ha det så här varje kväll. Hon undrade om hon någonsin skulle klara av att ligga tyst bredvid honom utan att låta ena benet glida över hans.

"Jag vet inte vad som kommer att hända med mig, Jess", sa han ut i mörkret, som om han hade läst hennes tankar. Det låg en varning i hans röst.

"Du klarar dig."

"Jag menar allvar. Dina optimismtrick funkar inte den här gången. Jag kommer antagligen att förlora allt jag har."

"Än sedan då? Det är mitt utgångsläge."

"Men jag kanske blir borta en tid."

"Det tror jag inte."

"Men det är möjligt, Jess." Han röst var obehagligt bestämd.

Och hon svarade innan hon ens visste vad hon sa. "I så fall väntar jag", sa hon.

Hon kände hans huvud mot sitt, frågande. "Jag väntar på dig. Om du vill."

Under sista etappen hem fick han tre telefonsamtal som han tog emot med högtalarfunktion. Hans advokat – en karl med ett så tjusigt uttal att det lät som om han presenterade kungafamiljen vid en middag på hovet – talade om för honom att han måste infinna sig på polisstationen följande torsdag. Nej, inget hade förändrats. Ja, sa Ed, han förstod vad som pågick. Och ja, han hade pratat med sin familj. Sättet han sa det på fick det att knyta sig i magen på henne. Efteråt kunde hon inte låta bli att sträcka ut en hand och krama hans. När han kramade hennes hand tillbaka såg han inte på henne.

Hans syster ringde för att berätta att fadern hade haft en av sina bättre nätter. De pratade om några obligationer som deras far hade varit bekymrad över, nycklar till ett arkivskåp som saknades och vad Gemma hade ätit till lunch. Ingen pratade om döden. Hon hälsade till Jess och Jess hojtade ett hej tillbaka, lite generad och nöjd samtidigt.

Efter lunch fick han ett samtal från någon som hette Lewis, och de diskuterade marknadsvärde, procentenheter och hypotekslån. Det tog ett tag innan Jess förstod att de pratade om Beachfront.

"Dags att sälja", sa han när han lagt på luren. "Men det är som du sa, jag har i alla fall tillgångar att realisera."

"Hur mycket kommer det att kosta dig? Åtalet?"

"Det är det ingen som säger rakt ut. Men om jag läser mellan raderna så är nog svaret 'det mesta'."

Hon kunde inte avläsa om han var lika oberörd som han lät.

Han försökte ringa någon, men fick bara telefonsvararen. "Det här är Ronan. Lämna ett meddelande." Han klickade bort samtalet utan att säga något.

För varje kilometer rullade verkligheten in mot dem som ett kallt och obönhörligt tidvatten.

Strax efter fyra var de slutligen tillbaka. Regnet hade övergått till ett lätt duggande, fukten fick gatan att se oljig ut och Danehalls spretiga gatunät försökte krampaktigt förmedla en känsla av vår. Där låg hennes hus, det såg mindre och sjavigare ut än hon mindes, och på något konstigt vis kändes det inte som hennes längre. Ed parkerade framför huset och hon kikade ut genom vindrutan upp mot fönstret på övervåningen. Det som Marty aldrig hade kommit sig för att måla om eftersom han sa att jobbet borde göras ordentligt och då måste man börja med att slipa fönstret, ta bort den gamla färgen och fylla igen sprickor och hål, och han hade alltid varit för upptagen eller för trött för att göra något av det. Hon kände plötsligt en våg av förtvivlan skölja över henne; alla bekymmer som bara väntat på att hon skulle komma tillbaka. Och alla större bekymmer som hon själv skapat under sin frånvaro. Och sedan såg hon på Ed som hjälpte Tanzie med hennes väska och skrattade åt något Nicky sa, lutade sig närmare honom för att höra bättre, och känslan gick över.

Han hade stannat vid ett byggvaruhus någon timme utanför stan – det var hans omväg – och kom ut med en stor kartong med saker som han baxade in i bagageutrymmet tillsammans med alla väskor. Han kanske måste snygga till huset innan han sålde det. Jess kunde inte komma på vad det skulle vara som kunde göra huset finare.

Han ställde ner de sista väskorna vid ytterdörren och stod där med lådan i famnen. Barnen hade omedelbart försvunnit upp på sina rum, som små målsökande missiler. Jess kände sig lite generad över det stökiga huset, strukturtapeterna, raderna av tummade pocketböcker.

"Jag ska åka tillbaka till min pappa i morgon."

Tanken på att han skulle resa bort högg till i magen. "Bra. Det är bra."

"Bara några dagar. Tills jag måste inställa mig hos polisen. Men jag tänkte sätta upp de här först."

Jess tittade ner i lådan.

"Övervakningskamera med belysning som styrs av rörelsedetektorer. Det tar bara ett par timmar att montera."

"Har du köpt det till oss?"

"Nicky blev misshandlad. Tanzie känner sig otrygg. Jag tänkte att det skulle kännas lite bättre för er. Du vet ... när jag inte är här."

Hon stirrade på lådan och vad den innebar. Hon pratade innan hon visste vad hon ville säga. "Du behöver inte göra det", stammade hon. "Jag är bra på sådant, jag kan göra det."

"På en stege. Med foten i bandage." Han höjde på ögonbrynen. "Vet du vad, någon gång måste du faktiskt låta någon annan hjälpa dig."

"Jaha. Och vad ska jag göra?"

"Sitta ner. Sitta still. Lägga upp foten. Och när jag är klar ska jag ta en promenad in till stan med Nicky och köpa ohälsosamt stora mängder med onyttig hämtmat, för det kan vara sista gången på lång tid. Och vi ska sitta här och äta det och efteråt ska vi bara ligga och slappa och begrunda varandras uppsvällda magar."

"Åh gud, jag älskar när du pratar snusk."

Så hon satte sig ner. Och gjorde ingenting. På sin egen soffa. Och Tanzie kom och satte sig bredvid henne en stund medan Ed stod på stegen utanför och viftade med borren och låtsades att han var på väg att ramla ner tills hon faktiskt blev orolig. "Jag har varit på två olika sjukhus på åtta dagar", ropade hon till honom. "Jag vill inte åka till ett tredje." Och eftersom hon inte var så bra på att bara sitta still, började hon sortera tvätten och laddade en maskin. Men när hon hade gjort det satte hon sig igen och lät de andra kretsa kring henne, för hon måste medge att det var skönare att vila foten än att springa omkring.

"Blir det bra så här?" frågade Ed.

Hon linkade ut till honom. Han stod på trädgårdsgången och tittade upp mot huset. "Jag tänkte att om jag sätter upp en kamera där så får man även med det som händer på gatan framför huset. Den har en konvex lins." Hon försökte se intresserad ut. Hon undrade om hon kunde övertala honom att sova över när barnen väl hade gått och lagt sig.

"Bara förekomsten av en övervakningskamera brukar vara avskräckande."

Skulle det verkligen vara så farligt? Han kunde ju smyga ut innan ungarna vaknade. Men å andra sidan, vem försökte de lura? Nicky och Tanzie måste vid det här laget ha fattat att det var något på gång.

"Jess?"

Han stod framför henne.

"Mm?"

"Nu ska jag bara borra ett hål här och dra in sladdarna. Sedan sätter jag upp en liten förgreningsdosa på insidan och det borde inte vara så komplicerat att koppla ihop allt.

Jag är rätt bra på elarbeten. Det var en av de få sakerna som pappa försökte lära mig som jag var hyfsat bra på."

Han såg sådär nöjd ut som bara män med kraftfulla eldrivna verktyg kan vara. Han klappade sig på fickan för att se att han hade skruvar, sedan såg han granskande på henne. "Har du alls lyssnat på vad jag har sagt?"

Jess flinade skuldmedvetet tillbaka.

"Du är hopplös", sa han efter en stund. "På riktigt."

Han såg sig omkring för att försäkra sig om att ingen såg dem, lade ömt ena armen runt hennes hals, drog henne intill sig och kysste henne. Hans kind var täckt av skäggstubb. "Låt mig fortsätta jobba nu. Utan störningsmoment. Gå in och leta rätt på en hämtmatsmeny."

Jess log och haltade in i köket och började rota i lådorna. Hon kunde inte minnas när de sist hade köpt hem färdig mat. Hon trodde inte att någon av menyerna fortfarande var aktuell. Ed gick uppför trapporna för att koppla ihop sladdarna. Han hojtade att han måste flytta runt på lite möbler för att komma åt sockeln.

"Det går bra", hojtade hon tillbaka. Hon hörde honom släpa och dra i tunga möbler medan han letade efter kopplingsdosan, och hon förundrades än en gång över att det var någon annan som gjorde jobbet.

Sedan satte hon sig i soffan och började gå igenom alla gamla menyer som hon hittat i lådan med kökshanddukar, hon sorterade bort dem som var nedstänkta med sås eller gulnade av ålder. Hon var ganska säker på att kinakrogen inte fanns kvar. Det var något med arbetsmiljön. Pizzerian var ett osäkert kort. Indiern hade en ganska okej meny, men hon kunde inte låta bli att tänka på det där krulliga hårstrået i Nathalies Jalfrezi. Men det är klart – *Kyckling Bilati. Pilauris. Papadam.* Hon var så försjunken i menyerna att hon inte hörde hans långsamma fotsteg i trappan. "Jess?"

"Det här tror jag blir bra." Hon höll upp ena menyn. "Jag har bestämt att ett hårstrå av okänt ursprung trots allt är ett överkomligt pris för en hyfsad Jal ..."

Det var då hon såg hans ansiktsuttryck. Och det han klentroget höll i handen.

"Jess?" sa han med en röst som lät som om den tillhörde någon annan. "Vad gör mitt passerkort i din byrålåda?"

KAPITEL TJUGOÅTTA

NICKY

När Nicky kom nerför trapporna hittade han henne sittande i soffan, stirrande framför sig med en tom blick, som om hon var i trans. Black & Decker-borren låg kvar på fönsterbrädan och stegen stod lutad mot husväggen.

"Har mr Nicholls gått för att köpa middag?" Nicky var lite irriterad över att han inte fått välja mat själv.

Hon tycktes inte höra honom.

"Jess?"

Hennes ansikte var liksom stelfruset. Hon skakade en aning på huvudet. "Nej", sa hon lågt.

"Men han kommer väl tillbaka?" sa han efter en stund. Han öppnade kylskåpsdörren. Han visste inte vad han hade trott att han skulle hitta. På en hylla låg några skrynkliga citroner och en halvtom glasburk med Branston pickle.

En lång paus. "Jag vet inte", sa hon till slut. "Jag vet inte."

"Jaha ... så det blir ingen hämtmat?"

"Nej."

Nicky suckade besviket. "Jag antar att han måste komma tillbaka förr eller senare. Jag har hans laptop där uppe."

De hade uppenbarligen grälat, men hon betedde sig inte som hon brukade när hon och pappa hade grälat. Då brukade hon smälla i dörrar och muttra *skitstövel*, eller så hade hon den där minen som sa, *Varför måste jag bo med den här jävla idioten?* Nu såg hon ut som om hon fått veta att hon hade sex månader kvar att leva.

"Hur är det med dig?"

Hon blinkade och lade handen på pannan, som om hon

kollade sin egen temp. "Öh … Nicky. Jag måste … vila en stund. Klarar du dig själv? Det finns mat. I frysen."

Under alla år Nicky hade bott hos Jess hade hon aldrig bett honom att klara sig själv. Inte ens den där gången när hon hade haft influensan i två veckor. Innan han kunde säga något började hon långsamt halta uppför trapporna.

Först trodde Nicky att Jess bara vara melodramatisk. Men tjugofyra timmar senare låg Jess fortfarande på rummet. Han och Tanzie cirklade runt utanför hennes dörr, de pratade bara viskande med varandra. Sedan gick de in med te och rostmacka till henne, men hon stirrade bara in i väggen. Fönstret var fortfarande öppet och det började bli kallt ute. Nicky stängde det och gick ner för att ställa in stegen i garaget, som nu tycktes enormt utan Rollsen. När han gick upp till henne igen några timmar senare hade hon inte rört maten, allt låg kallt på brickan bredvid sängen.

"Hon är antagligen trött efter resan", sa Tanzie som en gammal tant.

Men dagen därpå låg Jess kvar i sängen. När Nicky gick in såg han att täcket knappt var skrynkligt och att Jess hade på sig samma kläder som dagen före.

"Är du sjuk?" frågade Nicky försiktigt och drog undan gardinerna. "Vill du att jag ringer doktorn?"

"Jag behöver bara få ligga i sängen en dag, Nicky", sa hon tyst.

"Nathalie var här. Jag sa att du skulle ringa. Det var något om städningen."

"Säg att jag är sjuk."

"Men du är inte sjuk. Och polisen ringde och frågade när du skulle komma och hämta bilen. Och mr Tsvangarai ringde, men jag visste inte vad jag skulle säga till honom så jag lät honom bara lämna ett meddelande på telefonsvararen.

"Snälla Nicky?" Hon såg så ledsen ut att han inte förmådde säga något mer. Hon väntade en stund, sedan drog hon upp täcket till hakan och vände sig bort.

Nicky ordnade frukost till Tanzie. Han kände sig märkligt nyttig på morgnarna nu. Han saknade inte ens sitt gräs. Han släppte ut Norman på tomten och plockade upp efter honom. Mr Nicholls hade lämnat kvar säkerhetsbelysningen utomhus vid fönstret. Den låg kvar i kartongen som hade blivit fuktig i regnet, men ingen hade snott den. Nicky plockade upp den, tog in den och satt där och tittade på den.

Han funderade på om han skulle ringa mr Nicholls, men han visste inte vad han skulle säga. Och det kändes konstigt att be mr Nicholls komma tillbaka en gång till. Om någon ville vara tillsammans med en, så såg de till att det blev så. Det visste Nicky bättre än någon annan. Vad som än hade hänt mellan honom och mamma var det så pass allvarligt att han inte ens hade kommit tillbaka för att hämta sin dator. Så pass allvarligt att Nicky inte var säker på om han borde blanda sig i.

Han städade sitt rum. Han tog en promenad längs stranden och tog några bilder med mr Nicholls telefon. Han gick ut på nätet, men blev uttråkad av onlinespelen. Han stirrade ut genom fönstret på hustaken och sporthallens orange tegelfasad, och han visste att han inte ville vara en beväpnad droid som sköt utomjordingar i rymden längre. Han ville inte vara fast i sitt rum längre. Nicky tänkte tillbaka på vägarna, vidderna, mr Nicholls bil, känslan av att färdas långa sträckor och inte ens veta vart man var på väg, och han insåg att han mer än något annat ville bort från den här stan.

Han ville hitta sin klan.

Nicky hade funderat på saken noggrant och kommit fram till att efter två dagar hade han rätt att känna sig lite orolig. Snart började skolan igen och han visste inte om det var meningen att han skulle ta hand om både Jess och Tanzie och hunden och allt annat. Han dammsög huset och tvättade om de fuktiga, illaluktande kläder som han hittat i tvättmaskinen. Han tog med sig Tanzie till affären och de handlade mjölk och bröd och hundmat. Han ville inte visa det, men han var ganska lättad över att ingen hängde utanför affären och skrek glåpord efter honom. Och Nicky tänkte att Jess kanske, bara kanske, hade haft rätt den här gången och att saker faktiskt skulle bli bättre. Och att hans liv kanske skulle ta en ny vändning. Äntligen.

En liten stund senare, när han satt i köket och gick igenom posten, kom Tanzie ut i köket. "Kan vi gå tillbaka till affären?"

Han såg inte upp. Han funderade på om han skulle öppna det väldigt myndighetslika kuvertet adresserat till mrs J. Thomas. "Vi har ju just varit i affären."

"Får jag gå ensam?"

Han tittade upp på henne och hajade till. Hon hade gjort något konstigt med håret, satt upp det på ena sidan med en massa glittriga kammar. Hon såg inte alls ut som Tanzie.

"Jag vill köpa ett kort till mamma", sa hon. "För att muntra upp henne."

Nicky var ganska säker på att ett kort inte skulle göra susen. "Varför ritar du inte ett eget kort? Spara dina pengar."

"Jag brukar alltid rita egna kort. Ibland vill man nog ha ett kort från affären."

Han granskade hennes ansikte. "Har du sminkat dig?"

"Bara läppstift."

"Jess skulle inte tillåta det. Torka bort det."

"Suze har läppstift."

"Det blir Jess knappast gladare av. Ta bort det och när du kommer tillbaka ska jag ge dig en riktig sminkkurs."

Hon tog ner jackan från kroken. "Jag torkar bort det på vägen", ropade hon över axeln.

"Ta med dig Norman", ropade han, för det var vad Jess skulle ha sagt. Sedan gjorde han i ordning en kopp kaffe och gick upp till Jess. Det var dags att prata med henne.

Rummet låg i mörker. Klockan var kvart i tre på eftermiddagen. "Ställ det där borta", mumlade hon. Det luktade otvättad kropp och stillastående luft i rummet.

"Det har slutat regna."

"Bra."

"Jess, du borde stiga upp."

Hon svarade inte.

"Jag menar allvar. Du borde stiga upp. Det börjar lukta apa här inne."

"Jag är trött, Nicky. Jag måste vila."

"Du behöver inte vila. Du är som ... du är som vår alldeles egen Tiger."

"Snälla, hjärtat."

"Jag fattar inte, Jess. Vad är det som händer?"

Hon vände sig om, sedan reste hon sig långsamt på ena armbågen. En trappa ner hade hunden börjat skälla åt något, det var ihållande, oregelbundet. Jess gnuggade sig i ögonen. "Var är Tanzie?"

"Affären."

"Har hon ätit?"

"Ja. Men mest bara flingor. Jag kan inte laga annat än fiskpinnar och det är hon trött på."

Hon såg upp på Nicky, sedan ut genom fönstret, som om det var något hon avvägde. Och sedan sa hon, "Han kommer inte tillbaka." Och hennes ansikte skrynklades samman.

Nu skällde den förbaskade hunden som en galning där ute. Nicky försökte fokusera på det som Jess sa. "Är det sant? Aldrig?"

En stor fet tår rullade nedför hennes kind. Hon torkade bort den med handflatan och skakade på huvudet. "Vet du vad det dummaste är, Nicky? Jag glömde faktiskt bort det. Jag bara glömde. Jag var så lycklig när vi var borta, det var som om allt som hänt innan hade hänt någon annan. Åh, jävla hund."

Nicky begrep ingenting. Hon kanske var sjuk på riktigt.

"Du skulle kunna ringa honom."

"Jag har försökt. Han svarar inte."

"Vill du att jag går bort dit?"

Han ångrade sig i samma stund som han sa det. Trots att han gillade mr Nicholls visste han bättre än någon annan att man inte kunde tvinga någon att stanna kvar. Det var meningslöst att försöka klamra sig fast vid någon som inte ville ha en.

Det är möjligt att hon berättade eftersom hon inte hade någon annan att prata med. "Jag älskade honom, Nicky. Jag vet att det verkar knäppt efter så kort tid, men det är sant." Det var en chock att höra henne säga det. Alla känslor som hon bara hävde ur sig. Men det skrämde inte Nicky. Han satte sig på sängkanten och lutade sig fram, och trots att han fortfarande var lite besvärad av fysisk närhet, kramade han om henne. Hon kändes så liten, han hade alltid uppfattat henne som större än hon var. Och hon lutade sitt huvud mot honom och han kände sig ledsen över att han inte visste vad han skulle säga, nu när han för en gångs skull ville säga något.

Det var nu som Normans skällande blev helt hysteriskt. Som när han såg korna i Skottland. Nicky drog sig tillbaka, distraherad. "Det låter som om han har tappat förståndet."

"Jäkla hund. Jag slår vad om att det är chihuahuan i femtiosexan." Jess snörvlade och torkade ögonen. "Jag svär på att den retar honom med flit."

Nicky ställde sig upp och gick bort till fönstret. Norman var i trädgården, han skällde som en besatt, huvudet stack ut genom hålet i staketet där träet var murket och två plankor hade brutits av. Det tog några sekunder innan han insåg att Norman inte var sig lik. Han stod stelt upprätt, hade rest ragg. Nicky drog gardinen ännu längre åt sidan, och det var då han såg Tanzie på andra sidan gatan. De två av Fisher-pojkarna och en tredje kille som Nicky inte kände igen hade trängt in Tanzie mot väggen. Nicky stod vid fönstret och såg en av dem gripa tag i Tanzies jacka och hennes hand när hon försökte slå bort honom. "Hallå! Vad gör du?" skrek han, men de hörde honom inte. Hjärtat bultade. Nicky kämpade med skjutfönstret, men det ville inte glida upp. Han bankade på rutan för att få dem att sluta. "HALLÅ! SLUTA! Helvete."

"Vad är det?" frågade Jess och vände sig om i sängen.

"Fishers."

De hörde Tanzies gälla skrik. Jess flög upp ur sängen. Norman stillade sig en millisekund, sedan slungade han sin väldiga kropp mot staketets svagaste punkt. Han sköt fram som en murbräcka i hundform så att plankstycken och träflisor yrde i luften. Rakt mot Tanzies röst. Nicky såg hur Fishers snurrade runt och upptäckte den enorma, svarta missilen som kom rusande emot dem och deras munnar gapade. Och sedan hörde han skrikande bromsar och en förvånansvärt hög duns, Jess röst som kved *Åh herregud, herregud*, och sedan lade sig en väldig tystnad som tycktes vara för evigt.

KAPITEL TJUGONIO

TANZIE

Tanzie hade suttit på sitt rum i nästan en hel timme och försökt rita ett kort till mamma. Hon kunde inte komma på vad hon skulle skriva på det. Det verkade som om mamma var sjuk, men Nicky sa att hon inte var det – inte på samma sätt som mr Nicholls hade varit sjuk. Så "Krya på dig" var inte helt rätt att skriva. Hon funderade på "Var glad", men det lät som en instruktion. Nästan som en anklagelse. Sedan tänkte hon att hon skulle skriva "Jag älskar dig", men hon ville göra det med rött och alla hennes tuschpennor hade torkat ut. Då tänkte hon att hon skulle köpa ett kort eftersom hon mindes att mamma alltid sa att pappa aldrig hade köpt henne något utom ett riktigt larvigt Alla hjärtans dag-kort när han uppvaktade henne. Och sedan skrattade hon högt när hon sa "uppvaktade".

Men mest av allt ville Tanzie bara muntra upp henne. En mamma skulle ta hand om saker, ha koll, fixa och dona en trappa ner, inte ligga med fördragna gardiner i sovrummet som om hon var långt borta. Det skrämde Tanzie. Ända sedan mr Nicholls hade gått hade huset varit onaturligt tyst, och en kall klump hade lagt sig i hennes mage som ett förebud om att något hemskt skulle hända. Hon hade gått in till mamma på morgonen och krupit upp i hennes säng, mamma hade lagt armarna om henne och kysst henne på hjässan.

"Är du sjuk, mamma?" hade hon frågat.

"Jag är bara trött, hjärtat." Mammas röst hade låtit som det sorgligaste ljud i världen. "Jag ska snart kliva upp. Jag lovar."

"Är det ... mitt fel?"

"Va?"

"För att jag inte vill hålla på med matte längre. Är det därför som du är ledsen?"

Mammas ögon fylldes med nya tårar och Tanzie kände det som om hon på något sätt hade gjort saken ännu värre. "Nej, Tanze", sa hon och drog henne närmare. "Nej, älskling. Det har absolut inget med dig eller matte att göra. Det är det sista du ska oroa dig över."

Men hon klev inte upp.

Så Tanzie gick ut på gatan, i fickan låg två pund och femtio pence som Nicky hade gett henne. Hon såg på honom att han tyckte att det här med kort var en dålig idé, och hon undrade om det var bättre att köpa ett billigare kort och lite choklad, eller om ett billigt kort förstörde hela poängen med ett kort, när en bil körde upp bredvid henne. Hon trodde att det var någon som ville fråga om vägen till Beachfront (folk frågade alltid efter vägen till Beachfront), men det var Jason Fisher.

"Öh! Miffo", sa han och hon fortsatte rakt fram. Han hade kletat gelé i håret så att det stod upp i taggar och hans ögon var som smala springor, som om han alltid måste kisa åt saker han inte tyckte om.

"Hör du illa, miffo?"

Tanzie försökte att inte titta på honom. Hennes hjärta började banka. Hon ökade på stegen.

Han körde fram en bit och hon trodde att han kanske skulle ge sig av. Men han stannade bilen, klev ut och kom släntrade emot henne och ställde sig i vägen så att hon inte kunde komma förbi utan att knuffa bort honom. Han lutade huvudet åt sidan som om han skulle förklara något för någon som var riktigt blåst. "Det är oartigt att inte svara när någon talar till en. Har din mamma inte lärt dig det?"

Tanzie var så rädd att hon inte fick fram ett ljud.

"Var är din brorsa?"

"Vet inte", viskade hon.

"Jo det vet du, ditt glasögonfreak. Din brorsa tror att han är så smart som har gått in och fuckat upp min Facebook."

"Det har han inte alls", sa hon. Men hon var en usel lögnare och hon visste att han såg att hon ljög.

Han tog två steg närmare. "Hälsa honom att jag ska sätta dit honom, den jävla mopsiga skitungen. Han tror att han är så smart. Hälsa honom att jag ska fucka upp hans profil – på riktigt."

Den andre Fisher, en kusin vars namn hon aldrig kunde komma ihåg, muttrade något som Tanzie inte hörde. Nu hade de klivit ur bilen allihop och kom långsamt gående mot henne.

"Ja", sa Jason. "Det är en sak din brorsa måste förstå. Om han sabbar något för mig, då sabbar jag något för honom." Han lyfte på hakan och skickade iväg en ljudlig spottloska som landade på trottoaren. Den låg där framför henne, en stor, grön slemklump.

Hon undrade om det syntes hur häftigt hon andades.

"Sätt dig i bilen."

"Va?"

"Sätt dig i bilen, för helvete."

"Nej." Hon började backa bort från dem. Hon såg sig omkring för att se om det fanns någon annan i närheten. Hjärtat hamrade mot hennes bröstkorg som en fågel i bur.

"Sätt dig i bilen för helvete, Costanza." Han uttalade hennes namn som om det var något motbjudande. Hon ville springa sin väg, men hon var jättedålig på att springa och hon visste att de skulle hinna ikapp henne. Hon ville korsa gatan och springa hem, men det var för långt bort. Och sedan landade en hand på hennes axel.

"Titta på hennes hår."

"Vad vet du om pojkar, glasögonormen?"

"Inte ett dugg. Kolla som hon ser ut."

"Den lilla horan har läppstift på sig. Jävligt fult är det."

"Jo, fast man behöver ju inte titta på henne, eller hur?" De skrattade.

Hennes röst lät som om den tillhörde någon annan. "Låt mig vara. Nicky har inte gjort något. Vi vill bara vara i fred."

"Vi vill bara vara i fred", härmade de. Fisher tog ett steg närmare. Han sänkte rösten. "Sätt dig för helvete i bilen nu, Costanza."

"Låt mig vara!"

Det var då han började ta på henne, dra i hennes kläder. Paniken sköljde över henne som iskalla vågor och halsen snördes ihop. Hon försökte knuffa bort honom. Kanske skrek hon, men ingen kom. Två av dem grep tag om hennes armar och började släpa henne mot bilen. Hon hörde dem stånka av ansträngning, kände lukten av deras deodorant medan hon kämpade för att återfå fotfästet. Hon insåg med förfärande klarhet att hon under inga omständigheter fick kliva in i bilen. När hon såg bildörren öppnas, likt käftarna på en enorm best, kom hon plötsligt ihåg en amerikansk undersökning om flickor som klev in i främmande mäns bilar. Sannolikheten för överlevnad sjönk med 72 procent så fort man hade satt foten i bilen. Den siffran stod framför henne som i eldskrift. Hon tog sats och slogs och sparkade och bet och hon hörde någon svära när hennes fot kom i kontakt med något mjukt, och sedan fick hon ett slag mot huvudet, hon vacklade till och hörde något som gick sönder när hon föll till marken. Allt hamnade på sidan. Det blev ett tumult, hon hörde skrik på avstånd. Hon lyfte på huvudet och sikten var suddig, men hon tyckte sig se Norman komma farande emot henne i en fart hon aldrig hade sett, med blottade tänder och svarta ögon. Han såg inte alls ut som Norman utan som en slags demon, och sedan såg hon en röd blixt och hörde gnisslande bromsar och allt Tanzie uppfattade var något svart som flög och snurrade i luften, som innehållet i en tvättmaskin. Och sedan hörde hon bara ett skrik, ett skrik som fortsatte och fortsatte, det var som ljudet av jordens undergång, det värsta ljud man kunde föreställa sig, och hon insåg att det var hon, det var hennes egen röst.

KAPITEL TRETTIO

JESS

Han låg på marken. Jess sprang ut i gatan barfota, andfådd, mannen stod där med båda händerna på huvudet, han gungade fram och tillbaka och sa, "Jag såg den inte ens. Jag såg den inte. Den rusade bara ut i gatan."

Nicky satt intill Norman, han vaggade hundens stora huvud i sitt knä, han var blek som ett lakan och mumlade, "Kom igen nu, gubben. Kom igen." Tanzie stod med uppspärrade ögon, stel av chock, armarna orörliga längs sidorna.

Jess föll ner på knä. Normans ögon var som glaskulor. Det rann blod från både munnen och örat. "Åh nej, din stora, dumma hund. Åh Norman." Hon lade örat mot hans bröstkorg. Ingenting. Gråten satt som en stor klump i halsen.

Hon kände Tanzies hand på sin axel, hennes näve kramade en handfull av Jess T-shirt och hon drog i den, igen och igen. "Mamma, du måste se till att han blir bra. Du måste." Tanzie sjönk ner på marken och begravde ansiktet i hans päls. "Norman. Norman." Och sedan började hon storgråta.

Genom hennes bölande kunde Jess nätt och jämnt urskilja Nickys förvirrade ord. "De försökte ge sig på Tanzie, tvinga in henne i bilen. Jag försökte ropa, men fick inte upp fönstret. Det satt fast och jag skrek och han slet sig och kastade sig genom staketet. Han förstod. Han försökte rädda henne."

Nathalie kom springande, skjortan var felknäppt och hon hade papiljotter i halva håret. Hon slog armarna om Tanzie och höll om henne hårt, vaggade henne och försökte lugna henne.

Normans ögon hade stillnat. Jess sänkte huvudet mot hans och kände sitt eget hjärta krossas.

"Jag har ringt djurambulansen", hördes någon.

Hon strök hans stora, mjuka öron. "Tack", viskade hon.

"Vi måste göra något, Jess", upprepade Nicky än mer angeläget. "Nu."

Hon lade en darrande hand på hans axel. "Jag tror att det är för sent, älskling."

"Nej. Säg inte så. Det är du som alltid säger att vi inte ska säga så. Vi ger oss inte. Du säger alltid att det kommer att ordna sig. Du kan inte säga så."

När Tanzie började yla igen skrynklade Nickys ansikte ihop sig. Och sedan började han gråta, med ena armen böjd över ansiktet började han hulka, det var som en fördämning som slutligen släppt.

Jess satt mitt i gatan, bilarna körde runt dem i krypfart och de nyfikna grannarna trängdes framför sina hus, och hon höll sin gamla hunds enorma blödande huvud i knäet och lyfte ansiktet mot himlen och sa tyst, *Vad gör jag nu? Vad i helvete gör jag nu?*

KAPITEL TRETTIOETT

TANZIE

Mamma såg till att hon gick in. Tanzie ville inte lämna honom. Hon ville inte att han skulle dö ensam där ute på asfalten, omgiven av främlingar som stirrade på honom med gapande munnar och lågmälda viskningar, men mamma lyssnade inte. Deras granne Nigel kom utrusande och sa att han skulle ta över, sedan låg mammas armar tätt runt Tanzie. Och medan Tanzie sparkade och skrek efter honom, mumlade mamma lugnande i hennes öra. "Såja älskling, det ordnar sig. Kom nu, titta inte. Vi går in. Det ordnar sig." När mamma stängt ytterdörren drog hon Tanzie intill sig, Tanzies ögon var fyllda till brädden med tårar, hon såg inget, men hon hörde Nickys stötvisa gråt bakom dem i hallen, ett märkligt hackande ljud som om han gjorde något han inte riktigt visste hur man gjorde. Och för första gången ljög mamma, för hon sa att allt skulle ordna sig, men det skulle det inte, det kunde det inte, för det här var slutet på allt.

KAPITEL TRETTIOTVÅ

ED

"Ibland", sa Gemma och sneglade över axeln på det hög-röda, skrikande barnet som spände ryggen i en vid båge vid bordet bakom dem, "tror jag att det inte är vi socialarbe-tare som faktiskt bevittnar det värsta föräldraskapet, utan de stackarna som jobbar på kafé." Hon rörde hastigt runt i koppen, som om hon försökte behärska en impuls att säga något mer.

Modern, med en kaskad av snyggt stylade blonda lockar böljande längs ryggen, fortsatte att med mjuk röst be barnet att sluta skrika och dricka upp sin babycino. Det hjälpte inte.

"Jag förstår inte varför vi inte kunde gått till puben", sa Ed.

"Kvart över elva på förmiddagen? Herregud, varför säger hon bara inte åt ungen att sluta? Eller tar ut honom? Är det ingen som vet hur man distraherar ett barn längre?"

Barnet skrek ännu högre. Ed hade börjat få huvudvärk. "Vi kanske ska gå."

"Vart?"

"Puben. Det är tystare."

Hon stirrade på honom, sedan drog hon varsamt ett finger längs hans kind. "Ed, hur mycket drack du egentligen i går?"

Han hade varit helt slut när han lämnade polisstationen. Efteråt hade han träffat advokaten som skulle föra hans ta-lan – Ed hade redan glömt vad han hette – tillsammans med Paul Wilkes och två andra jurister, varav den ena var specialist på insiderbrott. De satt runt ett mahognybord och pratade och det var som om det var regisserat; de presenterade ärendet och åtalet utan omskrivningar så Ed var fullkomligt på det klara med vad som väntade. Det som talade emot honom var: hans mejlhistorik, Deanna Lewis vittnesmål, hennes brors telefonsamtal, ekobrottsmyndigheternas ambition att ta krafttag mot brott mot insiderlagen. Checken, undertecknad av honom själv.

Deanna hade svurit på att hon inte visste att det hon gjort varit fel. Hon sa att Ed mer eller mindre hade tvingat på henne pengarna. Hon sa att om hon hade vetat att det han föreslagit var olagligt, hade hon aldrig gjort det. Och hon skulle aldrig ha sagt något till sin bror.

Det som talade till hans fördel: han hade uppenbarligen inte tjänat ett öre på affären. Hans jurister sa – lite för muntert i hans tycke – att de skulle poängtera hans okunskap och naivitet, att han var ovan vid pengar, svårigheterna och ansvaret som följde med chefskapet. De skulle hävda att Deanna Lewis mycket väl visste vad hon gjorde; att hans och Deannas korta förhållande i själva verket var bevis på den fälla hon och brodern hade lockat Ed i. Utredarna hade granskat alla aspekter av Eds ekonomi och funnit – ingenting. Han betalade full skatt varje år. Hade inga investeringar. Han hade alltid föredragit när saker var okomplicerade.

Och checken var inte utställd på henne. Hon hade den i sin ägo, men det var hon själv som hade skrivit dit sig som mottagare. De skulle hävda att hon hade tagit en blank check någon gång under deras tid tillsammans.

"Men det gjorde hon inte", sa han.

Ingen tycktes lyssna.

Vad beträffade fängelsestraffet kunde det gå hursomhelst, men alldeles oavsett så måste Ed räkna med mycket dryga böter. Och naturligtvis kunde han inte fortsätta sitt arbete på Mayfly. Han skulle förbjudas att inneha någon chefsposition på lång tid. Ed måste vara förberedd på allt detta. De började konferera sinsémellan.

Och det var då han sa det: "Jag vill erkänna."

"Va?"

Det blev knäpptyst i rummet.

"Jag sa åt henne att göra det. Jag tänkte inte på att det var olagligt. Jag ville bara att hon skulle försvinna, så jag talade om för henne hur hon kunde tjäna lite pengar."

De stirrade på varandra.

"Ed ...", började hans syster.

"Jag vill säga sanningen."

En av juristerna lutade sig fram. "Vi har ett ganska bra försvar, mr Nicholls. Med tanke på att er handstil inte förekommer på checken, vilken är deras enda substantiella bevis, kan vi med framgång hävda att ms Lewis använde ert konto för egen vinning."

"Men jag gav henne checken."

Nu lutade sig Paul Wilkes också fram. "Ed, du måste veta vad det här betyder. Om du erkänner, ökar risken att du döms till fängelse avsevärt."

"Det bryr jag mig inte om."

"Det kommer du att göra när de sätter dig i isoleringscell tjugotre timmar om dygnet för att garantera din egen säkerhet", sa Gemma.

Han lyssnade knappt. "Jag vill säga sanningen. Som det var."

"Ed", hans syster grep tag i hans arm. "Sanningen har inget i rättssalen att göra. Du kommer att göra saken värre."

Men han bara skakade på huvudet och lutade sig tillbaka i stolen. Och sedan sa han inget mer.

Han visste att de tyckte att han var galen, men det brydde han sig inte om. Han iddes inte uppbåda mer engagemang. Han satt stum och lät sin syster ställa alla frågor. Han hörde ord som *finanslagstiftning* och *insiderlagstiftning bla bla bla*. Han hörde *öppna anstalter* och *marknadsmissbruk bla bla bla*. Han förmådde inte bry sig. Så han kunde dömas till fängelse ett tag? Än sedan? Han hade redan förlorat allt. Två gånger.

"Ed? Hörde du vad jag sa?"

"Förlåt."

Förlåt. Det var allt han tycktes säga de senaste dagarna. Förlåt, jag hörde inte. Förlåt, jag lyssnade inte. Förlåt, jag har sabbat allt. Förlåt, jag var dum nog att bli förälskad i en kvinna som faktiskt tog mig för en idiot.

Där kom den – den numera välbekanta fysiska smärtan i magtrakten vid blotta tanken på henne. Hur kunde hon ljuga för honom? Hur kunde de sitta bredvid varandra i bilen i nästan en hel vecka utan att hon berättade vad hon hade gjort?

Hur kunde hon prata med honom om sina ekonomiska bekymmer? Hur kunde hon prata om tillit, bryta ihop i hans famn, samtidigt som hon visste att hon hade stulit pengar ur hans ficka?

Hon behövde inte ens säga något. Hennes tystnad hade varit tillräckligt talande. Den bråkdelslånga tystnaden mellan ögonblicket då hon uppfattade passerkortet som han klentroget höll upp, och hennes stammande försök att förklara det.

Jag hade tänkt berätta.

Det är inte som du tror. Handen mot munnen.

Jag vet inte vad jag tänkte på.

Åh gud, det är inte …

Hon var värre än Lara. Lara var i alla fall uppriktig på sitt sätt. Hon tyckte om pengar. Hon tyckte om hans utseende, när hon väl hade lyckats modulera om honom efter eget tycke. Han trodde att de båda två, innerst inne, hade förstått att deras äktenskap var ett slags överenskommelse. Han hade intalat sig att alla äktenskap mer eller mindre var ett slags överenskommelse.

Men Jess? Jess hade betett sig som om han var den enda man hon någonsin hade velat ha. Jess hade låtit honom tro att hon tyckte om honom för den han verkligen var, till och med när han kräktes, till och med när han med sönderslaget ansikte var livrädd för sina egna föräldrar. Hon hade låtit honom tro att det var han.

"Ed?"

"Vad sa du?" Han lyfte på huvudet.

"Jag vet att det är jobbigt, men du kommer att överleva."
Hans syster sträckte fram handen över bordet och kramade hans hand. Någonstans bakom henne skrek barnet. Det dunkade i huvudet.

"Visst", sa han.

I samma ögonblick hon gick, gick han till puben.

De hade tidigarelagt rättegången mot bakgrund av hans nya inställning, och Ed tillbringade de sista dagarna före den med sin far. Det berodde delvis på att han ville göra det, delvis på att han inte längre hade en möblerad lägenhet i London; allt var nedpackat, redo att magasineras inför försäljningen.

Lägenheten hade sålts utan en enda visning och till det begärda priset. Mäklaren tyckte inte att det var konstigt. "Vi har en väntelista till det här huset", sa han när Ed gav honom extranycklarna. "Det är investerare som vill göra en trygg placering. Antagligen kommer lägenheten att stå tom några år, tills de känner för att sälja."

I tre dagar bodde Ed i sitt gamla föräldrahem, i pojkrummet. När han vaknade på småtimmarna lät han fingrarna glida över strukturtapetens skrovliga yta bakom sänggaveln, och han mindes hur systern brukade klampa uppför trappan och smälla i sovrumsdörren, frustrerad över någon dum kommentar som deras far hade hävt ur sig. På morgnarna åt han frukost med sin mor och långsamt började han inse att hans far aldrig skulle komma hem igen. De skulle aldrig mer se honom sitta där och irriterat släta ut hörnen på tidningen när han bläddrade, sträcka sig efter sitt svarta kaffe (utan socker) utan att lyfta blicken. Ibland föll hon i gråt, hon bad om ursäkt och viftade bort Ed medan hon torkade ögonen. *Det är ingen fara, älskling. Jag lovar. Strunta i mig bara.*

I den instängda värmen i rum tre på Victoriaavdelningen pratade Bob Nicholls allt mindre, åt allt mindre, gjorde allt mindre. Ed behövde inte prata med någon läkare för att veta vad som höll på att hända. Huden tycktes smälta bort från skelettet, skinnet sträcktes som en nästan genomskinlig slöja över skallbenet, ögonen sjönk allt djupare i sina hålor.

De spelade schack. Men hans far somnade allt som oftast mitt i spelet, försvann mitt i ett drag. Ed satt tålmodigt vid hans sida och väntade på att han skulle vakna. Och när han öppnade ögonen och det tog ett ögonblick eller två för honom att konstatera var han var, när han slöt läpparna och lät ögonbrynen sjunka ner, flyttade Ed på en pjäs och betedde sig som om det bara var en minut och inte en timme han hade missat.

De pratade. Inte om viktiga saker. Ed trodde inte att det låg för någon av dem. De pratade om cricket och vädret. Eds far berättade om en sköterska som hade skrattgropar och som alltid hade något lustigt att berätta. Han bad Ed att ta hand om sin mamma. Han var orolig för henne, att hon skulle behöva göra allt själv. Att mannen som brukade rensa hängrännorna skulle ta för mycket betalt om inte han var där. Han var irriterad över att ha spenderat en massa pengar på att rensa bort mossan i gräsmattan i höstas och att han nu inte skulle få uppleva resultatet. Ed försökte inte ens säga emot honom. Det skulle snarast ha verkat nedlåtande.

"Var har du sprakfålen?" Han var två drag från att göra schack matt. Ed försökte komma på ett sätt att blocka honom.

"Vem?"

"Din flickvän."

"Lara? Men pappa, du vet att vi …"

"Inte hon. Den andra."

Ed drog efter andan. "Jess? Hon … öh … är hemma, tror jag."

"Jag gillade henne. Jag gillade sättet hon tittade på dig." Han sköt långsamt fram tornet över brädan. "Jag är glad att du har henne." Han nickade en aning. "En handfull", mumlade han nästan för sig själv och log.

Eds strategi kollapsade. Hans far slog honom på tre drag.

KAPITEL TRETTIOTRE

JESS

Den skäggprydde mannen kom ut genom svängdörrarna och torkade av händerna på sin vita rock. "Norman Thomas?"

Jess hade aldrig tänkt på att en hund kunde ha ett efternamn.

"Norman Thomas? Stor. Obestämbar ras." Han sänkte blicken och såg på henne.

Hon lyckades resa på sig och stod framför raden av plaststolar. "Han har svåra inre skador", sa han och gick rakt på sak. "Han har brutit höften, flera revben och ett framben och vi vet inte exakt vilka invärtes skador han har förrän svullnaden har lagt sig. Och han har dessvärre förlorat sitt vänstra öga." Hon lade märke till att han hade lite blod på sina blå plastskor.

Hon kände Tanzies hand krama hennes. "Men han lever?"

"Jag vill inte ge er några falska förhoppningar. De närmaste fyrtioåtta timmarna är avgörande."

Ljudet som Tanzie gav ifrån sig var ett lågt stönande som kunde vara av ångest eller glädje; det var svårt att avgöra.

"Följ med mig." Han grep tag i Jess armbåge, vände ryggen mot barnen och sänkte rösten. "Jag måste säga, att med tanke på hur omfattande skador han har, undrar jag om inte det mest skonsamma vore att låta honom somna in."

"Men om han överlever de närmaste fyrtioåtta timmarna?"

"Då har han en chans att klara sig. Men som jag sa, mrs Thomas, jag vill inte ge er några falska förhoppningar. Han är verkligen illa däran."

De andra i väntrummet satt tysta runtomkring dem,

med sina katter i väskor, deras små hundar flämtande under stolarna. Nicky stirrade med spända käkar på veterinären. Hans mascara hade smetat ut sig runt ögonen.

"Och om vi går vidare kommer det att bli dyrt. Han kan komma att behöva flera operationer. Är han försäkrad?"

Jess skakade på huvudet.

Nu blev veterinären väldigt besvärad. "Jag måste varna er för att en fortsatt behandling kommer att bli väldigt kostsam. Och det finns inga garantier för att han kommer att tillfriskna. Det är ytterst viktigt att ni är införstådd i det innan vi går vidare."

Det var hennes granne Nigel som hade räddat honom, fick hon höra senare. Han hade kommit springande från sitt hus med två filtar, en för att vira om den chockade Tanzie, en för att täcka över hunden. Gå in, hade han sagt till Jess. Ta med barnen in. Men när han försiktigt drog den skotskrutiga pläden över Normans huvud stannade han plötsligt till. "Såg du?" hade han sagt till Nathalie.

Jess hade inte hört honom i oväsendet som rådde runtomkring dem, Tanzies dämpade gråt och gråten från andra barn som visserligen inte kände Norman, men som uppfattade det oerhört sorgliga med en orörlig liggande hund mitt i gatan, överröstade allt annat.

"Nathalie? Titta på hans tunga. Jag tror att han flämtar. Hjälp till, vi måste lyfta in honom i bilen. Fort!" Det hade krävts tre grannar för att bära honom. De hade lagt honom i baksätet och kört honom till djursjukhuset utanför stan. Jess älskade Nigel eftersom han inte en enda gång hade påtalat allt blod som måste ha hamnat på hans säte. De hade ringt henne från mottagningen och sagt åt henne att komma så fort som möjligt. Hon hade bara dragit en jacka över pyjamasen.

"Hur ska vi göra?"

Lisa Ritter hade vid något tillfälle berättat om en stor affär som hennes man varit inblandad i som hade gått i stöpet. "Lånar man femtusen utan att kunna betala tillbaka, får man stå sitt kast", sa hon och citerade maken. "Lånar man fem miljoner, får banken stå sitt kast."

Jess såg på sin dotters bedjande ansikte. Hon såg på Nickys nakna ansikte; sorgen och kärleken och rädslan som han äntligen kunde uttrycka. Hon var den enda som kunde ställa allt till rätta. Hon var den enda som någonsin kunde ställa allt till rätta.

"Gör vad ni kan", sa hon. "Jag ser till att skaffa pengarna. Gör det bara."

Den korta pausen avslöjade att han tyckte att hon var galen. Men på ett sätt som han hade sett förut. "Kom med här", sa han. "Ni måste fylla i några papper."

Nigel skjutsade hem dem. Hon försökte ge honom lite pengar, men han viftade bort henne. "Vad ska man annars med grannar till", muttrade han. Belinda grät när hon kom ut och mötte dem.

"Vi klarar oss", sa hon dovt med ena armen om Tanzie som fortfarande skakade. "Tack, vi klarar oss."

Veterinären hade sagt att de skulle ringa så fort något hände.

Jess sa inte åt barnen att gå och lägga sig. Hon ville inte riktigt att de skulle vara ensamma i sina rum. Hon stängde dörren, låste, och satte på en gammal film. Sedan gjorde hon tre muggar med varm choklad, tog ner sitt täcke och satt i soffan med ett barn på vardera sida. De tittade på en film de inte såg, var och en försjunken i sina egna tankar. Och de bad, bad, att telefonen inte skulle ringa.

KAPITEL TRETTIOFYRA

NICKY

Det här är berättelsen om en familj som inte är som andra: En liten flicka som var lite nördig och tyckte bättre om matte än om smink. Och en pojke som tyckte om smink och inte passade in någonstans. Och så här går det för familjer som inte är som andra och som inte passar in – de knäcks, krossas och står barskrapade. Inget lyckligt slut på den sagan, ska ni veta.

Mamma ligger inte kvar i sovrummet längre, men jag kommer på henne med att torka tårarna medan hon diskar eller tittar ner i Normans korg. Hon har fullt upp hela tiden: hon jobbar, städar, donar med huset. Hon gör det med nedböjt huvud och spänd mun. Hon fyllde tre stora kartonger med pocketböcker och lämnade in i secondhand-butiken eftersom hon sa att hon aldrig hade tid att läsa dem och förresten var det bara sagor för vuxna.

Jag saknar Norman. Konstigt att man kan sakna något som man alltid bara har beklagat sig över. Det är tyst hemma utan honom. Men efter att han klarade de första fyrtioåtta timmarna och veterinären sa att det fanns en chans för honom, och vi hade hurrat i telefonen, har jag börjat oroa mig för allt det andra. Vi satt i soffan i går kväll efter att Tanzie hade gått och lagt sig och telefonen fortfarande inte hade ringt. "Vad ska vi göra?" sa jag till mamma.

Hon tittade upp från tv:n.

"Om han överlever, menar jag."

Hon släppte ut ett långt andetag, som om det var något hon redan hade tänkt på. Och sedan sa hon, "Vet du, Nicky, vi hade inget val. Det är Tanzies hund och han räddade henne. Om man inte har något val, är valet ganska enkelt."

Jag såg att även om hon faktiskt trodde på det, och det kanske var så enkelt som hon sa, så vilade bördan av den nya skulden tungt på hennes axlar. Varje nytt bekymmer får henne att se lite äldre, mattare och tröttare ut.

Hon nämner inte mr Nicholls.

Jag fattade inte hur det kunde ta slut bara så där, med tanke på hur det hade varit precis innan. Den ena sekunden är man hur lycklig som helst, och i nästa – ingenting. Jag trodde att sådant där klarnade med åldern, men så är det tydligen inte. Då har man det att se fram emot också.

Jag gick fram till henne och gav henne en kram. Det kanske inte är en så stor grej i din familj, men det är det i min. Men det är antagligen det enda jag kan göra för henne.

Det är det här jag inte fattar; jag fattar inte hur vår familj mer eller mindre alltid gör rätt, men ändå alltid hamnar i skiten. Jag fattar inte hur min syster kan vara så smart och snäll och antagligen något slags geni, och ändå vakna gråtande på nätterna och ha mardrömmar, så att mamma måste gå upp klockan fyra på morgonen för att lugna henne. Och nu sitter hon inne hela dagarna fast det är soligt och varmt ute, för hon är rädd att gå ut eftersom någon av Fishers kan komma tillbaka. Och om ett halvår måste hon börja i en skola där det enda som räknas är att man passar in och är som alla andra, annars kan man åka på storstryk – som hennes knäppa brorsa gjorde. När jag tänker på Tanzie utan matten är det som om hela universum

328

är fel, på något sätt. Det är som … cheeseburgare utan ost, eller en Jennifer Aniston-rubrik utan ordet "lämnad". Jag kan bara inte föreställa mig vad för slags person Tanzie skulle vara om hon inte hade sin matte. Jag fattar inte att jag precis hade vant mig vid att sova på nätterna, men nu ligger jag vaken igen och lyssnar efter obefintliga ljud nerifrån, och att om jag numera vill gå ner till affären för att köpa tidningen eller godis, så mår jag dåligt och måste anstränga mig för att inte hela tiden se mig över axeln.

Och jag fattar inte varför en stor och drullig gammal hund, som aldrig gjort något värre än dreglat ner allt och alla, måste förlora ena ögat och få alla sina inre organ ommöblerade bara för att han försökte rädda den person han älskar.

Men mest av allt fattar jag inte varför översittare och mobbare och tjuvar och folk som bara förstör – svinen – kommer undan. Killar som pucklar på andra och snor deras lunchpengar, poliser som roar sig med att behandla folk som idioter och ungar som plågar skiten ur alla som är lite annorlunda. Eller pappor som överger sin familj bara för att sedan börja om någon annanstans tillsammans med en kvinna som kör en Toyota och har ett hem som doftar luftfräschare och en soffa utan fläckar, en kvinna som skrattar åt allt han säger som om han var guds gåva till kvinnan och inte ett kräk som i två år ljög för dem som älskade honom. I två hela år.

Beklagar om det här inlägget var lite deppigt, men det är så livet är just nu. Min familj – de ständiga förlorarna. Inte mycket till berättelse, egentligen.

Mamma brukade alltid säga att bra saker händer bra människor. Men vet du vad? Hon har slutat med det.

KAPITEL TRETTIOFEM

JESS

Polisen kom fjärde dagen efter Normans olycka. Jess såg kvinnan genom vardagsrumsfönstret när hon närmade sig ytterdörren, och för ett ögonblick trodde hon att hon hade kommit för att berätta att Norman var död. Det var en ung kvinna med rött hår i en hästsvans. Jess hade aldrig sett henne förut.

Hon kom med anledning av bilolyckan, sa hon när Jess öppnade dörren.

"Får jag gissa", sa Jess och gick mot köket. "Föraren har anmält oss och vill ha ersättning för skadorna på bilen." Det var Nigel som hade varnat henne för att det kunde hända. Hon hade skrattat när han sa det.

Kvinnan såg ner i sitt block. "Nej, i alla fall inte nu. Skadorna på hans bil tycks vara minimala. Och det finns motstridiga uppgifter huruvida han höll hastighetsbestämmelserna eller inte. Men vi har fått in olika rapporter om det som hände strax före olyckan och vi skulle behöva hjälp med att klargöra en del saker."

"Vad spelar det för roll?" sa Jess och vände sig tillbaka mot disken. "Ni bryr er ändå inte."

Hon visste precis hur hon lät – som halva grannskapet; fientlig och luttrad, beredd på konfrontation. Orättvist behandlad. Hon brydde sig inte längre. Men den här polisen var för ung, för ny för att spela det spelet.

"Fast du kanske kan berätta det ändå? Det tar inte mer än fem minuter."

Så Jess berättade, på det där monotona viset som den

330

som inte räknar med att bli trodd. Hon berättade om Fishers och deras gemensamma historia och det faktum att hennes dotter inte vågade leka på sin egen tomt längre. Hon berättade om sin gamla bjässe till hund som slukade veterinärräkningar motsvarande kostnaden för en vip-svit på lyxhotell. Hon berättade om sin son vars enda önskan var att komma så långt bort från den här stan som möjligt, vilket inte var särskilt sannolikt med tanke på att Fishers hade plågat livet ur honom under hans examensår.

Polisen såg inte uttråkad ut. Hon stod lutad mot köksskåpen och antecknade. Sedan bad hon Jess visa staketet. "Där", sa Jess och pekade ut genom fönstret. "Man ser lagningen där jag har satt in ljusare plankor. Och olyckan, om det är vad vi ska kalla det, skedde femtio meter längre bort till höger." Hon såg polisen gå ut. Aileen Tren gick förbi med sin shoppingvagn och vinkade glatt över häcken. När hon såg vem som var i trädgården duckade hon skyndsamt och gick över på andra sidan gatan.

Polisassistent Kenworthy stannade ute i tio minuter. Jess höll på att tömma tvättmaskinen när hon kom tillbaka.

"Jag måste fråga en sak", sa hon och stängde dörren bakom sig.

"Det är ditt jobb", svarade Jess.

"Du har antagligen gått igenom det flera gånger redan, men övervakningskameran - finns det film i den?"

Jess satt på en plaststol bredvid polisassistent Kenworthy i förhörsrum tre och tittade på klippet för tredje gången. Iskalla kårar gick längs ryggraden varje gång: den lilla figuren med sina paljetter glittrande i solen som långsamt gick i ena kanten av skärmen och stannade till för att skjuta upp glasögonen på näsan. Bilen som saktade in, dörren som öppnades. De var en, två, tre personer. Tanzies försiktiga steg bakåt, hennes nervösa blick över axeln. De höjda händerna. Och sedan ger de sig på henne och Jess kan inte titta mer.

"Jag skulle säga att det där är bindande bevis, mrs Thomas.

Filmkvaliteten är bra. Det kommer åklagaren att gilla", sa hon glatt, och det tog Jess flera sekunder att inse att hon menade det. Att någon faktiskt tog dem på allvar.

Först hade Fisher naturligtvis nekat. Han sa att han hade "skojat lite" med Tanzie. "Men vi har hennes vittnesmål. Och två andra vittnen har också trätt fram. Och vi har skärmdumpar på Jason Fishers Facebooksida där han diskuterar hur han ska göra det."

"Göra vad?"

Hennes leende bleknade. "Något mindre trevligt med din dotter."

Jess frågade inte mer.

De hade fått ett anonymt tips att han använde sitt eget namn som lösenord. Idiot, sa polisassistent Kenworthy. Hon sa faktiskt "idiot". "Oss emellan", sa hon när hon följde Jess till utgången, "kan vi antagligen inte använda hackad information som bevisföring, men det gav oss ändå ett försprång."

I början var rapporteringen vag. Ett antal ungdomar från orten, skrev lokaltidningen. Gripna för olaga hot mot minderårig och försök till människorov. Men nästa vecka var de i tidningen igen, denna gång med namn. Familjen hade tydligen blivit vräkt från sin kommunala bostad. Familjen Thomas var inte de enda som trakasserats genom åren. Bostadsbolagets talesperson sa att familjen hade fått tillräckligt många varningar redan.

Nicky höll upp tidningen vid middagsbordet och läste högt. De var stumma allihop, kunde knappt tro att det var sant.

"Står det verkligen att de måste flytta?" sa Jess med gaffeln halvvägs till munnen.

"Det gör det", sa Nicky

"Men vad kommer att hända med dem?"

"Det står att de ska flytta till Surrey och bo med några släktingar."

"Surrey? Men det …"

"Det står att kommunen inte längre tar något ansvar för

deras boende. Ingen av dem. Jason Fisher. Och hans kusin och familj." Han ögnade vidare. "De ska visst flytta in hos en morbror. Dessutom beläggs de med besöksförbud i området. Titta, här är två bilder på hans mamma som gråter och säger att det hela är ett missförstånd och att Jason aldrig skulle göra en fluga förnär." Han sköt över tidningen till henne.

Jess läste artikeln två gånger för att vara säker på att hon inte missuppfattat något. "De skulle alltså åka fast om de kommer tillbaka?"

"Ser du, mamma", sa han och tuggade på sin smörgås. "Du hade rätt. Saker kan förändras."

Jess satt alldeles stilla. Hon tittade på tidningen, sedan på honom, ända tills han insåg vad han hade kallat henne, och hon såg honom rodna och hoppas att hon inte skulle göra så stor sak av det. Så hon svalde och torkade tårarna med handflatorna och stirrade ner i tallriken innan hon fortsatte att äta. "Jaha", sa hon halvkvävt. "Ja, det var ju goda nyheter. Verkligen goda nyheter."

"Tror du verkligen att saker kan förändras?" Tanzies ögon var stora och mörka och trötta. Jess lade ifrån sig kniv och gaffel. "Jag tror faktiskt det, hjärtat. Jag menar, alla tvivlar väl någon gång ibland. Men ja, det tror jag."

Och Tanzie såg på Nicky och sedan tillbaka på Jess, och sedan fortsatte hon att äta.

Livet gick vidare. Jess gick bort till Feathers vid lunchen på lördagen – hon dolde sin hälta de sista tjugo metrarna – och tiggde om att få tillbaka jobbet. Des sa att han redan hade anställt en ny tjej från Paris. "Inte riktiga Paris. Det hade varit oekonomiskt."

"Klarar hon av att plocka isär ölpumpen när den krånglar?" frågade Jess. "Kan hon laga cisternen inne på herrarnas?"

Des lutade sig över disken. "Antagligen inte." Han drog sin knubbiga hand genom hockeyfrillan. "Men jag behöver någon som är pålitlig. Du är inte pålitlig."

"Kom igen, Des. Jag missade en vecka på två år. Snälla.

Jag behöver verkligen jobbet."

Han sa att han skulle tänka på det.

Barnen började skolan igen. Tanzie ville att Jess skulle hämta henne varje eftermiddag. Nicky steg upp på morgnarna utan att hon behövde väcka honom sex gånger. När hon klev ur duschen satt han till och med och åt frukost. Han bad inte om att få förnya receptet på sina ångestdämpande mediciner. Snärten på hans eyeliner satt perfekt.

"Jag tänkte på en sak. Jag kanske ändå inte ska hoppa av skolan. Då är jag ju kvar när Tanzie flyttar upp."

Jess blinkade. "Det tycker jag låter jättebra."

Hon städade tillsammans med Nathalie, lyssnade på hennes skvaller om Fishers sista dagar. Hur de hade ryckt ut varje eluttag från väggarna och sparkat hål i gipsplattorna i köket innan de flyttade ut ur huset på Pleasant View. Någon – hon gjorde en grimas – hade satt eld på en madrass utanför kommunens bostadskontor på söndagskvällen.

"Det måste väl kännas som en lättnad, eller?" sa hon.

"Absolut", sa Jess.

"Tänker du inte berätta om resan?" Nathalie sträckte på sig och masserade ryggslutet. "Jag menar, hur var det att åka hela vägen till Skottland med mr Nicholls? Det måste ha känts jättekonstigt."

Jess lutade sig över diskbänken och stirrade ut genom fönstret på det oändliga havet. "Det var okej."

"Men blev det inte pinsamt tyst i bilen? Jag vet inte vad jag skulle prata med honom om."

Tårarna brände bakom Jess ögonlock och hon måste låtsas skura bort en osynlig fläck på den rostfria ytan. "Nej", sa hon. "Faktiskt inte."

Sanningen var denna: Jess upplevde Eds frånvaro som en tjock filt som hade lagt sig över allting. Hon saknade hans leende, hans läppar, hans hud, den mjuka strängen av mörkt hår som letade sig upp mot hans navel. Hon saknade känslan som han framkallade hos henne – hon kände sig snyggare, sexigare, mer av allt. Hon saknade känslan av att ingenting var omöjligt. Det var obegripligt att man kunde sakna någon som man känt så kort tid på samma sätt som man skulle saknat en del av sig själv. Det fick maten att smaka fel och färgerna att bli grå.

Jess insåg att när Marty hade försvunnit hade allt hon känt varit kopplat till praktiska saker. Hon hade oroat sig för hur barnen skulle må. Hon hade oroat sig för ekonomin, för vem som skulle ta hand om barnen om hon måste jobba kväll på puben, för vem som skulle ställa ut soptunnorna på torsdagarna. Men framför allt hade hon känt sig ganska lättad.

Med Ed var det annorlunda. Eds frånvaro var en spark i magen varje morgon, ett stort svart hål varje kväll. Ed var ett ständigt pågående samtal i bakhuvudet: Förlåt. Det var inte meningen. Jag älskar dig.

Det värsta av all var att en man som dittills bara hade sett det bästa hos henne, nu trodde det sämsta om henne. I hans ögon var hon inte ett dugg bättre än alla andra som hade lurat honom eller svikit. Hon var antagligen ännu värre. Och det var hennes eget fel. Det var det som grämde henne. Bara hennes fel.

I tre nätter låg hon och tänkte på det, sedan skrev hon ett brev till honom. Så här avslutade hon det.

På en illa genomtänkt minut blev jag den person jag alltid har försökt lära mina barn att inte vara. Förr eller senare ställs vi alla inför ett test, och jag klarade det inte.

Förlåt.

Jag saknar dig.

Ps. Jag vet att du inte kommer att tro mig. Men jag hade alltid för avsikt att betala tillbaka.

Hon skrev dit sitt telefonnummer och lade det tillsammans med tjugo pund i ett kuvert märkt "Första avbetalningen". Hon gav det till Nathalie och bad henne lägga det i hans postfack i receptionen på Beachfront. Dagen därpå berättade Nathalie att det satt en Till salu-skylt utanför tvåan. Hon sneglade på Jess och sedan ställde hon inte fler frågor om mr Nicholls.

När fem dagar hade gått tvingades Jess inse att hon inte skulle få något svar. Hon låg sömnlös en hel natt, sedan sa hon till sig själv att rycka upp sig och sluta tycka synd om sig själv. Det var dags att gå vidare. Hjärtesorg var en lyx ensamstående föräldrar inte kunde unna sig.

På måndagen gjorde hon sig en kopp te, satte sig vid köksbordet och ringde kreditkortsföretaget; de sa att hon måste höja sina månadsinbetalningar. Hon öppnade ett brev från polisen med besked om att hon dömts till tusen pund i böter för att ha framfört ett obeskattat och oförsäkrat fordon. Om hon ville överklaga penningboten skulle hon begära prövning på följande vis. Hon öppnade ett brev från uppställningsplatsen för felparkerade fordon med ett krav på etthundratjugo pund för förvaringen av Rollsen fram till nästa torsdag. Hon öppnade den första veterinärräkningen, men stoppade genast tillbaka den i kuvertet. Det fanns en gräns för hur mycket man kunde smälta på en dag. Hon fick ett sms från Marty, som undrade om han kunde komma och hälsa på barnen vid mitterminslovet.

"Vad tycker ni?" frågade hon dem vid frukosten.

De ryckte på axlarna.

Efter städpasset på tisdagen tog hon en promenad in till stan och uppsökte en rättshjälpsjurist, betalade tjugofem pund, och fick hjälp med att sammanställa ett brev till Marty med en begäran om skilsmässa och retroaktiv betalning av underhållet för barnen.

"För hur lång tid gäller det?" frågade kvinnan.

"Två år."

Hon såg inte ens upp. Jess undrade över historierna hon hörde om dagarna. Hon knappade in några siffror, sedan vred hon skärmen så att Jess kunde läsa. "Det här är vad det landar på. En ganska ansenlig summa. Han kommer att be om att få delbetala. Det är det vanligaste."

"Okej." Jess plockade upp handväskan. "Gör det som krävs."

Hon började metodiskt beta igenom listan på allt hon måste ta itu med och hon försökte se bortom den egna horisonten. Bortom deras lilla stad, en liten familj i ekonomiskt trångmål och en kärlekshistoria som slutat innan den ens börjat på riktigt. Hon intalade sig att livet ibland bestod av en räcka hinder som bara måste övervinnas, ibland med hjälp av ren viljestyrka. Hon stirrade ut över det oändliga blå havet, insöp havsluften, lyfte på hakan och bestämde sig för att hon skulle överleva även detta. Hon kunde överleva det mesta. Lycka var trots allt inte en mänsklig rättighet.

Jess gick längs den steniga stranden, fötterna sjönk ner i gruset och hon gick ut på piren. Hon räknade på fingrarna de saker hon hade att vara tacksam över, hon räknade med tre fingrar som om hon spelade piano i fickan: Tanzie var i trygghet. Nicky var i trygghet. Norman var på bättringsvägen. När det kom till kritan, var det det enda som räknades. Allt annat var bara detaljer.

På kvällen två dagar senare satt de i sina gamla plastmöbler i trädgården. Tanzie hade tvättat håret och satt i Jess knä medan Jess försökte reda ut hennes våta testar. Hon berättade för barnen varför mr Nicholls inte skulle komma tillbaka.

Nicky stirrade på henne. "Ur fickan?"

"Nej. De hade ramlat ur hans ficka. De låg i taxin. Men jag visste vems det var."

De var tysta och chockade. Jess kunde inte se Tanzies ansikte. Och hon visste inte om hon ville se på Nickys riktigt än. Hon fortsatte att kamma försiktigt, hon klappade sin dotters hår, hennes röst var lugn och sansad, som om hon kunde förklara vad hon hade gjort.

"Vad gjorde du med pengarna?" Tanzies huvud hade blivit ovanligt stilla.

Jess svalde. "Det minns jag inte."

"Tog du dem för att betala anmälningsavgiften till skolan?"

Hon fortsatte att kamma. Släta ut och kamma. Dra, dra, släppa. "Jag kommer faktiskt inte ihåg, Tanzie. Det är i vilket fall som helst oviktigt."

Jess kände Nickys ögon på sig hela tiden.

"Varför berättar du det för oss nu?"

Dra, släppa, släta ut.

"För att ... jag ville att ni skulle veta att jag har begått ett hemskt misstag och jag ångrar mig. Även om jag hade för avsikt att betala tillbaka pengarna skulle jag aldrig ha tagit dem. Det är ingen ursäkt. Och Ed – mr Nicholls – hade all rätt i världen att lämna mig när han fick reda på det för att, tja, det viktigaste av allt mellan människor är tillit." Hon försökte hålla rösten lugn och stabil. Det blev allt svårare. "Jag vill att ni ska veta att jag är ledsen att jag har svikit er. Jag vet att jag gjorde precis tvärtemot det jag alltid har försökt att lära er. Jag berättar det för att jag annars skulle vara en hycklare. Men jag berättar det också för att ni ska se vilka konsekvenser det får om man handlar fel. I mitt fall förlorade jag någon som jag tyckte om. Väldigt mycket."

De var tysta båda två.

Efter en minut smög Tanzie bak ena handen. Hennes fingrar sökte Jess hand och kramade den. "Det är okej, mamma", sa hon. "Alla begår misstag."

Jess blundade.

När hon öppnade dem igen lyfte Nicky på huvudet. Förvirringen i hans ansikte var genuin. "Men han skulle ha gett dig pengarna", sa han och det fanns ett svagt, men tydligt spår av ilska i rösten.

Jess stirrade på honom.

"Han hade gett dem till dig om du bara hade frågat."

"Ja", sa hon och hennes händer slutade röra sig. "Ja, det är det som är det värsta. Jag tror att han faktiskt hade gjort det."

KAPITEL TRETTIOSEX

NICKY

Det gick en vecka. Varje dag tog de bussen för att åka och hälsa på Norman. Veterinären hade sytt igen hans ögonhåla så att det inte bara var ett hål där ögat hade suttit, men det såg rätt otäckt ut ändå. Första gången Tanzie såg honom började hon gråta. De sa att han kanske kommer att stöta in i saker ett tag när han börjar kunna gå omkring. De sa att han kommer att sova mycket i början. Nicky sa inget om att det knappast skulle vara någon skillnad mot tidigare. Jess klappade Norman på huvudet och sa att han var en underbar, tapper pojke och när hans svans försiktigt började slå i det kaklade golvet i hans bur måste hon vända sig om och blinka bort tårarna.

På fredagen bad Jess Nicky att han skulle vänta med Tanzie i receptionen medan hon gick fram till disken för att prata om räkningen. Han misstänkte i alla fall att det handlade om räkningen. De skrev först ut en sida, sedan en till och sedan ytterligare en! Hon drog fingret längs sidorna och gjorde ett chockat läte när hon kom till sista sidan, sista raden. De promenerade hem den dagen, trots att Jess fortfarande haltade.

Stan blev allt livligare i takt med att havet skiftade från blygrått till glittrande blått. I början var det konstigt med Fishers borta. Det var som om ingen riktigt kunde tro att det var sant. Inga fler sönderskurna bildäck. Mrs Worboys började promenera bort till bingohallen om kvällarna igen. Nicky vande sig vid att kunna gå fram och tillbaka till affären och han insåg att fjärilarna som fortfarande fladdrade i magen kunde ta det lugnt nu. Han sa åt dem flera gånger, men de lydde inte. Tanzie gick överhuvudtaget inte ut utan Jess.

Nicky gick inte in på sin blogg på tio dagar. Det sista inlägget om sin familj som de eviga förlorarna hade han skrivit när han var uppfylld av ilska och måste få utlopp för den. Han hade aldrig känt ursinnet tidigare, så där att han ville slå sönder saker och slå folk, men de första dagarna efter Fishers attack mot Tanzie hade Nicky känt det. Det hade kokat som gift i blodet. Fått honom att vilja skrika högt. De där första vidriga dagarna hade det faktiskt hjälpt att skriva av sig och lägga upp texten. Det hade känts som om han faktiskt hade berättat det för någon, även om denna någon inte kände honom och antagligen inte ens brydde sig. Han bara hoppades att någon skulle få veta vad som hade hänt och skulle inse det orättvisa i det.

Och sedan, när blodet hade slutat koka och de fick veta att Fishers måste betala, hade han känt sig lite dum. Det kändes som när man berättar lite för mycket för någon så att man känner sig utelämnad, och sedan ägnar man de följande veckorna åt att hoppas att de ska glömma bort vad man har berättat, eftersom man är rädd att de ska använda det mot en. Vad var det för vits med att lägga upp den där texten egentligen? De som var intresserade av att läsa sådan känslomässig smörja var samma sorts människor som saktade in och glodde på bilolyckor.

Enda anledningen till att han öppnade inlägget igen var för att han skulle ta bort det. Och sedan tänkte han, *Nej, folk har redan sett det. Jag verkar ännu fånigare om jag tar bort det nu*. Så han bestämde sig för att han skulle skriva ett kort inlägg om Fishers vräkning och sedan skulle det vara bra med det. Han skulle inte namnge dem, men han ville skriva något som var positivt, så att inte en eventuell läsare i framtiden skulle döma ut deras familj som en fullständig tragedi. Han läste igenom vad han hade skrivit veckan före – de nakna och avskalade känslorna – och det fick hans tår att krulla sig av skam. Han undrade om någon i cyberrymden hade läst det. Han undrade hur många där ute som nu tyckte att han både var larvig och konstig.

Sedan tittade han längst ner på sidan. Och såg kommentarerna.

Ge inte upp, Gothboy. Sådana där människor gör mig spyfärdig.

En kompis skickade din blogg till mig och den fick mig att gråta. Hoppas din hund klarade sig. Uppdatera så vi vet hur det går.

Hej Nicky. Jag heter Viktor, jag bor i Portugal. Jag känner inte dig, men en kompis la upp en länk till din blogg på Facebook, och jag ville bara tala om att jag mådde precis som du för ett år sedan, men nu har saker blivit bättre. Ta det lugnt. Peace!

Han skrollade ner. Det var meddelande efter meddelande. Han skrev in sitt namn på Google: bloggen hade kopierats och länkats hundratals gånger, sedan tusentals. Nicky tittade på statistiken och stirrade klentroget på siffrorna: 2 876 personer hade läst bloggen. På en vecka. Nästan tretusen människor hade läst hans ord. Mer än fyrahundra hade gjort sig besväret att svara honom. Och bara två hade kallat honom för fjant.

Men det var inte allt. Folk hade skickat pengar. Riktiga pengar. Någon hade öppnat ett onlinekonto där folk kunde lämna bidrag till veterinärräkningen och skickat instruktioner till Nicky hur han kunde komma åt pengarna via ett PayPal-konto.

Hej Gothboy (heter du verkligen så?) har du funderat på en omplaceringshund? På så sätt kanske det ändå kan komma något gott av det onda. Jag bifogar ett bidrag. Hundstallen är alltid i behov av donationer ;)

Det här är ett litet bidrag till veterinärräkningen. Krama din syster från mig. Jag blir så förbannad när jag tänker på allt som ni har råkat ut för.

Min hund blev överkörd och räddades av en frivillig veterinärorganisation. Jag antar att de inte finns där ni bor. Jag tänkte att eftersom jag fick hjälp, så kunde jag försöka hjälpa er lite. Jag skickar £10 och hoppas att han repar sig.

Från en nördig mattetjej till en annan. Hälsa din lillasyster att inte ge upp. Låt dem inte vinna.

Det hade delats 459 gånger. Nicky räknade och fick det till etthundratrettio namn på onlinekontot, det minsta bidraget var på två pund, och det största på tvåhundrafemtio. En fullkomligt främmande person hade skickat tvåhundrafemtio pund. Totalsumman var nu uppe i £932,50, det senaste bidraget hade kommit bara en timme tidigare. Han uppdaterade sidan och stirrade på siffrorna och undrade om decimalen var felplacerad.

Hans hjärta började bete sig konstigt. Han lade handflatan mot bröstet och undrade om det var så här det kändes att få en hjärtinfarkt. Han undrade om han skulle dö. Men han insåg att det han ville göra var att skratta. Han ville skratta åt fullständigt främmande människors storartade godhet. Och åt det faktum att det fanns riktiga människor som var vänliga och omtänksamma och ville skänka pengar till någon de aldrig hade träffat och aldrig skulle träffa. Och för att det sjukaste av allt var att all denna härliga generositet berodde på något som han hade skrivit.

Jess stod vid skåpet i vardagsrummet med ett paket rosa pappersnäsdukar i handen när han rusade in i rummet.

"Här", sa han. "Titta." Han drog henne i armen, bort till soffan.

"Vad är det?"

"Lägg ner det där."

Nicky slog upp laptopen och lade i hennes knä. Hon ryckte nästan till, som om det gjorde fysiskt ont att vara i närheten av något som tillhörde mr Nicholls.

"Titta här." Han pekade på donationslistan. "Titta på det här. Folk har skickat pengar. Till Norman."

"Vad menar du?"

"Titta bara, Jess."

Hon tittade på skärmen, skrollade upp och ner, läste och läste om. "Men … vi kan inte ta emot det där."

"Det är inte till oss. Det är till Tanzie. Och Norman."

"Jag förstår inte. Varför skulle folk vi inte känner skicka pengar till oss?"

"För att de är upprörda över det som har hänt. För att de ser orättvisan i det. För att de vill hjälpa till. Jag vet inte."

"Men hur kan de veta något?"

"Jag har bloggat."

"Va?"

"Det var något som mr Nicholls sa. Jag bara … la upp det. Det som har hänt oss."

"Får jag se."

Nicky bytte sida och visade henne bloggen. Hon läste den långsamt med koncentrerat sammandragna ögonbryn och plötsligt kände han sig generad, som om han visade henne en sida av sig själv som han aldrig brukade. På något vis var det svårare att öppna sig för någon man kände.

"Hur mycket är veterinärräkningen på?" frågade han när hon hade läst klart.

Hon svarade frånvarande. "Åttahundrasjuttioåtta pund. Och fyrtiotvå pence. Hittills."

Nicky höjde armarna i luften. "Då klarar vi det! Titta på totalsumman. Vi klarar det!"

Han tittade på henne och hon såg ut exakt som han själv

måste ha sett ut en halvtimme tidigare.

"Det är goda nyheter, Jess. Var glad!" Och hennes ögon svämmade över av tårar. Sedan såg hon så förvirrad ut att han lutade sig fram och kramade henne. Det här var hans tredje frivilliga kram på tre år.

"Mascara", sa hon när hon drog sig undan.

"Åh." Han torkade sig under ögonen. Hon torkade sina.

"Bra så?"

"Mm. Och jag?"

Hon lutade sig fram och drog försiktigt med tummen längst ut under hans ena öga.

Sedan andades hon ut och plötsligt var hon sitt gamla jag igen. Hon reste på sig och slätade ut jeansen. "Vi ska förstås betala tillbaka allt."

"De flesta bidragen är på typ tre pund. Lycka till med att reda ut det."

"Det fixar Tanzie." Jess plockade upp pappersnäsdukarna och tryckte med eftertryck in dem i skåpet. Hon strök håret ur ansiktet. "Och du måste visa henne meddelandena om matten. Det är väldigt viktigt att hon får läsa dem."

Nicky tittade upp mot Tanzies sovrum. "Jag ska", sa han och hans humör sjönk något. "Men jag är inte så säker på att det kommer att göra någon skillnad."

KAPITEL TRETTIOSJU

JESS

Norman kom hem. "Det är dags för oss att säga farväl till vår hjälte, visst kompis?" sa veterinären och klappade Norman på sidan. Sättet som han pratade med Norman, och sättet som Norman omedelbart kastade sig ner på golvet för att bli kliad på magen, fick Jess att misstänka att det knappast var första gången han hade gjort det. När veterinären sjönk ner på golvet hann hon uppfatta en glimt av mannen bakom den professionella masken. Hans breda leende och kråksparkarna som kom till liv när han såg på hunden. Och hon hörde Nickys ord i bakhuvudet, så som hon hade gjort i några dagar: främmande människors godhet.

"Jag är glad att ni fattade det beslut ni gjorde, mrs Thomas", sa han och reste sig upp och de ignorerade diplomatiskt det höga knakandet från hans knän. Norman låg kvar på rygg med hängande tunga, hoppfull som alltid. Eller kanske för tjock för att orka resa på sig. "Han förtjänade en chans till. Om jag hade vetat hur han fick sina skador hade jag inte varit så tveksam till beslutet."

Tanzie höll sig tätt intill Normans enorma kropp medan de sakta promenerade hem, kopplet var virat två varv runt hennes näve. Promenaden från sjukhuset var första gången på tre veckor som hon var ute utan att kräva att få hålla Jess i handen.

Jess hade hoppats att Normans återkomst skulle muntra upp och stärka Tanzie. Men hon var fortfarande som en liten skugga, följde ängsligt efter henne runt i huset, kikade runt hörn, väntade oroligt med sin klassföreståndare vid skoldagens slut på att Jess skulle komma och hämta henne vid skolgrinden. Hemma låg hon antingen i sitt rum och läste eller på soffan i vardagsrummet och tittade på tecknade serier med ena handen på hunden bredvid henne. Mr Tsvangarai hade ännu inte kommit tillbaka efter terminsstarten – det var visst en familjekris – och Jess kände sig sorgsen när hon tänkte på hur besviken han skulle bli vid upptäckten av att Tanzie tycktes ha bestämt sig för att ge upp matematiken, besviken över att förlora den udda och säregna lilla flicka hon hade varit. Ibland kändes det som om hon hade bytt ett olyckligt och tyst barn mot ett annat.

De ringde från St. Anne's för att diskutera introduktionsdagen på skolan för Tanzies del och Jess var tvungen att tala om för dem att hon inte skulle komma. Orden satt långt inne.

"Vi rekommenderar att hon gör det, mrs Thomas. Vi vet av erfarenhet att barnen får det lättare att smälta in om de har hunnit bekanta sig lite med miljön. Det är bra att träffa de andra barnen också. Är det svårt för henne att få ledigt från sin nuvarande skola?"

"Nej. Jag menar att hon ... inte kommer."

"Alls?"

"Nej."

En kort tystnad.

"Åh", sa administratören. Jess hörde henne bläddra bland sina papper. "Men det här är väl flickan med det nittioprocentiga stipendiet, eller? Costanza?"

Hon kände hur hon rodnade. "Ja."

"Ska hon börja på Petersfield Academy istället? Har de också erbjudit henne ett stipendium?"

"Nej. Det handlar inte om det", svarade Jess. Hon blundade och fortsatte. "Jag undrar ... finns det möjlighet att ... utöka stipendiet?"

"Utöka ännu mer?" Hon lät förvånad. "Mrs Thomas, det är det mest generösa stipendium vi någonsin erbjudit. Jag beklagar, men det är uteslutet."

Jess fortsatte, glad att ingen såg hennes förnedring. "Om jag kan skaffa fram pengarna till nästa år, skulle ni kunna hålla hennes plats till dess?"

"Jag vet inte om det är möjligt. Eller om det ens vore rättvist mot de andra sökande." Hon tvekade, kanske blev hon plötsligt medveten om Jess tystnad. "Men om hon skulle vilja söka igen i framtiden skulle vi naturligtvis behandla hennes ansökan gynnsamt."

Jess stirrade på fläcken på mattan där Marty hade burit in en motorcykel som hade läckt olja. Hon hade fått en tjock klump i halsen. "Jaha, ja. Tack för beskedet."

"Vi gör så här, mrs Thomas", sa kvinnan med en röst som plötsligt lät mer förbindlig. "Det är en vecka kvar tills vi måste ha definitivt besked. Vi håller platsen till sista minuten."

"Tack, det är verkligen vänligt av er. Men det är faktiskt ingen mening med det."

Jess visste det och kvinnan visste det. Det skulle inte hända. Vissa kliv är helt enkelt för stora.

Hon bad Jess att hälsa till Tanzie och önska henne lycka till i hennes nya skola. Jess såg framför sig hur hon, i samma sekund som hon lade på luren, skulle glida med pekfingret längs listan efter nästa lämpliga kandidat.

Hon sa inget till Tanzie. Två dagar tidigare hade Jess upptäckt att Tanzie hade tömt sin bokhylla på matteböcker och ställt dem bland Jess böcker i hallen, hon hade klämt in dem mellan deckare och historiska romaner så att hon inte skulle märka något. Jess plockade ihop dem igen och lade dem inne i hennes garderob där hon inte kunde se dem. Hon visste inte om det var för Tanzies skull eller för sin egen.

Marty fick juristens brev och ringde, han gormade och protesterade och sa att han inte kunde betala. Hon sa att det inte var hennes huvudvärk och hon hoppades att de kunde sköta det snyggt. Hon sa att hans barn behövde skor.

Han sa inget om att hälsa på under mitterminslovet.

Hon fick tillbaka jobbet på puben. Flickan från Paris hade tydligen försvunnit till Texas Rib Shack efter bara tre arbetspass. Dricksen var bättre och hon slapp Stewart Pringles tafsande på rumpan.

"Ingen större förlust. Hon hade inte ens vett att vara tyst under gitarrsolot till 'Layla'. Vad är det för en barservitris som inte fattar att man måste vara tyst under gitarrsolot till 'Layla'?"

Hon städade fyra dagar i veckan med Nathalie och undvek Beachfront nummer två. Hon föredrog uppgifter som att skrubba rent ugnar, så att hon slapp råka titta ut genom ett fönster och se hans hus med den blåvita Till salu-skylten. Om Nathalie tyckte att hon betedde sig underligt så sa hon inget om det.

Hon satte in en annons i tidningen och erbjöd sina tjänster som hantverks-alltiallo. "Inget jobb är för litet." Hennes första uppdrag kom dagen därpå: en pensionär i Aden Crescent behövde hjälp med att sätta upp ett badrumsskåp. Den gamla damen var så nöjd med Jess att hon gav henne fem pund i dricks. Hon tyckte inte om att ha främmande karlar i huset, sa hon. Och under de fyrtiotvå år som hon varit gift med sin man hade han aldrig sett henne i annat än finkläder. Hon rekommenderade Jess till sin väninna som drev ett vårdhem och som behövde hjälp med att installera en ny tvättmaskin och fästlister under mattan. Sedan följde två jobb till, också pensionärer. Jess skickade en ny avbetalning till Beachfront 2. Nathalie lämnade in kuvertet. Till salu-skylten stod fortfarande kvar.

Nicky var den ende i familjen som verkade uppriktigt glad. Det var som om bloggen hade gett honom ny mening. Han skrev nästan varje kväll, rapporterade om Normans framsteg, lade upp bilder på sitt liv, chattade med nya vänner. Han träffade en IRL, och översatte det för Jess som *in real life*. Han hade varit okej. Och nej, det var inget sådant. Han ville besöka två olika college när de hade öppet hus.

Han pratade med sin lärare om hur man kunde söka bidrag. Han hade undersökt det. Han log, ibland flera gånger om dagen och utan att bli ombedd kunde han sjunka ner på knä och klappa Norman som lyckligt viftade på svansen. Han vinkade utan att bli generad åt Lola, tjejen i fyrtiosjuan (som hade färgat sitt hår i samma nyans som han, lade Jess märke till), och han spelade luftgitarr i vardagsrummet. Han promenerade ofta in till stan, hans spinkiga ben tycktes ha fått en spänstigare gång, han var inte direkt rak i ryggen, men han kutade inte heller modstulet som han gjorde tidigare. Han hade till och med på sig en gul T-shirt en gång.

"Vart har laptopen tagit vägen?" frågade Jess när hon gick in i hans rum en eftermiddag och såg honom skriva på deras gamla dator.

"Jag lämnade tillbaka den." Han ryckte på axlarna. "Nathalie släppte in mig."

"Träffade du honom?" Hon kunde inte hejda sig.

Nicky gled undan med blicken. "Nej. Hans saker är kvar, men allt är packat i lådor. Jag tror inte att han bor där längre."

Det borde inte ha kommit som en överraskning, men när Jess gick nedför trapporna kom hon på sig själv med att krampaktigt hålla båda händerna för magen. Som om hon hade fått ett knytnävsslag.

KAPITEL TRETTIOÅTTA

ED

Några veckor senare följde hans syster med honom till rätten, det var en dag som grydde het och vindstilla. Ed hade sagt till sin mor att inte komma. Vid det laget visste de aldrig hur länge de skulle våga lämna fadern ensam. Medan de krypkörde genom London satt hans syster framåtlutad i taxin och trummade otåligt med fingrarna mot knäet och käkarna spända. Ed kände sig oförskämt avslappnad.

Rättssalen var nästan tom. Tack vare den oheliga kombinationen av en ovanligt brutal mordrättegång i Old Bailey, en politisk kärleksskandal och en ung skådespelerskas offentliga kollaps, hade hans två rättegångsdagar inte gjort något större avtryck i pressen, de enda som bevakade händelsen var en kriminalreporter från en av nyhetsbyråerna och en trainee från *Financial Times*. Dessutom hade Ed redan erkänt, trots att hans jurister hade avrått honom.

Deanna Lewis påstådda oskuld hade underminerats av det faktum att en av hennes vänner, en banktjänsteman, i förhör hade erkänt att hon klart och tydligt hade upplyst Deanna om att det hon stod i begrepp att göra i allra högsta grad var insiderhandel. Väninnan kunde dessutom visa ett mejl hon hade skickat till Deanna där hon upplyste henne om detta, och ett svar från Deanna där hon anklagade väninnan för att vara "irriterande" och "en petimäter" och tillagt "Ärligt talat angår det inte dig. Unnar du mig inte den här chansen?"

Ed iakttog reportern som skrev i sitt block, juristerna som lutade sig mot varandra och pekade på olika dokument, och allt verkade snarast som ett antiklimax.

"Jag är medveten om att ni har erkänt er del i brottet, mr Nicholls, och vad beträffar er och miss Lewis verkar detta ha varit en isolerad företeelse där motivet varit annat än pengar. Detta kan dock inte sägas om Michael Lewis."

Det visade sig att åklagaren hade låtit utreda andra "misstänkta" transaktioner Deannas bror hade gjort, spread betting och optioner.

"Men det är viktigt att vi skickar en signal om att den här typen av agerande är fullkomligt oacceptabelt, oavsett motiv och bevekelsegrund. Det underminerar investerarnas förtroende för kapitalmarknaden och det försvagar hela det finansiella systemet. Av det skälet måste jag säkerställa att straffsatsen blir en tydlig signal till alla som lever i villfarelsen att detta är ett brott utan offer."

Ed stod upp i bänken och försökte anlägga lämplig min. Han dömdes till £ 750 000 i böter, plus rättegångskostnader och villkorlig dom i tolv månader.

Det var över.

Från Gemma hördes en lång, skälvande utandning och hon sänkte huvudet i händerna. Ed kände sig egendomligt förlamad. "Var det allt?" frågade han lågt, Gemma tittade klentroget på honom. Ett domstolsbiträde öppnade dörren till förhörsbåset och släppte ut honom. Paul Wilkes klappade honom på ryggen medan de gick ut i korridoren.

"Tack så mycket", sa Ed. Det kändes som rätt sak att säga.

Han fick syn på Deanna Lewis, hon var mitt i en upprörd diskussion med en rödhårig man. Det såg ut som om han försökte förklara något för henne, men hon skakade på huvudet och avbröt honom. Han stirrade på henne en stund och sedan gick han, utan att tänka på det, fram till henne. "Jag ville bara säga att jag är ledsen", sa han. "Om jag hade vetat att det var …"

Hon snodde runt, ögonen vidgades. "Dra åt helvete", sa hon med ett ansikte som var rött av ilska. "Din jävla loser." Hon knuffade sig förbi honom.

Ansiktena som nyfiket hade vridits åt hans håll, vände sig generat bort när de fick syn på Ed. Någon flinade. När Ed stod kvar, med ena hand lyft som för att förklara något, hörde han plötsligt en röst bakom sig.

"Hon är inte korkad. Hon visste att hon inte fick berätta det för sin bror."

Ed vände sig om, och där, bakom honom, stod Ronan. Han stod där i sin rutiga skjorta och sina tjocka glasögon, med dataväskan slängd över ena axeln, och något inom Ed sjönk ihop av lättnad. "Det är du … har du varit här hela förmiddagen?"

"Hade tråkigt på jobbet. Jag tänkte att jag skulle komma och se hur en rättegång går till i verkligheten."

Ed kunde inte slita blicken från honom. "Det är överskattat."

"Precis vad jag tycker."

Hans syster hade skakat hand med Paul Wilkes. Hon dök upp bredvid honom och rättade till kavajen. "Då så. Ska vi ringa mamma och berätta de goda nyheterna? Hon sa att hon skulle ha mobilen påslagen. Med lite tur kom hon ihåg att ladda den. Hej Ronan."

Han böjde sig fram och gav henne en puss på kinden. "Kul att se dig, Gemma. Det var länge sedan."

"Alldeles för länge sedan! Vi åker hem till mig", sa hon och vände sig till Ed. "Du har inte träffat ungarna på år och dar. Jag har köttfärssås i frysen. Vi kan äta spagetti i kväll. Följ med du också, Ronan. Det räcker till dig med."

Ronans blick gled iväg, precis som när de var arton år. Han sparkade på något på golvet. Ed vände sig till sin syster. "Öh … Gem … är det okej om jag står över? Bara i dag?" Han försökte att inte se hennes slocknande leende. "Jag kommer en annan gång. Säkert. Men det är … ett par saker jag verkligen vill prata om med Ronan. Det har varit …"

Hans blick flackade mellan dem. "Visst", sa hon sorglöst och strök luggen ur ögonen. "Ring mig." Hon kastade väskan över ena axeln och började gå bort mot trapporna.

Han ropade efter henne i den överfulla korridoren och

flera tittade upp från sina papper. "Hallå! Gem!"

Hon snodde runt med väskan under armen.

"Tack. För allt."

Hon stod där, till häften vänd mot honom.

"Jag menar allvar. Jag uppskattar det verkligen."

Hon nickade och skuggan av ett leende for över hennes ansikte. Och sedan var hon borta, uppslukad av folkmassan i trapphuset.

"Jaha. Okej. Har du lust att ta en öl?" Ed försökte att inte låta bönfallande. Han var inte säker på att det lyckades. "Jag bjuder."

Ronan lät frågan hänga i luften. Bara ett litet tag. Den jäveln. "Jaha, i så fall …"

Det var Eds mor som vid något tillfälle hade sagt att med riktiga vänner kunde man ta upp ett samtal där man hade slutat, oavsett om det hade gått en vecka eller två år. Han hade aldrig haft tillräckligt många vänner för att testa teorin. Han och Ronan kramade varsin pint vid ett rangligt bord i den överfulla puben, samtalet flöt lite tveksamt till en början men sedan alltmer obehindrat, den välbekanta jargongen dök automatiskt upp och de gamla skämten studsade mellan dem som en glad flipperkula. Ed kände det som om han hade varit på drift i flera månader och någon äntligen hade dragit upp honom på land. Han betraktade förstulet sin gamle vän: hans skratt, hans enorma fötter, hans framåtlutade kropp, till och med här på puben satt han som om han hängde över en dataskärm. Och allt det han aldrig sett hos honom förut: hur mycket närmare han hade till skratt, de nya, moderna glasögonen, hans lågmälda självförtroende. När han fiskade upp plånboken för att plocka upp några sedlar fick Ed syn på ett foto av en flicka med ett strålande leende instucket mellan kreditkorten.

"Jaha … hur är det med Sopptjejen?"

"Karen? Det är bara bra." Han log. "Riktigt bra. Vi ska faktiskt flytta ihop."

"Oj. Redan?"

Han tittade upp och såg nästan trotsig ut. "Det har gått ett halvår. Och med tanke på bostadspriserna i London … de tjänar inte direkt storkovan på de där soppköken."

"Det är toppen", stammade Ed. "Strålande nyheter."

"Ja, jo. Det är jättebra. Hon är jättebra. Jag är lycklig."

De satt tysta en stund. Han hade klippt håret, noterade Ed. Och det där var en ny kavaj. "Jag är verkligen glad för din skull, Ronan. Jag har alltid tyckt att ni passar bra ihop."

"Tack."

Han log mot honom och Ronan log tillbaka, gjorde en grimas, som om allt var en smula genant.

Ed stirrade ner i sin öl och försökte att inte känna sig akterseglad när hans vän drog förbi mot en lyckligare och ljusare framtid. Puben fylldes på med ännu fler människor nu när arbetsdagen led mot sitt slut. Han fick plötsligt en känsla av att tiden var begränsad och att han måste lägga alla korten på bordet.

"Förlåt", sa Ed.

"Va?"

"För allt. Deanna Lewis. Jag vet inte varför jag gjorde det." Hans röst lät som ett kraxande. "Jag hatar att jag har sabbat allt. Jag är ledsen för jobbet också, men det värsta är att jag har sabbat det mellan oss." Han förmådde inte se på Ronan, men han kände sig lättare till sinnes av att ha sagt det.

Ronan tog en klunk av sin öl. "Ingen fara. Jag har tänkt på det en hel del de senaste månaderna, och även om jag inte gärna vill erkänna det, är risken stor att jag hade gjort samma sak om Deanna Lewis hade kommit till mig." Ett bedrövat leende. "Det var Deanna Lewis."

De satt tysta. Ronan lutade sig tillbaka i stolen. Han böjde ett ölunderlägg på mitten, sedan en gång till. "Vet du … det har varit intressant utan dig", sa han till slut. "Det har fått mig att inse en sak. Jag tycker inte att det är särskilt kul att jobba på Mayfly. Det var roligare när det bara var vi två. Kostymnissarna, försäljningsprognoserna, aktieägarna

– det är inte jag. Det var inte det jag gillade. Det var inte därför vi startade firman."

"Jag känner likadant."

"Jag menar alla dessa möten ... minsta BASIC-kod måste gå via marknadsavdelningen. Varje timme ska redovisas. Vet du att de vill införa tidkort för alla? Riktiga tidkort?"

Ed väntade.

"Du missar inget, jag menar allvar." Ronan skakade på huvudet som om han hade något mer han ville säga men kände att han inte borde.

"Ronan?"

"Ja?"

"Jag har en idé, det är en grej jag har tänkt på en vecka eller så. En ny programvara. Jag har klurat kring ett slags planeringsprogram – väldigt enkelt – något som kan hjälpa folk med ekonomin. Ett slags kalkylprogram för folk som hatar kalkylprogram. För sådana som inte har koll på sin privatekonomi. Det skulle ha inbyggda varningssignaler om användaren står i begrepp att debitera något på kontot. Det skulle ha en ränteräknare som visade hur olika räntesatser slår över tiden. Inget komplicerat. Jag föreställer mig att det kunde vara något som de kunde tillhandahålla på kommunala rådgivningsbyråer."

"Intressant."

"Det måste vara kompatibelt med billiga datorer. Mjukvara som har några år på nacken. Och till billiga mobiltelefoner. Jag tror knappast att det skulle generera så mycket pengar, men det är i alla fall något som jag har funderat på. Jag har funktionerna klart för mig i stora drag, men ..."

Ronan tänkte. Ed kunde riktigt se hur tankarna började snurra igång, hur han redan funderade på parametrarna.

"Grejen är att man skulle behöva någon som är riktigt vass på programmering. För att bygga det."

Ronan höll blicken på sin pint, ansiktet var helt neutralt. "Du vet att du inte kan komma tillbaka till Mayfly, eller hur?"

Ed nickade. Hans bäste vän ända sedan college. "Ja, jag vet."
Ronan tittade upp och mötte hans blick och plötsligt flinade de båda två.

KAPITEL TRETTIONIO

ED

Efter alla dessa år kunde han fortfarande inte sin systers telefonnummer utantill. Hon hade bott på samma ställe i tolv år, men han måste fortfarande slå upp adressen. Eds lista över saker att ha dåligt samvete över tycktes oändlig.

Han hade stått utanför King's Head och sett Ronan försvinna ner i tunnelbanan för att åka hem till en trevlig tjej som kokade soppa och vars närvaro i hans liv hade gett honom en ny dimension. Ed visste att han inte orkade åka hem till en tom lägenhet, omgiven av flyttkartonger.

"Gem?"

"Ja?" svarade hon andfått. "Kasta den inte nerför trapporna, Leo!"

"Gäller det där erbjudandet om spagetti och köttfärssås fortfarande?"

De var nästan pinsamt glada att se honom. Dörren till det lilla huset i Finsbury Park flög upp och han gick in i en hall, förbi några cyklar och klev över ett hav av skor, en överfull kapphängare tycktes sträcka sig längs hela ena hallväggen. Uppifrån hördes den monotona basen i en popdänga dunka genom väggarna. Den slogs om luftrummet med ljudet från ett dataspel.

"Hallå där!" Hans syster drog honom intill sig och kramade honom hårt. Hon hade bytt dräkten mot jeans och tröja. "Jag minns inte ens när du var här sist. När var han här sist, Phil?"

"Med Lara", hördes det bortifrån slutet av korridoren.

"För två år sedan?"

"Var har vi korkskruven, älskling?"

Köket var fyllt av ånga och doften av vitlök. I bortre änden av rummet stod två torkställningar som bågnade under högar med tvätt. Varje yta, mestadels omålad furu, var belamrad med böcker, pappershögar eller barnteckningar. Phil kom fram och skakade hand med honom, sedan ursäktade han sig. "Jag har några mejl jag måste hinna svara på före middagen. Du tar inte illa upp, va?"

"Du måste vara helt förfärad", sa hans syster och ställde ett glas framför honom. "Du får ursäkta röran. Jag har jobbat sena kvällar och Phil är utarbetad, och vi har inte haft städhjälp sedan Rosario slutade. Alla andra är lite i dyraste laget."

Han hade saknat kaoset. Han saknade känslan av att vara inbäddad i ett hems bullriga, bultande hjärta. "Jag älskar det", sa han och hennes ögon letade misstänksamt efter sarkasmen i hans ansikte. "Nej, jag menar allvar. Jag älskar det. Det känns …"

"Stökigt."

"Det också. Det är ombonat." Han lutade sig tillbaka på köksstolen och släppte ut en lång suck.

"Hej morbror Ed."

Ed blinkade till. "Vem är du?"

En tonårig flicka med blankborstat guldfärgat hår och ett tjockt lager mascara på ögonfransarna flinade mot honom. "Jättekul."

Han såg upp mot sin syster för att få hjälp. Hon lyfte händerna i luften. "Det var ett tag sedan, Ed. De växer. Leo! Kom och hälsa på morbror Ed."

"Jag trodde morbror Ed satt i finkan", hördes det från rummet intill.

"Ursäkta mig ett ögonblick."

Hans syster lämnade stekpannan på spisen och försvann ut i hallen. Ed försökte att inte lyssna på den avlägsna utskällningen i husets bortre environger.

"Mamma säger att du har förlorat alla dina pengar", sa

Justine, hon sjönk ner mittemot honom och började bryta av skorpan på ett stycke baguette.

Eds hjärna försökte förtvivlat att få bilden av det blyga, magra flickebarnet han mindes att stämma med den här solbrända uppenbarelsen som nu såg på honom med en lätt road blick, som om han var ett föremål i ett kuriosakabinett.

"Mer eller mindre."

"Och din softa lägenhet?"

"Borta närsomhelst nu."

"Fan också. Jag som hade tänkt fråga om jag kunde ha min sextonårsfest där."

"Där besparades jag besväret att säga nej."

"Det var precis vad pappa sa. Är du glad att du slapp fängelse?"

"Jag tror nog att jag kommer att vara familjens avskräckande exempel ett bra tag till."

Hon log. "Akta så att det inte går för dig som för morbror Ed."

"Är det så det framställs?"

"Äsch, du känner mamma. Ingen moralkaka går obakad förbi i det här huset. 'Ser ni hur lätt det är att hamna snett? Han hade precis allt och nu …'"

"Nu tigger jag om att bli bjuden på middag och kör en sju år gammal bil."

"Snyggt försök, men vår är fortfarande tre år äldre än din." Hon sneglade bort mot hallen där hennes mamma förmanade brodern med mumlande röst. "Du ska faktiskt inte vara så hård mot mamma. Hon ägnade nästan hela gårdagen åt att försöka få dig placerad på en öppen anstalt."

"Är det sant?"

"Hon var riktigt uppjagad. Jag hörde henne säga till någon att du inte skulle överleva fem minuter inne på Pentonville."

Han kände ett hugg av något han inte kunde definiera. Han hade varit så försjunken i självömkan att han inte ens hade funderat på hur andra skulle påverkas av hans fängelsestraff. "Hon har antagligen rätt."

Justine stack en hårslinga i munnen. Hon tycktes njuta av situationen. "Vad ska du göra nu när du är familjens svarta får utan jobb eller bostad?"

"Ingen aning. Ska jag börja med droger, tycker du? Bara för att riktigt sätta spiken i kistan?"

"Näe. Pundare är verkligen dötrista." Hon vecklade ut sina långa ben som hon hade haft vikta under sig. "Och mamma har tillräckligt mycket att göra. Fast jag borde kanske säga ja. Nu är det du som får ta alla smällar och Leo och jag slipper. Vi har så lite att leva upp till numera."

"Trevligt att stå till tjänst."

"Allvarligt talat – det är kul att se dig." Hon lutade sig fram och viskade. "Faktum är att du har räddat mammas dag. Hon till och med städade gästtoan utifall att du skulle dyka upp."

"Jag lovar att det blir oftare framöver."

Hon kisade mot honom som om hon försökte utröna hur pass allvarlig han var, sedan snurrade hon runt och försvann ut ur köket.

"Berätta." Gemma lade upp sallad. "Vad hände med den där tjejen på sjukhuset? Joss? Jess? Jag trodde att hon skulle följa med i dag."

Det var den första hemlagade middag han ätit på evigheter och det smakade utsökt. De andra var klara och hade lämnat bordet, men Ed tog om för tredje gången. Han hade plötsligt återfått aptiten som varit borta de senaste veckorna. Den sista tuggan han stoppade i munnen hade därför varit i största laget, och det dröjde en stund innan han kunde svara. "Jag vill inte prata om det."

"Du vill aldrig prata om något. Kom igen nu. Det är priset för att få hemlagad mat."

"Det är slut."

"Va? Varför då?" Tre glas vin hade gjort henne talför och påstridig. "Du verkade så glad. Gladare än med Lara, i alla fall."

"Det var jag."

"Och? Du är så jäkla korkad ibland, Ed. Här har du en kvinna som verkar normal, som verkar fatta dig, och då lägger du benen på ryggen."

"Jag vill verkligen inte prata om det, Gem."

"Vad var det som hände? Är du rädd för att binda dig? Är det för nära inpå skilsmässan? Du trånar väl inte efter Lara fortfarande?"

Han bröt av en bit bröd och torkade rent tallriken. Han tuggade längre än nödvändigt. "Hon stal."

"Vad sa du?"

Det var som att dunka ett trumfkort i bordet. På övervåningen tjafsade barnen. Ed kom att tänka på Nicky och Tanzie som slog vad i baksätet. Om han inte berättade för någon vad som hade hänt skulle han snart explodera. Så han berättade.

Eds syster sköt tallriken över bordet. Hon lutade sig fram, vilade hakan i handen, lyssnade koncentrerat. Han berättade om övervakningskameran, hur han hade dragit ut lådorna för att kunna flytta på byrån, och hur det hade legat där ovanpå några prydligt hoprullade strumpor: hans eget laminerade ansikte.

Jag hade tänkt berätta.

Det är inte som det verkar. Handen över munnen.

Jag menar, det är som det ser ut men, åh herregud. Åh gud.

"Jag trodde att hon var annorlunda. Jag trodde att hon var på riktigt. Tapper, principfast, fantastisk. Men fan, hon var precis som Lara. Och Deanna. Bara intresserad av det hon kunde få ut av mig. Hur kunde hon, Gem? Hur kommer det sig att jag går på det varje gång?" Han slutade prata och lutade sig tillbaka i stolen, väntade.

Hon sa inget.

"Ska du inte säga något? Om vilken dålig människokännare jag är? Att jag ännu en gång har låtit mig luras av en kvinna? Om hur urbota korkad jag är?"

"Det var verkligen inte det jag tänkte säga."

"Vad skulle du säga då?"

"Jag vet inte." Hon stirrade ner i sin tallrik. Hennes ansikte uttryckte ingen som helst förvåning. Han undrade om det var tio år som socialarbetare som var orsaken, hon hade vant sig vid att aldrig visa sina känslor alldeles oavsett vilka hemskheter hon hörde. "Att jag har sett värre, kanske?"

Han stirrade på henne. "Än att hon stjäl från mig?"

"Åh Ed. Du har ingen aning om vad riktigt desperata människor kan göra."

"Det berättigar inte stöld."

"Nej, det gör det inte. Men … öh … vi har tillbringat dagen i en rättssal där du erkände dig skyldig till brott mot insiderlagen. Jag är inte så säker på att du är rätt person att sätta dig på några höga hästar. Saker händer. Folk gör misstag." Hon satte sig upp och började duka av. "Kaffe?"

Han fortsatte att stirra på henne.

"Jag tar det som ett ja. Och medan jag dukar av bordet kan du berätta mer om henne." Hon rörde sig smidigt i det lilla köket medan han berättade, hon mötte inte hans blick.

När han var klar räckte hon honom en kökshandduk. "Så här ser jag det. Hon befinner sig i knipa, eller hur? Hennes ungar blir trakasserade. Hennes son blir misshandlad. Hon är rädd att lillflickan står på tur. Hon hittar en sedelbunt på puben eller var det nu var. Hon tar den."

"Men hon visste att det var mina pengar, Gem."

"Men hon kände inte dig."

"Och då är det okej?"

Han syster ryckte på axlarna. "Ett helt folk av försäkringsbedragare skulle tycka det."

Innan han kunde protestera fortsatte hon. "Ärligt talat? Jag vet inte hur hon tänkte. Men så mycket vet jag att människor i knipa gör saker som kan vara dumma, impulsiva och ogenomtänkta. Jag ser det varje dag. De gör fel saker av det som de tror är rätt anledningar. Somliga åker fast, andra inte."

När han inte svarade sa hon, "Som om du aldrig har tagit en penna från jobbet?"

"Det var femhundra pund."

"Du har aldrig 'glömt' att betala för parkeringen och varit nöjd med att slippa?"

"Det är inte samma sak."

"Du har aldrig kört för fort? Aldrig jobbat svart? Aldrig snyltat på någon annans wi-fi?" Hon lutade sig fram. "Aldrig chansat lite med avdragen i deklarationen?"

"Det är inte alls samma sak, Gemma."

"Jag menar bara att hur man ser på ett brott beror helt och hållet på var man själv står. Och du, lillebror, var ett tydligt exempel på det i dag. Jag säger inte att det inte var fel av henne. Jag säger bara att den enda handlingen inte definierar vem hon är. Eller ditt förhållande till henne."

Hon avslutade disken, drog av sig gummihandskarna och lade dem prydligt på diskstället. Sedan hällde hon upp två koppar kaffe och stod där, lutad mot diskbänken. "Jag vet inte. Jag kanske bara vill tro på att ge folk en andra chans. Om dina dagar var fyllda av samma ständiga ström av mänskliga missöden, kanske du också skulle det." Hon rätade på sig och såg på honom. "Om jag var du skulle jag åtminstone lyssna på henne och höra vad hon har att säga."

Hon gav honom ena koppen.

"Saknar du henne?"

Om han saknade henne? Ed saknade henne som man saknar en kroppsdel. Han tillbringade varje dag med att försöka undvika att tänka på henne, han sprang i motsatt riktning från sina tankar. Han försökte ducka för det faktum att allt han stötte på – mat, bilar, sängar – påminde om henne. Han hade ett dussin gräl med henne före frukost och tusen passionerade försoningar innan han somnade.

En dunkande bas från ett sovrum på övervåningen bröt tystnaden. "Jag vet inte om jag kan lita på henne."

Gemma tittade på honom med samma blick som hon alltid gav honom när han sa att han inte klarade av något. "Det tror jag att du vet, Ed. Någonstans. Jag tror att du vet det."

Han avslutade kaffet ensam. Sedan drack han upp vin-flaskan han hade haft med sig och slocknade på sin systers soffa. Han vaknade svettig och rufsig kvart över fem på morgonen, han skrev en tack för i går-lapp till Gemma och satte sig i bilen för att köra till Beachfront och göra upp med fastighetsskötaren. Audin hade han sålt förra veckan, liksom BMW:n han hade haft i London, och nu körde han en begagnad Mini med bucklor på stötfångaren. Han brydde sig oväntat lite.

Det var en mild morgon, vägarna var tomma, men när han kom fram till Beachfront vid halv elva var området redan fullt med folk som satt ute på barerna och restaurangerna och njöt av den efterlängtade solen, medan andra var på väg till stranden med fullpackade korgar, handdukar och parasoller. Han körde långsamt och kände sig irrationellt rasande på den här sterila låtsasmiljön där alla tillhörde samma snäva inkomstgrupp och ingenting av den smutsiga verkligheten någonsin inkräktade innanför de perfekt arrangerade blomsterrabatterna.

Han parkerade bilen på den oklanderligt underhållna uppfarten utanför nummer två och stannade till för att lyssna på bruset från havet en stund. Han låste upp och gick in och insåg att det inte bekom honom det minsta att det antagligen var sista gången han besökte huset. Och om bara en vecka skulle lägenheten i London överlåtas åt den nya ägaren. Tanken var att han skulle tillbringa den närmsta tiden tillsammans med sin far. Bortom det hade han inga planer.

Hallen var fullpackad med flyttkartonger, de var märkta med namnet på magasineringsfirman som hade packat ihop allt. Han stängde dörren bakom sig och blev medveten om sina ekande fotsteg i det tomma huset. Han gick långsamt uppför trappan, förbi de tomma sovrummen. Nästa tisdag skulle skåpbilen komma och ta hand om allt tills Ed kunde bestämma sig för vad han skulle göra med sakerna.

Fram till nu hade han målmedvetet och mödosamt plöjt

sig igenom de värsta veckorna i livet. Utifrån sett hade det antagligen verkat som om han bet i det sura äpplet och stod sitt kast. Han hade böjt på huvudet och bistert trampat vidare. Han kanske drack lite för mycket, men med tanke på att han hade förlorat sitt jobb, sin bostad, sin fru och nu stod i begrepp att förlora en förälder – allt inom loppet av ett år – kunde man nog säga att han klarade sig hyfsat bra.

Och sedan fick han syn på de fyra tjocka kuverten med hans namn på som stod lutade på köksbänken. Först trodde han att det var papper som rörde underhållet av huset, men när han öppnade det ena kuvertet möttes han av det lila filigranarbetet på en tjugopundssedel. Han tog fram den och det vidhäftade meddelandet, vilket lydde: tredje avbetalningen. Inget mer.

Han öppnade de andra, rev försiktigt upp kuvertet när han kom till det sista brevet. När han läste hennes brev dök bilden av henne upp i hans medvetande och han chockades av hennes plötsliga närhet, av att hon varit så nära hela tiden. Hennes spända och osäkra min medan hon skrev, hur hon kanske strök över ett ord och formulerade om en mening. Hur hon drog ut gummisnodden ur håret och satte upp det i en tofs igen.

Förlåt.

Hennes röst i hans huvud. *Förlåt.* Och det var då något började rämna inombords. Ed höll sedlarna i sin hand och visste inte vad han skulle göra av dem. Han ville inte ha hennes ursäkt. Han ville inte ha något av det.

Han lämnade köket och gick tillbaka ut i hallen med de hopknycklade sedlarna i handen. Han ville bara kasta bort dem. Han ville aldrig släppa taget om dem. Han gick från ena änden av huset till den andra. Fram och tillbaka. Han stirrade på de rena väggarna som han aldrig fick tillfälle att slita på och havsutsikten som inga gäster någonsin fått njuta av. Tanken på att aldrig känna sig hemma någonstans drabbade honom med full kraft. Han gick fram och tillbaka i hallen, utmattad och rastlös. Han öppnade ett fönster och hoppades att ljudet från havet skulle lugna honom, men ropen från de glada familjerna utanför kändes som en reprimand.

En tidning låg på en av kartongerna. Utmattad av rastlöshet stannade han och plockade frånvarande upp den. Under tidningen låg en laptop och en mobiltelefon. Han måste tänka en stund innan han förstod vad de gjorde där. Ed tvekade, plockade upp telefonen och vände på den. Det var mobilen som han hade gett till Nicky i Aberdeen, den låg dold för eventuella förbipasserande.

I veckor hade känslan av svek gött hans ilska. När den första hettan hade lagt sig, hade ett helt stycke av honom helt enkelt frusit till is. Han hade känt sig trygg i sin förbittring, säker på sin känsla av att ha blivit orättvist behandlad. Nu höll Ed i en telefon som en tonårig pojke, som själv i princip inte ägde någonting, hade känt sig tvungen att lämna tillbaka. Han hörde sin systers röst eka i minnet och något inom honom gav vika. Vad fan visste han egentligen? Vem var han att döma andra?

Helvete, tänkte han. Jag kan inte träffa henne. Jag kan inte.

Varför skulle jag det?

Vad skulle jag ens säga?

Han fortsatte att rastlöst gå genom det tomma huset, handen knuten om sedlarna.

Han stirrade ut genom fönstret på havet och önskade plötsligt att han hade blivit skickad i fängelse. Han önskade att han vore upptagen med omedelbara fysiska problem som säkerhet, logistik, ren och skär överlevnad.

Han ville inte tänka på henne.

Han ville inte se hennes ansikte varje gång han blundade.

Han skulle försvinna. Han skulle lämna det här stället, skaffa ett nytt boende, ett nytt jobb, en ny tillvaro. Han skulle börja om och lämna allt det här bakom sig. Och allt skulle bli enklare.

Tystnaden bröts av en gäll signal, en ringsignal som han

inte kände igen. Hans gamla telefon med Nickys nya inställningar. Han stirrade på den, på den rytmiskt blinkande skärmen. Okänt nummer. Efter fem signaler, när ljudet hade blivit outhärdligt, svarade han.

"Jag söker mrs Thomas."

Ed höll bort telefonen från örat som om den var radioaktiv. "Är det här ett skämt?"

En nasal röst och en nysning. "Hemskt ledsen. Hösnuva. Har jag kommit rätt? Jag söker Costanza Thomas föräldrar."

"Vad … vem är det?"

"Mitt namn är Andrew Prentiss. Jag ringer från olympiaden."

Det tog honom en sekund att samla tankarna. Han satte sig ner på trappan.

"Olympiaden? Jag … hur fick ni tag i det här numret?"

"Det står på vår kontaktlista. Det uppgavs vid provet. Är det inte rätt nummer?"

Ed mindes att Jess kontantkort hade varit slut. Hon måste ha uppgivit numret till telefonen som han hade gett till Nicky. Han vilade huvudet i den andra handen. Någon där uppe måste ha en sjuk humor.

"Jo."

"Tack och lov. Vi har försökt nå er i flera dagar. Har ni fått mina meddelanden? Jag ringer angående provet. Saken är den att vi upptäckte ett fel när vi började rätta proven. Den första frågan innehöll ett korrekturfel, vilket gjorde att algoritmen blev omöjlig att lösa."

"Va?"

Han talade som om han upprepade ett väl inrepeterat tal. "Vi upptäckte det efter att de sista resultaten hade inkommit. Det faktum att varenda elev hade missat första frågan var en tydlig varningssignal. Eftersom flera personer var inblandade i rättningen upptäckte vi det inte till en början. Hursomhelst, vi beklagar verkligen det inträffade och vi vill erbjuda er dotter möjligheten att göra provet en gång till. Vi gör om alltihop."

"Göra om olympiaden? När då?"

"Ja, det är det som är saken. I eftermiddag. Det var tvunget att göras en helg eftersom vi inte kunde begära att barnen tog ledigt. Vi har försökt nå er hela veckan på det här numret, men utan resultat. Det var en ren chansning att jag gjorde ett sista försök nu."

"Så ni vill att hon ska komma till Skottland ... på tre timmar?"

Mr Prentiss gjorde en paus för att nysa igen. "Nej, inte Skottland den här gången. Vi var tvungna att ta den lokal som fanns tillgänglig. Men när jag tittar på era uppgifter skulle jag tro att det här passar er bättre eftersom ni bor på sydkusten. Tävlingen äger rum i Basingstoke. Kan ni vidarebefordra detta till Costanza?"

"Öh ..."

"Tack så mycket. Jag antar att det här är något man får räkna med första året. Nu har jag bara en person kvar att försöka nå på min lista. Övrig information finns på vår webbsida."

En allsmäktig nysning. Och telefonen tystnade.

Ed satt kvar i sitt tomma hus och stirrade på telefonen.

KAPITEL FYRTIO

JESS

Jess hade försökt förmå Tanzie att öppna dörren när det knackade. Skolkuratorn hade sagt att så länge hon var kvar hemma kunde det vara ett bra sätt för henne att börja bygga upp självförtroendet gentemot yttervärlden. Hon kunde öppna dörren, trygg i förvissningen om att Jess fanns bakom henne. Tryggheten skulle så småningom sträcka sig till att gälla andra personer, gälla i trädgården. Det skulle vara ett steg på vägen och bitvis skulle hon återfå sin säkerhet.

Det var en bra teori. Om Tanzie bara hade gått med på det.

"Dörren. Mamma."

Hennes röst hördes över de tecknade figurernas på tv:n. Jess undrade när hon skulle börja säga till på skarpen om tv-tittandet. Förra veckan hade hon konstaterat att Tanzie nu tillbringade uppemot fem timmar om dagen i tv-soffan. "Hon befinner sig i chock", hade kuratorn sagt. "Men jag tror att hon skulle återhämta sig snabbare om hon gjorde något mer konstruktivt."

"Jag kan inte öppna, Tanze", ropade hon. "Jag står med händerna i en tvättbalja med blekmedel."

"Kan inte Nicky öppna?" pep hon ynkligt. Det var en ny röst sedan några dagar tillbaka.

"Nicky har gått till affären."

Tystnad.

Ljudet av burkade skratt ekade uppför trapporna. Jess såg inte, men hon kände närvaron av besökaren bakom ytterdörrens glasruta. Hon undrade om det var Aileen Trent. Kvinnan hade dykt upp oombedd fyra gånger på två veckor med "oslagbara erbjudanden" till barnen. Hon undrade om Aileen hade fått nys om Nickys bloggpengar. Hela grannskapet tycktes känna till det.

"Jag står här uppe vid trappan", ropade hon ner till Tanzie. "Du behöver bara öppna dörren."

Dörrklockan ringde igen, två gånger.

"Kom igen nu, Tanzie. Det kommer inte att hända något. Ta med dig Norman."

Tystnad.

Utom synhåll, sänkte hon huvudet och torkade ögonen i armvecket. Hon kunde inte blunda för det längre: Tanzie blev allt sämre, inte bättre. De senaste veckorna hade hon börjat sova i Jess säng. Hon vaknade inte och grät längre, utan kom helt enkelt och kröp upp hos Jess. När Jess vaknade visste hon inte hur länge hon hade legat där. Hon hade inte hjärta att tala om för henne att hon inte kunde sova i hennes säng, men kuratorn hade gjort klart att hon var lite för gammal för att fortsätta med det.

"Tanze?"

Ingenting. Dörrklockan ringde en tredje gång, otåligt nu.

Jess väntade. Hon skulle bli tvungen att gå ner och öppna själv.

"Ett ögonblick!" hojtade hon uppgivet. Hon började dra av sig gummihandskarna, men stannade upp när hon hörde fotsteg i hallen. Det hasande ljudet av Norman som släpades iväg. Tanzies mjuka röst som lockade honom, en röst hon bara använde med honom numera.

Och sedan slogs ytterdörren upp. Tillfredsställelsen över ljudet dämpades av att hon hade glömt säga till Tanzie att om det var Aileen så var de inte intresserade. Såg kvinnan minsta möjlighet skulle hon tränga sig in med sin svarta väska på hjul och duka upp sina paljettprydda "fynd" i hela vardagsrummet för att förvrida huvudet på Tanzie, och då skulle det bli omöjligt för Jess att säga nej.

Men det var inte Aileens röst hon hörde.

"Hej Norman."

Jess frös till is.

"Men jösses! Vad har hänt med hans ansikte?"

"Han har bara ett öga nu." Tanzies röst.

Jess smög fram till avsatsen. Hon kunde se hans fötter. Hans Converse. Hennes hjärta började bulta.

"Har han varit med om en olycka?"

"Han räddade mig. Från Fishers."

"Va?"

Och sedan Tanzies röst – hennes mun öppnades och orden forsade ut. "Fishers försökte tvinga in mig i en bil och Norman kastade sig genom staketet för att rädda mig men han blev påkörd av en bil och vi hade inte råd att …"

Hennes dotter. Pratade som om det inte fanns ett slut.

Jess tog ett steg nedför trapporna. Sedan ett till.

"Han dog nästan", sa Tanzie. "Han dog nästan och veterinären ville inte operera honom eftersom han hade så många skador på insidan och han tyckte att vi borde låta honom somna in. Men mamma sa att hon inte ville det, utan vi skulle ge honom en chans. Och sedan skrev Nicky på sin blogg om hur allt hade gått fel och då började folk skicka pengar. Så sedan hade vi pengar så det räckte för att rädda honom. Norman räddade mig och folk som vi inte ens känner räddade Norman, det är ganska coolt. Men nu har han bara ett öga och han blir jättetrött eftersom han fortfarande återhämtar sig och han orkar inte så mycket."

Nu såg hon honom. Han hade gått ner på knä och han strök Norman över huvudet. Hon kunde inte slita blicken från honom – hans mörka hår, T-shirten som smet åt över axlarna. Den där grå T-shirten. Något vällde upp inom henne och hotade att komma upp som en snyftning och hon måste kväva det i armvecket. Och sedan såg han upp på hennes dotter från sin hukande ställning och hans ansikte var allvarligt. "Hur är det med dig, Tanzie?"

Hon tvinnade en lock mellan fingrarna, dröjde med svaret, som om hon inte visste hur mycket hon skulle berätta. "Så där."

"Åh, lilla vän."

Tanzie tvekade, hon snurrade tån i cirklar på golvet bakom sig. Sedan tog hon helt enkelt ett steg fram och gick rakt in i hans armar. Han slöt dem om henne, som om han bara hade väntat på det, lät henne luta sitt huvud mot hans axel och de blev stående. Jess såg honom sluta ögonen och hon måste backa ett steg i trappan där hon förblev osynlig, för hon var rädd att om han såg henne nu skulle hon inte kunna sluta gråta.

"Vet du vad, jag visste det hela tiden", sa han till slut när han släppte taget om henne, och hans röst var fast. "Jag visste att det var något speciellt med den här hunden. Jag såg det."

"Är det sant?"

"Absolut. Du och han. Ni är ett team. Det ser vem som helst. Och en annan sak: Han ser rätt cool ut nu, tuff. Ingen man bråkar med."

Jess visste inte vad hon skulle göra. Hon ville inte gå ner för hon ville inte att han skulle se på henne på samma sätt som han gjorde förut. Hon kunde inte röra på sig. Hon kunde inte gå ner och hon kunde inte röra på sig.

"Mamma berättade varför du inte hälsar på längre."

"Gjorde hon?"

"Det var för att hon tog dina pengar."

En plågsamt lång tystnad.

"Hon sa att hon hade gjort ett misstag och hon ville inte att vi skulle göra samma." En ny tystnad. "Har du kommit för att hämta pengarna?"

"Nej. Det är verkligen inte därför jag är här." Han såg sig om. "Är hon här?"

Det gick inte att undvika. Jess tog ett steg ner. Och sedan ett till, handen på räcket. Hon stod i trappan med gummihandskarna på och väntade på att han skulle titta upp. Och det han sedan sa var det sista hon hade väntat sig.

"Vi måste åka till Basingstoke med Tanzie."

"Va?"

"Olympiaden. Det blev ett fel i det förra provet. De ska göra om alltihop. I dag."

Tanzie vände sig om och tittade frågande på Jess, lika konfunderade båda två. Och sedan gick det upp ett ljus för henne. "Var det första frågan?"

Han nickade.

"Jag visste det!" Och plötsligt log hon brett och strålande. "Jag visste att det var något som var fel!"

"Vill de att hon gör om hela provet?"

"I eftermiddag."

"Men det är omöjligt."

"Inte i Skottland. Basingstoke. Det är inte omöjligt."

Hon visste inte vad hon skulle säga. Hon tänkte på hur hon hade knäckt sin dotters självförtroende när hon pressat henne vid olympiaden förra gången. Hon tänkte på sin galna plan och hur mycket smärta deras resa hade orsakat. "Jag vet inte …"

Han balanserade fortfarande på hälarna. Han sträckte ut en hand och rörde vid Tanzie. "Vill du göra ett nytt försök?"

Jess såg hennes tveksamhet. Tanzies grepp om Normans halsband hårdnade. Hon skiftade vikten från ena foten till den andra. "Du måste inte, Tanze", sa hon. "Om du inte vill ska du inte göra det."

"Men du ska veta att ingen klarade frågan." Eds röst var lugn och fast. "Mannen som jag pratade med sa att det var omöjligt. Inte en enda person i hela salen kunde lösa den frågan."

Nicky hade dykt upp bakom honom med en plastpåse full med kuvert i handen. Det var svårt att veta hur länge han hade stått där.

"Men din mamma har rätt, du måste verkligen inte göra provet om du inte vill", sa Ed. "Men jag måste erkänna att jag gärna hade sett dig slå de där mattekillarna på fingrarna. Och jag vet att du kan det."

"Kom igen, pyret", sa Nicky. "Gå och visa dem var skåpet ska stå."

Hon vred på huvudet och såg på Jess. Sedan vände hon sig tillbaka och sköt upp sina lagade glasögon på näsan.

Det är mycket möjligt att alla fyra höll andan.

"Okej", sa hon. "Men bara om jag får ta med mig Norman." Jess hand flög upp till munnen. "Är du verkligen säker?"

"Ja. Jag kunde alla de andra frågorna, mamma. Jag fick bara panik när jag inte förstod den första. Sedan blev allting fel."

Jess klev ner två trappsteg till, hjärtat rusade. Hon började svettas om händerna inuti gummihandskarna. "Men hur ska vi hinna dit?"

Ed Nicholls reste på sig och såg henne i ögonen. "Jag kör er."

Det är inte lätt att klämma in fyra personer och en stor blandrashund i en Mini, särskilt inte en varm dag i en bil utan luftkonditionering. I synnerhet som hundens alla inre organ befinner sig i ett ännu större kaos än tidigare, och man måste åka i över fyrtio kilometer i timmen med allt vad det innebär. De körde med alla fönster nedvevade, närapå helt tysta, det var bara Tanzie som mumlade för sig själv och försökte komma ihåg allt som hon var övertygad om att hon hade glömt, och med jämna mellanrum dök ner med huvudet i en strategiskt placerad påse.

Jess läste kartan eftersom Eds nya bil saknade gps, och med hjälp av hans telefon försökte hon lotsa dem förbi igenkorkade motorvägar och överfulla shoppingcenter. Det tog dem en timme och trekvart att i en märklig tystnad hinna fram. Det var en sjuttiotalsbyggnad i glas och betong med en lapp med texten OLYMPIAD fasttejpad på en BETRÄD EJ GRÄSMATTAN-skylt. Den här gången var de förberedda. Jess registrerade Tanzie och gav henne ett par reservglasögon ("Hon går ingenstans utan ett extra par", anförtrodde Nicky Ed), kulspetspenna, blyertspenna och ett suddgummi. Sedan kramade de henne allihop och försäkrade att det hela inte var så viktigt alls, och såg tysta på när hon gick in i salen för att brottas med en massa abstrakta tal och möjligtvis sina egna demoner.

Jess dröjde sig kvar vid bordet och avslutade pappersarbetet, intensivt medveten om Ed och Nicky som småpratade på gräsmattan utanför dörren. Hon sneglade förstulet på dem. Nicky visade något på mr Nicholls gamla telefon. Ibland skakade han på huvudet. Jess undrade om det gällde bloggen.

"Hon kommer att klara sig fint, mamma", sa Nicky uppmuntrande när Jess anslöt sig. "Stressa inte upp dig." Han höll i Normans koppel. Han hade lovat Tanzie att inte gå längre än hundra meter från byggnaden, så att hon skulle känna deras speciella band till och med genom skrivsalens väggar.

"Ja, det är ingen fara med henne", sa Ed med händerna djupt nedkörda i fickorna.

Nickys blick flackade från den ena till den andra, sedan på hunden. "Jaha. Vi tar en kisspromenad. Om hunden behöver kissa, alltså. Inte jag", sa han. "Jag kommer om en stund." Jess iakttog honom när han långsamt började gå iväg och måste hålla sig från att ropa efter honom att hon skulle följa med.

Och sedan var det bara de två.

"Jaha", sa hon och pillade på gammal färg på jeansen. Hon önskade att hon hade hunnit byta om till något lite snyggare.

"Jaha."

"Du kliver fram och räddar oss ännu en gång."

"Du verkar klara av att rädda er själva ganska bra."

De stod tysta. På andra sidan parken hördes skrikande bromsar, en mamma och en ung pojke kastade sig ut från baksätet och rusade mot dörren.

"Hur är det med foten?"

"Bättre."

"Inga flip-flops."

Hon tittade ner på sina gympaskor. "Nej. Inte längre."

Han drog handen över huvudet och stirrade upp mot skyn. "Jag fick dina kuvert."

Hon fick inte fram ett ord.

"Jag fick dem i morse. Det var inte så att jag ignorerade dig. Hade jag vetat … allt … jag skulle aldrig ha lämnat dig att ta hand om allt själv."

"Det är okej", sa hon snabbt. "Du har gjort tillräckligt för oss." Det låg en stor sten nedtryckt i marken framför henne. Hon sparkade lite i jorden med sin friska fot för att försöka rucka på den. "Och det var väldigt snällt av dig att köra oss till olympiaden. Vad som än händer så …"

"Kan du sluta med det där?"

"Va?"

"Sluta sparka i marken. Och sluta prata som om …" Han vände sig mot henne. "Kom. Vi sätter oss i bilen."

"Va?"

"Och pratar."

"Nej … tack."

"Va?"

"Jag menar … Kan vi inte prata här?"

"Varför kan vi inte sitta i bilen?"

"Jag vill helst inte det."

"Jag förstår inte. Varför kan vi inte sitta i bilen?"

"Låtsas inte som om du inte visste." Tårarna vällde upp i ögonen. Och hon torkade ilsket bort dem med handflatan.

"Jag vet inte, Jess."

"I så fall kan jag inte tala om det."

"Kom igen nu. Det här är ju löjligt. Vi sätter oss i bilen."

"Nej."

"Men varför? Jag tänker inte stå här ute om du inte ger mig en bra anledning."

"För att …" Rösten bröts. "… för att det var där vi var lyckliga. Det var där jag var lycklig. I bilen. Lyckligare än jag varit på många år. Och jag klarar inte av att sitta där tillsammans med dig nu när …"

Rösten bar inte längre. Hon vände sig bort från honom, hon ville inte att han skulle se vad hon kände. Att han skulle se hennes tårar. Hon hörde honom ställa sig bakom henne, nära. Ju närmare han kom, desto svårare fick hon att andas. Hon ville be honom att gå, men visste att hon inte skulle stå ut om han gjorde det.

Hans röst var låg i hennes öra.

"Det är något jag försöker tala om för dig."

Hon stirrade ner i marken.

"Jag vill vara tillsammans med dig. Jag vet att vi har strulat till det rejält, men det känns fortfarande mer rätt att vara tillsammans med dig när du gör fel, än det känns när allt till synes är rätt men du inte är där." En paus. "Fan. Jag är inte så bra på det här."

Jess vände sig långsamt om. Han höll blicken fäst på sina skor, men tittade plötsligt upp.

"De berättade vilken Tanzies första fråga var."

"Va?"

"Det handlade om emergens. Att summan av delarna kan vara större än de enskilda komponenterna. Förstår du vad jag menar?"

"Näe. Jag är värdelös på matte."

"Det betyder att jag inte vill prata mer om det. Det du gjorde. Det vi båda gjorde. Jag bara ... jag vill göra ett försök. Du och jag. Det kanske visar sig bli en jättekatastrof, men det är en risk jag är beredd att ta."

Han sträckte fram en hand och tog varsamt tag i en hälla på hennes jeans. Drog henne intill sig. Hon kunde inte slita blicken från hans händer. Och när hon till slut lyfte sitt ansikte mot hans mötte hon hans blick som var stadigt fäst vid henne, och Jess kom på sig med att gråta och le samtidigt.

"Jag vill veta vad det kan bli av oss, Jessica Rae Thomas. Oss allihop. Vad säger du?"

KAPITEL FYRTIOETT

TANZIE

St. Anne's skoluniform är kungsblå med gula dekor-band. Man kan inte gömma sig i en skolkavaj från St. Anne's. Somliga flickor i min klass tar av sig den när de går hem från skolan, men det gör inte jag. Om man har jobbat hårt för att uppnå något känns det faktiskt ganska bra att få visa det. Och de har en tradition; om man ser en annan St. Anne's-elev utanför skolan vinkar man till varandra. Ibland är det en jättevinkning, som Sritis. Hon är min bästa vän och hon ser alltid ut som om hon befann sig på en öde ö och försökte tillkalla hjälp från ett förbipasserande flygplan. Ibland är det bara en liten fingervinkning med handen som håller skolväskan över axeln, så där som Dylan Carter gör, som blir generad när han ska prata med någon, till och med sin egen bror. Men alla gör det. Man kanske inte känner personen som vinkar, men man vinkar till alla som har skoluniformen. Så har man alltid gjort. Det visar tydligen att vi är som en familj.

Jag vinkar alltid, särskilt om jag är på bussen.

På tisdagar och torsdagar hämtar Ed mig, för det är då jag har matteklubben och mamma jobbar sent på sitt hemmafixarföretag. Hon har tre anställda nu. Hon säger att de arbetar tillsammans, men det är alltid hon som visar dem hur man ska göra saker och talar om vilka jobb de ska åka på, och Ed säger att hon fortfa-rande har lite svårt att vänja sig vid tanken på att vara chef. Han säger att hon lär sig så småningom. Han gör en grimas varje gång han säger det, som om mamma var hans chef också, men det märks att han gillar det. Sedan skolan började i september har mamma tagit ledigt på fredagar och vi bakar tillsammans, bara hon och jag. Det har varit jättemysigt, men nu måste jag tala om för henne att jag hellre stannar kvar i skolan, särskilt som jag ska göra de nationella proven för niondeklassare till våren. Pappa har inte haft möjlighet att komma ner och hälsa på än, men vi skypar varje vecka och han säger att han definitivt vill komma. Han sålde Rollsen till en polis som jobbade på garaget där den var beslagtagen. Han har två jobbintervjuer nästa vecka och massor med järn i elden.

Nicky går på college i Southampton. Han vill börja på konstskola. Han har en tjej som heter Lila, vilket mamma tycker är en överraskning på flera sätt. Han har fortfarande en massa eyeliner runt ögonen, men han håller på att låta håret växa ut i sin naturliga färg, som är ett slags mörkbrunt. Han är ett huvud längre än mamma, och när de står bredvid varandra i köket tycker han att det är kul att vila armbågarna mot hennes axlar, som om hon var en bardisk, eller något. Han skriver fortfarande på bloggen ibland, men oftast säger han att han inte hinner och han föredrar ändå Twitter numera, så han säger att det är okej att jag tar över den ett tag.

Vi har betalat tillbaka sjuttiosju procent av pengarna vi fick till Normans veterinärräkning. Fjorton procent ville hellre att vi skänkte pengarna till något välgörande och nio procent kunde vi inte spåra. Mamma säger att det inte gör något eftersom det viktiga är att vi gjorde ett försök, och ibland är det okej att ta emot andras generositet så länge man säger tack. Hon ville att jag skulle hälsa och säga tack om du kanske är en av dem, och hon säger att hon aldrig kommer att glömma bort den vänlighet som främmande människor har visat oss.

Ed är här hela tiden. Han sålde sitt hus på Beachfront och har nu bara en liten lägenhet i London, när Nicky och jag är där måste vi sova på hopfällbara extrasängar, men mest bor han hos oss. Han jobbar i köket på sin laptop och pratar med sina vänner i London med sina superhäftiga hörlurar, och han åker upp och ner på möten i sin lilla Mini. Han säger hela tiden att han ska köpa en ny bil eftersom det verkligen är trångt att få in alla oss i den, men på något konstigt vis vill ingen av oss riktigt det ändå. Det är ganska mysigt att tränga ihop sig i den lilla bilen, och dessutom har jag inte lika dåligt samvete för dreglet.

Norman är lycklig. Han kan allt som veterinären sa att han skulle kunna, och mamma säger att det räcker för oss. Enligt en kombination av de stora talens lag och satsen om total sannolikhet måste man ibland upprepa en företeelse ett ökande antal gånger för att nå det önskade utfallet. Ju fler repetitioner, desto större sannolikhet. Eller som jag förklarar det för mamma; ibland måste man bara fortsätta.

Jag har gått ut i trädgården med Norman åttiosex gånger den här veckan för att kasta boll med honom. Hittills har han aldrig hämtat den.

Men jag tror att det kommer att gå.

Författarens tack

Jag vill som alltid tacka mina fantastiska Penguin-team på
båda sidor om Atlanten. På Penguin i Storbritannien vill
jag särskilt tacka Louise Moore, Clare Bowron, Frances-
ka Russell, Elisabeth Smith samt Mari Evans och Viviane
Basset. I USA vill jag tacka Pamela Dorman, Kiki Koros-
hetz, Louise Braverman, Rebecka Lang, Annie Harris och
Carolyn Coleburn. Tack också till alla fina pr-personer –
Cindy Hamel Sellers, Carolyn Kretzer, Debb Flynn Han-
rahan, Esther Levine, Larry Lewis och Mary Gielow, som
har tillbringat så mycket tid med mig där borta i år. I Tysk-
land vill jag tacka Katharina Dornhofer, Marcus Gaertner
och Grusche Junker, och hela teamet på Rowohlt för ert
fantastiska arbete.

På Curtis Brown: än en gång tack till min outtröttli-
ga agent Sheila Crowley, och till Rebecca Ritchie, Katie
McGowan, Sophie Harris, Rachel Clements, Alice Luty-
ens såväl som Jessica Cooper, Kat Buckle, Sven van Dam-
me och självklart Jonny Geller.

Tack till Robin Oliver och Jane Foran för kunskapen om
lagar kring insiderhandel. Jag har varit tvungen att skruva
lite på den juridiska proceduren för att den skulle fungera
med intrigen, så alla fel eller konstigheter är bara mina.

Mer allmänt tack till Pia Printz, Damian Barr, Alex
Heminsley, Polly Salmson, David Gilmour, Cathy Runci-
man, Jess Ruston och Emma Freud, såväl som gänget på
Writersblock. Och för enorm hjälp, goda råd och för att ni
är underbara i största allmänhet: Ol Parker och Johathan
Harvey – tack.

Ett tack till Jackie Tearne, Chris Luckley, Claire Roweth,
Vanessa Hollis och Sue Donovan – utan er skulle jag inte

ha hunnit med själva skrivandet.

Tack till Kieron och Sharon Smith och deras dotter Tanzie, som en av huvudkaraktärerna i boken är döpt efter, tack för ert generösa bud i välgörenhetsauktionen för Stepping Stone Down Syndrome Support Group.

Och tack till mina föräldrar – Jim Moyes, Lizzie och Brian Sanders – och allra viktigast Charles, Saskia, Harry och Lockie, för att ni är meningen med allt.